DE KONINGIN EN IK

Sue Townsend

DE KONINGIN EN IK

met tekeningen van Martin Honeysett

vertaald door André Fransse

de
Prom

Van Sue Townsend verschenen eerder:
Het geheime dagboek van Adriaan Mole, 1985
De groeipijnen van Adriaan Mole, 1986
Coventry, 1989
Bekentenissen van Adriaan Mole, 1990

ISBN 90 6801 361 0
Oorspronkelijke titel: The Queen and I
Oorspronkelijke uitgever: Methuen London, een imprint van
Reed Consumer Books Ltd.
Copyright © 1992 by Sue Townsend
Illustraties copyright © 1992 by Martin Honeysett
Voor de Nederlandse vertaling:
© 1993 Uitgeverij de Prom, Postbus 1, 3740 AA Baarn
Vertaling: André Fransse
Omslag: Studio Combo/Martin Honeysett
Verspreiding voor België: Uitgeverij Westland nv, Schoten

Voor Gabrielle, Bailey en Niall

Noot van de schrijver

De koningin en ik is een roman. Namen, personen, plaatsen en voorvallen zijn ontsproten aan de fantasie van de auteur, of zijn volkomen fictief gebruikt.

Inhoud

Word wakker en wees weer de oude gek.
William Shakespeare, *Een midzomernachtsdroom, IV*
vertaling C. Buddingh'

April

1 Rusteloos ligt het gekroonde hoofd

De koningin lag in bed televisie te kijken met Harris. Het was 11.20 uur op de avond van de verkiezingen, donderdag 9 april 1992. Harris geeuwde, waarbij hij zijn scherpe tanden en leverkleurige tong liet zien.

'Vind je de verkiezingen vervelend, liefje?' vroeg de koningin, terwijl ze Harris over zijn rug aaide.

Harris blafte tegen de televisie, waar een reeks computerfiguurtjes (mannetjes met hoge hoeden) zich schokkerig over het scherm bewoog. De koningin keek een poosje geamuseerd maar vol onbegrip, totdat ze zich realiseerde dat de rode, blauwe en groene computermannetjes weergaven hoe de huidige samenstelling van het Lagerhuis was. Op het scherm stond een lange man druk gebarend te oreren hoe nauwkeurig de opinieonderzoeken waren en hoe waarschijnlijk het was dat geen van de partijen de meerderheid zou behalen. De koningin pakte de afstandsbediening en zette het geluid zachter. Ze herinnerde zich dat een secretaris haar eerder op de dag een knipsel uit een conservatieve krant had gegeven, met de woorden: 'Dit zult u wel leuk vinden, mevrouw.'

Zeker had ze het leuk gevonden. Een spiritiste, een medewerkster van de krant, had beweerd dat ze in contact was geweest met Stalin, Hitler en Dzjengis Khan, die het medium alle drie hadden verzekerd dat zij, als zij de kans zouden krijgen, zich naar het stembureau zouden haasten om op Labour te stemmen. Tijdens het diner had ze Philip het knipsel laten zien, maar hij had er de grap niet van in kunnen zien.

Harris gromde achterin in zijn keel, sprong van het bed af en dribbelde naar het televisietoestel. Het was nu 11.25. Harris blafte nijdig tegen het scherm toen de uitslag van Basildon bekend werd gemaakt. De koningin leunde achterover tegen het zachte satijn van de kussens en vroeg zich af wie de volgende middag haar hand zou kussen, de sympathieke John Major of de alleraardigste Neil Kinnock. Ze had geen bepaalde voorkeur. Beide partijleiders steunden openlijk de monarchie en geen van beiden leken ze op mevrouw Thatcher, die met haar gekke ogen en geknepen stem de koningin tijdens hun vaste besprekingen op dinsdagmiddag behoorlijk nerveus had gemaakt. De koningin vroeg zich af of er ooit een dag zou komen waarop een premier die de verkiezingen had gewonnen, *niet* de monarchie zou steunen.

De computermannetjes verdwenen van het scherm en maakten weer plaats voor gespannen politici die werden geïnterviewd; Harris verloor alle belangstelling en sprong weer op het bed. Nadat hij een rondje om zijn as had gedraaid, nestelde hij zich op het zachte dons van het dekbed en ging liggen. De koningin stak haar hand uit en wenste hem met een aai welterusten. Ze zette haar bril af, drukte op het knopje 'Uit' van de afstandsbediening, lag languit in het donker te wachten tot de slaap zou komen. Zorgen over haar gezin begonnen door haar geest te spelen. De koningin fluisterde het gebed dat Crawfie, haar gouvernante, haar meer dan zestig jaar geleden had geleerd:

Als ik voor het ontwaken dood mocht gaan,
Heer, zo bid ik, neem mijn ziel dan aan.

Terwijl ze voor de laatste keer bewust ademhaalde voor de slaap haar overmande, vroeg de koningin zich af wat er met haar en haar gezin zou gebeuren als er een republikeinse regering zou worden gekozen: het was de nachtmerrie van de koningin.

2 Een luchtje scheppen

De koningin rilde toen Jack Barker zijn sigaret met zijn schoen op het zijden tapijt uittrapte. Een vage brandlucht steeg nu tussen hen op. Jack bedwong de impuls om zijn excuses aan te bieden. De koningin keek misprijzend naar Jack. Zijn maag begon te knorren. Haar portret had in het klaslokaal gehangen waar hij had zitten zwoegen om de tafels van buiten te leren. In zijn jongensjaren keek hij altijd naar de koningin om inspiratie op te doen. Prins Charles bukte zich om het peukje op te pakken. Hij keek waar hij het neer zou kunnen leggen, maar toen hij niets zag dat geschikt was, liet hij het in zijn zak glijden.

Prinses Margaret zei: 'Lilibet, ik *moet* een sigaret hebben. Toe.'

'Mogen we de ramen opendoen, meneer Barker?' vroeg de koningin. Haar accent sneed door Jack heen als een kristal. Hij verwachtte half en half dat hij zou gaan bloeden.

'Niks ervan,' antwoordde hij.

'Krijg ik een eigen huis, meneer Barker, of moet ik inwonen bij mijn dochter en schoonzoon?' De koningin-moeder gunde Jack haar befaamde glimlach, maar haar handen draaiden de wijde rok van haar maagdenpalmblauwe japon tot een prop.

'U komt in zo'n laag bejaardenhuisje. Daar hebt u als gewoon burger van dit land recht op.'

'Een laag huisje, dat komt mooi uit. Ik kan geen trappen meer lopen. Komt mijn staf intern of extern te wonen?'

Jack schoot in de lach en keek eens naar zijn mede-republikeinen. Zes mannen en zes vrouwen, die met zorg waren uitgekozen om getuige te zijn van deze historische gebeurtenis. Ze lachten met Jack mee.

'U schijnt het niet te begrijpen. Er komt geen staf meer, geen kleedsters, geen secretarissen, geen keukenpersoneel, geen werksters, geen chauffeurs.'

Hij wendde zich tot de koningin en zei: 'U zal zo nu en dan bij uw mama moeten binnenlopen om haar een handje te helpen. Maar waarschijnlijk zal ze wel in aanmerking komen voor Tafeltje Dekje.'

Toen de koningin-moeder dat hoorde, leek ze daar erg mee in haar schik. 'O, ik hoef dus geen honger te lijden?'

'Onder het bewind van de Republikeinse Volkspartij hoeft niemand in Groot-Brittannië meer honger te lijden,' zei Jack.

Prins Charles schraapte zijn keel en zei: 'Eh, zou eh.. zou ik mogen vragen waar...? Dat wil zeggen, de lokatie...?'

'Als u me vraagt waar u allemaal naartoe gaat, krijgt u dat niet te horen. Alles wat ik u op dit ogenblik kan zeggen, is dat u allemaal in dezelfde straat komt te wonen, maar u krijgt vreemden als naaste buren, mensen uit de arbeidersklasse. Hier is een lijst van wat u mee kunt nemen.'

Jack hield hun de fotokopieën voor van de lijsten die zijn vrouw pas twee uur tevoren had samengesteld. Bovenaan de lijsten stond: *Noodzakelijke dingen; meubelen; vloerbedekking en gordijnen, geschikt voor gemeentewoning met drie slaapkamers en bejaardenwoning.* De lijst van de koningin-moeder was veel korter, zag ze. Jack hield de papieren in zijn uitgestoken hand, maar er kwam niemand naar voren om ze aan te pakken. Jack bewoog zich niet. Hij wist dat een van hen zou toeschieten. Tenslotte stond Diana op, ze had een hekel aan scènes. Ze pakte de paperassen van Jack aan en gaf elk lid van de koninklijke familie zijn lijst. Het bleef een paar ogenblikken stil terwijl ze lazen. Jack speelde wat met het pistool in zijn zak. Alleen hij wist dat het niet geladen was.

'Meneer Barker, er staat hier niets over honden,' zei de koningin.

'Eén per gezin,' zei Jack.

'Paarden?' vroeg Charles.

'Zou u een paard in de tuin van een gemeentewoning houden?'

'Nee. Volkomen juist. Niet bij stilgestaan.'

'Er staat geen kleding op de lijst,' zei Diana verlegen.

'U zult niet veel nodig hebben. Alleen het hoogst noodzakelijke. U zult nooit meer in het openbaar hoeven te verschijnen.'

Prinses Anne kwam overeind en ging naast haar vader staan. 'Goddank. Dan levert deze janboel in ieder geval nog iets goeds op. Voelt u zich wel goed, pa?'

16

Prins Philip verkeerde in een shocktoestand; dat was al zo sinds de avond tevoren, toen hij om 11.25 de televisie had aangezet om naar de speciale nachtuitzending over de verkiezingen te kijken en de bekendmaking had gezien dat Jack Barker, de stichter en leider van de Republikeinse Volkspartij, als lid van het Lagerhuis voor het district Kensington West was gekozen. Prins Philip had vol ongeloof toegekeken toen Barker zich tot de opgetogen mensenmassa's in het stadhuis had gericht. Mensen van middelbare leeftijd die poll tax betaalden, begonnen te juichen, samen met jongelui die gescheurde spijkerbroeken en neusringen droegen. Hij had de telefoon gepakt en zijn vrouw aangeraden de televisie aan te zetten. Een half uur later belde ze terug: 'Philip, wil je naar mijn kamer komen?'

Ze waren tot de vroege morgenuren opgebleven, terwijl de ene republikeinse kandidaat na de andere in het bijzijn van juichende menigten uit de Britse burgerij, voor gekozen werd verklaard. Later waren hun kinderen eveneens komen kijken. Om half acht brachten de dienaren hun het ontbijt, maar niemand at ervan. Om elf uur had de Republikeinse Volkspartij 451 zetels gewonnen en John Major, de conservatieve premier, had schoorvoetend erkend dat hij verslagen was. Kort daarop had Jack Barker meegedeeld dat hij premier was. Zijn eerste taak, zei hij, zou zijn dat hij naar Buckingham Palace zou gaan om de koningin te gelasten afstand te doen van de troon.

Lachende politiemannen hadden de dertien republikeinen in hun minibusje te kennen gegeven dat ze het hek van Buckingham Palace konden passeren. De soldaten van de koninklijke garde hadden hun beremutsen afgezet en zwaaiden ermee in de lucht. Leden van de staf van de koningin waren hun de hand komen schudden. Er was champagne aangeboden, maar ze hadden die afgeslagen.

Tot zijn verkiezing als afgevaardigde van het district Kensington West, had Jack Barker de leiding gehad over een afgescheiden sectie van de Bond van Televisietechnici. In de drie weken die aan de algemene verkiezingen waren voorafgegaan, hadden Jack en zijn ontevreden leden subliminale* boodschappen voor de kijkers uitgezonden: 'STEM REPUBLIKEINS – WEG MET DE MONARCHIE.'

Op de zaterdag voor de verkiezingsdag had *The Times* opgeroepen om de monarchie te ontmantelen. Honderdduizend anti-monarchisten waren van Trafalgar Square naar Clarence House gelopen, niet wetend dat de koningin-moeder bij de paardenrennen was. Een hevig onweer had ze uit elkaar gejaagd voor ze terug was, maar uit het raampje van haar limousine had ze de weggegooide borden gezien.

'HOEPEL OP, MEVROUW.'

Een vergissing, dacht ze, ze hadden vast bedoeld 'Hoera, mevrouw', zou het niet?

Die avond merkte ze dat haar personeel nors en weinig behulpzaam was. Ze moest een half uur wachten voor een dienaar de gordijnen van haar slaapkamer dicht kwam doen.

Op de dag van de verkiezing had het Britse volk, dat door de televisietechnici gehersenspoeld was, zijn keus gedaan.

Een officier van de koninklijke garde klopte aan en trad toen binnen.

'Ze roepen om u, sir,' zei hij.

Jack snauwde: 'Noem me geen sir. Ik ben gewoon Jack Barker voor jou – begrepen?'

Jack richtte zich tot de verzamelde koninklijke familie: 'We gaan naar het balkon om een luchtje te scheppen.'

Tijdens de wandeling van de achterzijde van het paleis naar de voorkant, raakte Jack buiten adem. Hij had geen conditie. Het was al lang geleden dat hij zo'n eind had gelopen.

'Hoeveel kamers hebt u?' vroeg hij de koningin terwijl ze door de eindeloze gangen sjokten.

'Voldoende,' zei de koningin.

'Vierhonderdnegenendertig, geloven we,' zei Charles behulpzaam.

Toen ze een hoek omgingen, konden ze een diep, grom-

---

* Subliminaal beeld: televisiebeeld dat minder dan een kwart seconde op het scherm te zien is en daardoor door de kijker kan worden geregistreerd zonder dat hij zich daar bewust van is.

18

mend geluid horen als van een beer die met een stok uit zijn winterslaap wakker gepord wordt. Toen de republikeinen en de leden van de koninklijke familie de middenzaal betraden, werden ze overdonderd door het lawaai. Zodra Jack Barker het balkon opging, opende de menigte de mond en brulde: 'Jack, Jack, wij eisen hun vertrek.'

Jack keek neer op de burgerij van Groot-Brittannië die rond het paleis stond. De Mall en de parken waren zo vol publiek dat er geen centimeter van de straat en geen graspriet meer te zien was. Op hem rustte nu de verantwoordelijkheid voor hun eten, hun onderwijs, hun riolering en hij zou aan het geld moeten zien te komen waarmee dat alles moest worden betaald. Zou hij het aankunnen? Was hij ertoe in staat? Hoe lang zouden ze hem de tijd geven om zich waar te maken?

Boven het lawaai uit riep hij: 'Wil de ex-koninklijke familie alstublieft bij mij komen staan?'

De koningin rechtte haar rug, hing de handtas aan haar arm goed en stapte op het balkon. Toen de onmetelijke mensenmassa de kleine vertrouwde gestalte zag, werd het stil; toen begonnen ze, net als kinderen die een strenge vader uitdagen, weer te roepen: 'Jack, Jack, wij eisen hun vertrek.'

Toen de andere leden van de ex-koninklijke familie op het balkon verschenen, werd er boe geroepen en gejoeld. Diana probeerde de hand van haar echtgenoot te pakken, maar hij fronste zijn wenkbrauwen en hield de handen op zijn rug. Prinses Margaret stak een sigaret op en deed die in een schildpadpijpje. Prins Philip en zijn dochter gaven elkaar een arm, als was het lawaai van de menigte tastbaar en zouden ze daardoor omver geduwd kunnen worden.

De koningin-moeder glimlachte en zwaaide zoals ze dat gewend was. Ze was te oud om nog te veranderen. Ze had trek in een gin-tonic. Het was niet haar gewoonte om al voor de lunch te drinken, maar dit was toch wel een bijzondere dag. Ze zou meneer Barker vragen of het gepermitteerd was, als ze deze vrij onplezierige verplichting achter de rug hadden.

Een van de republikeinen gaf Jack een plastic tas van de supermarkt. Er zat iets zwaars en volumineus in. De bodem van de tas kon de vracht maar nauwelijks houden.

Twee republikeinen hielden de tas open en Jack pakte de

19

Britse koninklijke kroon. Die was afgezet met parels en bezaaid met smaragden, saffieren en diamanten. Jack draaide de kroon rond zodat de robijn van de Zwarte Prins naar de menigte gekeerd was. Toen hield hij de kroon met gestrekte armen boven zijn hoofd en wierp hem naar beneden op het voorplein. Toen de kroon viel, moest de koningin eraan denken wat een hekel ze aan de kroon had gehad en hoeveel angst die haar had bezorgd. In de dagen voor de kroning had ze gedroomd dat de kroon van haar hoofd zou vallen wanneer ze van de troon opstond. Terwijl ze nu stond te kijken hoe haar huishoudelijke staf vocht om de edelstenen die overal op het plein beneden lagen, herinnerde ze zich de nerveuze ademhaling van de aartsbisschop van Canterbury, toen hij de ruim zes pond zware kroon op haar hoofd had geplaatst.

'Zwaai maar gedag,' gelastte Jack Barker.

De ex-koninklijke familie zwaaide, waarbij ieder zich gelukkiger gelegenheden herinnerde: bruidsjaponnen, kussen, de toejuichingen van de adorerende mensenmassa's. Ze draaiden zich om en gingen naar binnen. Nu waren het Jack en zijn collega's die werden toegejuicht tot de schilderijen aan de muren van het paleis ervan hingen te trillen. Jack bleef niet lang, hij wilde geen persoonsverheerlijking aanmoedigen. Dat leidde maar tot jaloezie en rancune en Jack wilde de genegenheid en het respect van zijn collega's zo lang mogelijk behouden. Hij was graag de baas. Op de kleuterschool had hij de schoolmelk rond moeten delen. Hij zette voor ieder kind een flesje melk neer, liet ze wachten op een rietje, haalde vervolgens de doppen van zilverfolie op en voegde die bij de grote bal die ze aan de blinden zouden geven. Als een kind per ongeluk zijn rietje platdrukte, weigerde Jack streng om een nieuw te geven.

Thuis leefde de vijf jaar oude Jack in een chaos. Hij ging graag naar school, omdat daar regels golden. Vooral als mevrouw Biggs, zijn dikke onderwijzeres, tegen hem begon te schreeuwen, voelde hij zich veilig. Jacks moeder schreeuwde nooit; ze sprak amper tegen hem, behalve wanneer ze hem zei dat hij naar de winkel moest voor vijf sigaretten.

In de middenzaal wuifde de koningin de sigaretterook van Margaret weg en vroeg: 'Hoe lang krijgen we?'

'Achtenveertig uur,' zei Jack.

De koningin zei: 'Dat is wel heel kort dag, meneer Barker.'
Jack zei: 'U had al jaren geleden moeten weten dat uw tijd
om was.' Tegen de verzamelde leden van de koninklijke familie zei hij: 'Laat ieder naar huis gaan en daar blijven. U krijgt
bericht wanneer u moet verhuizen.'

Tegen Charles zei hij: 'Zeker opgelucht, hè?'

Charles deed of hij niet begreep waar Barker het over had.
Hij zei: 'Meneer Barker, mogen we ook op zondag verhuizen?
Ik zou graag mijn moeder helpen.'

'Zeker,' zei Jack grijnzend. 'Dat is uw voorrecht. Maar natuurlijk niet meer uw *koninklijk* voorrecht, dat niet meer.'

Charles had het gevoel dat hij zich in het bijzijn van zijn
moeder wat meer te weer zou moeten stellen, daarom zei hij:
'Mijn familie heeft dit land jaren vol toewijding gediend, mijn
moeder in het bijzonder...'

'Daar is ze goed voor betaald,' snauwde Jack. 'En ik zou u
zeker tien mensen kunnen noemen die ik persoonlijk ken, die
minstens twee keer zo hard voor hun land hebben gewerkt en
daar *noppes* voor hebben gekregen.' Jacks gebruik van het
woord 'noppes' stamde uit zijn kinderjaren, een tijd van armoede en vernedering waarin zijn politieke filosofie was ge-
vormd.

Prins Charles wreef met een gemanicuurde wijsvinger langs
zijn neus en zei: 'Maar we hebben zekere normen in stand
gehouden...'

Dit gesprek stond Jack wel aan. Het was er een dat hij in
gedachten vele malen had gerepeteerd.

'Wat uw familie in stand heeft gehouden,' zei hij, 'is een
hiërarchie, met u aan de top en de anderen, onontkoombaar,
onder u. Als gevolg daarvan is ons land doortrokken van klas-
segeest. Klassevrees heeft ons de nek omgedraaid, meneer
Windsor. Ons land is net zo stil blijven staan als uw familie
geprofiteerd heeft van de weelde en macht ervan. Ik maak
alleen maar een eind aan die wanverhouding.'

De koningin had nu wel genoeg geluisterd naar die republikeinse onzin. Ze zei: 'U gaat dus op zoek naar een nieuw
boegbeeld, zoiets als een president, neem ik aan?'

'Nee,' zei Jack. 'Het Britse volk zal zijn eigen boegbeeld zijn,
alle zevenenvijftig miljoen.'

21

'Lastig om een foto van zevenenvijftig miljoen mensen te maken,' zei de koningin. Ze maakte haar handtas open en knipte hem weer dicht. Jack zag dat de tas, op een kanten zakdoekje na, leeg was.

'Is het mij toegestaan om weg te gaan?' vroeg ze.

'Zeker,' zei Jack met een lichte buiging van het hoofd.

De koningin verliet het vertrek en liep de gangen door. Intussen las ze de lijst met de dingen die ze kon meenemen en de beschrijving van haar nieuwe huis.

HELLEBORE CLOSE 9
FLOWERS ESTATE

Algemene informatie: Dit half-vrijstaande, vooroorlogse woonhuis met twee slaapkamers, gelegen in de wijk Flowers Estate, is onlangs helemaal opnieuw geschilderd en omvat in het kort: voordeur, portaal, gang, zitkamer, keuken, badkamer, overloop, twee slaapkamers, berging en afzonderlijke wc. Buiten: toegangspad en voor- en achtertuin.

Woning

Benedenverdieping

Vooringang met deur naar gang.
Gang: met trap naar eerste verdieping, voorraadkast.
Zitkamer: 4,5 × 3,75 m met aansluiting voor gashaard.
Keuken: 2,90 × 3 m; apparaten nog te installeren, maar inclusief aanrecht, aansluiting voor gasstel en achterdeur.
Badkamer: met tweedelige inrichting omvattend: gietijzeren bad, wastafel, gedeeltelijk betegelde muren, raam met matglas en boiler.

Eerste verdieping

Overloop met toegang tot vliering.
Slaapkamer 1: 4 × 3,10 m.
Slaapkamer 2: 2,90 × 2,80 m.

Berging: 1,80 × 1,80 m.
Afzonderlijke wc: met laag toilet en matglazen raam.

Buiten: het huis is te bereiken via een pad met tuin en pad naar zijingang, samen met tuin aan de achterzijde.

N.B.: We kunnen niet garanderen dat enige boiler of warmwatertoestel in het huis gebruiksklaar is.

3 Nooit zo nederig

Het werd al donker toen de verhuiswagen bij Hellebore Close nummer 9 voor kwam rijden. De koningin keek onaandoenlijk naar haar nieuwe huis. Het huis keek grimmig in het halfduister terug, alsof het de pee in had. De ramen waren dichtgespijkerd. Een of andere krachtpatser had met zesduims spijkers hardboard platen op de kozijnen bevestigd. Er groeide een kleine plataan in de dakgoot van de bovenverdieping.

De koningin trok haar hoofddoek goed en rechtte haar rug. Ze keek naar de voordeur die van gemiddelde breedte was: ons meubilair zal daar nooit door kunnen, dacht ze, en we hebben vast een muur samen met de buren – wat was daar ook weer de technische term voor? O ja, een gemeenschappelijke muur, dat was het. De deur van nummer 11 ging open en een man in een T-shirt en overall kwam naar buiten en bleef op zijn betonnen stoep staan. Een vrouw kwam achter hem aan, blond en mollig, haar kleren waren een maat te klein en ze had rode donzige muilen aan. Het dons wuifde heen en weer in de avondwind, het leek op diertjes die op de zeebodem naar plankton zochten.

De man en de vrouw waren gehuwd – Beverley en Tony Threadgold – de nieuwe buren van de koningin. Ze stonden met open mond naar de verhuiswagen te kijken, zonder ook maar enige moeite te doen hun nieuwsgierigheid te verbergen. Het huis naast hen had meer dan een jaar leeggestaan, de Threadgolds hadden dan ook de luxe van een betrekkelijke privacy gekend. Al die tijd schreeuwden ze, sloegen ze met deuren en vrijden ze zonder hun stemmen in bedwang te houden en nu was dat afgelopen. Ze hoopten dat hun nieuwe buren redelijk fatsoenlijke lieden zouden zijn, maar niet al te fatsoenlijk.

De chauffeur liep om de verhuiswagen heen en deed de deur voor de koningin open. Ze klom omlaag, blij toe dat haar tweed rok zo ruim was.

'Kom aan,' moedigde ze aan, maar Philip bleef voor in de auto zitten terwijl hij zijn tas tegen zich aandrukte alsof het een

warmwaterkruik was en hij het slachtoffer was van onderkoe-
ling.

'Philip, deze meneer heeft een gezin en wil naar huis.'

De chauffeur vond het best aardig dat hij door de koningin
meneer werd genoemd.

'Niks geen haast,' zei hij welwillend.

Maar het liefst zou hij meteen naar zijn eigen gemeentewoning zijn gegaan om zijn vrouw te vertellen hoe hij met de
koningin over de M1 was gereden en met haar had zitten praten over homeopathische medicijnen en honden en problemen
met opgroeiende kinderen.

'Ik zal u wel een handje helpen met uw spullen,' bood hij
aan.

'Wat aardig van u, maar de Republikeinse Partij heeft ons te
kennen gegeven dat mijn man en ik eraan moeten wennen
onszelf te redden.'

De chauffeur vertrouwde haar toe: 'Bij ons thuis heeft
niemand op ze gestemd. We stemmen altijd conservatief, altijd.'

De koningin vertrouwde hem toe: 'Een van *ons* thuis heeft ze
zijn steun gegeven.'

De chauffeur knikte in de richting van prins Philip. 'Hij toch
niet?'

De koningin schoot in de lach – het idee alleen al.

Een tweede verhuiswagen daverde de straat in. De deuren
gingen meteen open en de kleinkinderen van de koningin
klommen naar buiten. De koningin zwaaide en de jongetjes
holden op haar af. Prins Charles hielp zijn vrouw uitstappen.
Diana had zich op tijden van tegenspoed gekleed: spijkerpak en
cowboylaarzen. Ze keek naar Hellebore Close 8 en huiverde.
Maar prins Charles glimlachte. Dit was nu eindelijk het sim-
pele leven.

4 Piekfijn

Op het naambord bij het begin van de straat ontbraken vijf zwarte metalen letters. Verlicht door het schijnsel van een flakkerende straatlantaren stond er nu Hell   Close.

De koningin dacht: Ja, dit *is* de hel, dat moet wel, want ik heb heel mijn leven nog nooit zoiets gezien.

Ze had vele wijken met gemeentewoningen bezocht, had buurthuizen geopend, ze was langs elkaar verdringende en juichende mensenmassa's gereden, was uit de auto gestapt, over rode lopers voortgeschreden, had van een tweejarig kind in een feestjurkje van Mothercare een boeketje in ontvangst genomen, was begroet door hoogwaardigheidsbekleders die geen woord konden uitbrengen, had aan een koord getrokken, een gedenkbord onthuld, het gastenboek getekend. Daarna loper, auto, rit naar de helikopter, opstijgen en weg. Ze had weleens op BBC 2 een documentaire over armoede in grote steden gezien, had onaantrekkelijke arme mensen in stuntelige zinnen over hun verschrikkelijke leven horen praten, maar ze had zulke programma's als sociologische curiositeiten beschouwd, zoiets als besnijdenisceremoniën bij de Indianen in het Amazonegebied; zo ver weg dat het er eigenlijk niet toedeed.

Het stonk er. In de straat was iemand autobanden aan het verbranden. De scherpe rook dreef langzaam over een dak weg. Bij niet één huis in het straatje zaten alle ramen er nog in. De tuinhekjes waren kapot of verdwenen. De tuinen lagen vol rommel, zwarte plastic zakken waren door rondstruinende honden opengescheurd, televisietoestellen flikkerden en schetterden. Een politieauto reed het straatje in en stopte. Een agent greep een jongen van het trottoir, duwde hem achter in de auto en reed snel weg, terwijl de knaap achter in de auto lag te spartelen. Er lag een man onder het wrak van een auto, die op stenen was gekrikt. Andere mannen zaten er op hun hurken bij, terwijl ze met zaklantarens bijlichtten en toekeken, getatoeëerde mannen met haardossen die allang uit de tijd waren, hun sigaret in de holte van hun hand. Een vrouw op witte naaldhakken holde over straat achter een jochie aan dat alleen maar een hemdje droeg. Ze trok het kind aan zijn dikke armpje terug in huis.

'Vort, naar binnen jij en daar blijf je,' gilde ze. 'Wie heeft die rotdeur open laten staan?' vroeg ze aan andere, onzichtbare kinderen.

De koningin moest denken aan de verhalen die Crawfie haar in de kinderkamer bij de thee placht te vertellen. Over boze kabouters en heksen, over vreemde landen, waar ongure mensen woonden. De koningin smeekte haar gouvernante steeds weer niet verder te vertellen, maar die wilde daar nooit van horen.

'Loop heen,' lachte ze. 'Jij bent veel te teergevoelig.' Als mama er bij was, zou Crawfie nooit zoiets zeggen of zo lachen.

De koningin dacht: Crawfie heeft het vast geweten. Ze heeft het geweten. Ze heeft me op Hellebore Close voorbereid.

William en Harry renden heen en weer in het straatje; ze waren opgewonden door het nieuwe van de autorit en ze profiteerden ervan dat hun kinderjuf er niet was. Mama en papa stonden voor de voordeur van een vies oud huis, waar ze een sleutel in het slot probeerden te steken. William zei: 'Wat bent u aan het doen, papa?'

'Ik probeer binnen te komen.'

'Waarom?'

'Omdat we hier gaan wonen.'

William en Harry begonnen hard te lachen. Het gebeurde niet dikwijls dat pa een grapje maakte. Soms begon hij weleens met een rare stem te praten en zei hij van alles over de Goons en meer van dat soort dingen. Maar meestal was hij doodernstig. Dan keek hij streng en las ze de les.

Mama zei: 'Dit is ons nieuwe huis.'

William zei: 'Hoe kan dat nou? Het is toch een oud huis?'

Weer begonnen de jongens te lachen. William had het niet meer en zocht steun; hij leunde tegen het geteerde hekje dat hun huis scheidde van dat van de buren. Het vermoeide hekje bezweek onder zijn broze gewicht en zakte in elkaar. Toen Diana hem daar gillend tussen het versplinterde hout zag liggen, keek ze automatisch om zich heen naar Juf, die altijd wist wat er moest gebeuren, maar Juf was er niet. Ze bukte zich en tilde haar zoon uit het wrakhout op. Harry klampte zich jammerend aan de zoom van haar denim jasje vast. Charles trapte woest tegen de voordeur, die openging, terwijl er een stank van verwaarlozing, vocht en patat naar buiten kwam. Hij deed het licht in het portaal aan en wenkte zijn vrouw en kinderen naar binnen.

Tony Threadgold stak een sigaret op en gaf die aan zijn vrouw. Toen stak hij er een voor zichzelf op. Er werd in de Arbeidersclub van Flowers Estate dikwijls gelachen om zijn nette manieren. Hij had een keer gezegd: 'Excuseer me,' toen hij zich met een blad vol glazen een weg baande door het gedrang bij de bar en dat had slechts tot gevolg gehad dat zijn sexualiteit in twijfel was getrokken.

'Excuseer me?' spotte een dikke vent met psychotische ogen. 'Wat ben jij er voor een, een flikker?'

Tony had het blad met glazen met een dreun op het hoofd van de man neer laten komen, maar was toen meteen naar Bev gegaan om zich te verontschuldigen dat het wat langer zou duren om meer drankjes te halen. Welgemanierd.

De Threadgolds keken toe hoe een schimmige gedaante tegen een lange man zei dat hij uit de verhuiswagen moest komen. Was zij een buitenlandse? Dat was toch geen Engels wat ze sprak. Maar toen hun oren er beter aan gewend raakten, kregen ze door dat het Engels was, maar piekfijn Engels, *echt* piekfijn.

'Tony, waarom hebben ze zo'n piekfijne madam in Hell Close neergezet?' vroeg Beverley.

'Weet ik veel,' antwoordde Tony, die in het donker tuurde. 'Ik heb d'r wel 's eerder gezien. Is het soms de receptioniste van dr. Khan?'

'Nee,' zei Beverley (die altijd bij de dokter zat en ze kon dus met enig gezag spreken), 'dat ken niet.'

'As je me nou, dat moet ons weer overkomen dat we zulke piekfijne lui naast ons krijgen.'

'Nou, in ieder geval zullen hun niet in het bad schijten zoals dat laatste zootje ongeregeld.'

'Ja, da's waar,' gaf Tony toe.

Prins Philip stond sprakeloos naar nummer 9 te kijken. Een

straatlantaren schoot aan en wierp een theatraal licht op zijn vervallen toekomstige woning. Het licht bleef flakkeren als hoorde het thuis in de schouwburg en moest het de indruk wekken van een storm op zee. De chauffeur liet de laadklep aan de achterkant van de verhuiswagen omlaag en ging naar binnen. In al de eenentwintig jaren dat hij verhuizer was, had hij nog nooit zulke prachtige spullen gezien. De hond in het hok achterin begon te grommen en te bijten en gooide zijn lijfje woest tegen de tralies.

'Hullie hebben een hond,' zei Tony.

'Als ze dat beest maar koest houden,' zei Beverley. Tony kneep zijn vrouw eens in de schouder. Het was een best mens, dacht hij. Heel verdraagzaam.

Prins Philip sprak: 'Dat is verdomde onmogelijk. Ik verdom het. Ik ga nog liever in een verdomde *greppel* wonen. En van dat verdomde *licht* word ik nog *gek*.'

Hij schreeuwde tegen de lantaren, die rustig doorging de indruk te wekken van een storm op zee en aan een orkaan begon toen Philip de paal vastgreep en heen en weer schudde.

Beverley zei: 'Ik snap het. Het is een gek, zo eentje die ze losgelaten hebben, om rustig tussen de mensen aan z'n eindje te komen.'

Tony keek toe toen Philip naar de achterkant van de verhuis-auto holde en het hondje toeschreeuwde: 'Stil, Harris. Ellendig klein kreng.'

'Je kon weleens gelijk hebben, Bev,' zei Tony. Ze draaiden zich om om weer naar binnen te gaan, toen de koningin hen aansprak.

'Neemt u me niet kwalijk, maar kan ik misschien een bijl van u lenen?'

'Een *bel*?' herhaalde Tony.

'Ja, een bijl.' De koningin kwam naar het hekje van de voortuin.

'Wat *bel*?' vroeg Beverley zich af.

'Ja.'

'Ik snap niet wat u wil,' zei Tony.

'U weet niet wat een bijl is?'

'Nee.'

'Die gebruik je om hout mee te hakken.'

De koningin werd ongeduldig. Ze had toch een simpel verzoek gedaan; haar nieuwe buren waren kennelijk debielen. Ze was er zich van bewust dat het peil van het onderwijs gedaald was, maar dat iemand niet wist wat een *bijl* was... Het was een schandaal.

'Ik heb gereedschap nodig om me toegang te verschaffen tot mijn huis.'

'Wat heus?'

'*Huis!*'

De chauffeur bood zijn diensten aan als vertaler. De uren dat hij met de koningin had zitten praten, hadden hem nieuw vertrouwen in zijn linguïstische kwaliteiten gegeven.

'Deze dame wil weten of u een *bijl* hebt.'

'Ja, ik heb een bijl, maar die geef ik zeker niet aan die daar,' zei Tony terwijl hij naar Philip wees. De koningin kwam via het tuinpad naar de Threadgolds en de lamp van hun portaal verlichtte haar gezicht. Beverley snakte naar adem en maakte onhandig een buiging. Tony stapte naar achteren en greep de bovenlijst van de voordeur vast om steun te vinden voor hij zei: 'Hij ligt achter. Ik zal 'm gaan halen.'

Toen Beverley alleen achterbleef, barstte ze in tranen uit.

'Het kwam ook zo inenen,' zei ze later, toen zij en Tony in bed lagen en maar niet in slaap konden komen. 'Ik bedoel maar: wie zou zoiets nou geloven? Ik geloof het nog niet, Tone.'

'Ik ook niet, Bev. Ik bedoel: de koningin naast de deur. We gaan een ander huis aanvragen.'

Enigszins getroost viel Beverley in slaap.

Het was Tony Threadgold die de planken van de voordeur had weggehaald, maar het was prins Philip die de sleutel van zijn vrouw had gepakt, deze in het slot had gestoken en het huis was binnengegaan. Het was natuurlijk belachelijk klein.

'Ik heb vroeger een speelhuisje gehad dat groter was,' zei de koningin, terwijl ze in de huiskamer keek.

'We hadden verdomme *auto's* die groter waren,' zei prins Philip, die stampvoetend naar boven ging. Op alle muren zat reliëfbehang. Van onder tot boven was het magnoliawit geschilderd. 'Heel aardig,' zei de chauffeur. 'Schoon.'

Tony Threadgold zei: 'Ja, nadat ze die van Smith eruit gegooid hadden, moest d'r een ploeg van de gemeentereiniging aan te pas komen. Ze droegen beschermende kleding, weet je wel, en van die helmen die voor zuurstof zorgen. Schorriemorrie, die lui van Smith. U boft dat het allemaal opgeknapt is, opnieuw behangen en geschilderd.'

Beverley kwam met vijf bekers sterke thee uit het huis ernaast. Ze gaf de beker zonder barsten aan de koningin; prins Philip kreeg de op één na beste, die waarop Alton Towers stond. Ze nam zelf de minste, die wat lekte en met het opschrift: 'DOE HET ELKE DAG EEN KEER EN JE ZIET GEEN DOKTER MEER'. De telefoon ging; ze schrokken er allemaal van. Philip wist het toestel in de kast van de gasmeter te vinden.

'Het is voor jou,' zei hij en gaf de hoorn aan zijn vrouw.

Jack Barker was aan de lijn. 'Hoe vindt u het?' zei hij.

'Ik vind er niets aan. Trouwens, wat vindt *u* ervan, meneer Barker?'

'Hoe bedoelt u?'

'Downing Street. Het is ontzettend veel werk. Al die rode dozen.'

'Rode dozen,' schamperde Barker. 'Ik heb wel wat beters te doen dan mijn tijd *daarmee* te verlummelen. Goedenacht.'

De koningin legde de telefoon neer en zei: 'We kunnen maar het beste beginnen met de meubelen naar binnen te brengen, denk je niet?'

5 Een kabinet in de keuken

Om tien uur had Tony Threadgold de televisie op het gebarsten stopcontact in de muur aangesloten en nadat hij wat met de verbinding van de antenne van het toestel gefrutseld had, zette hij het aan.

'O, dat politieke geouwehoer,' zei hij toen het gezicht van Jack Barker op het scherm verscheen.

Tony wilde het toestel uitzetten, maar de koningin zei: 'O nee, alstublieft, laat u het aan.' En ze ging zitten kijken.

Het was voor de eerste keer dat de keuken van Downing Street nummer tien werd gebruikt voor een toespraak van de premier. De leden van Jacks nieuwe kabinet – zes vrouwen, zes mannen – zaten rond de grote keukentafel en probeerden er ontspannen uit te zien. Jack zat in een Windsorstoel aan het hoofd van de tafel, met het gezicht naar de camera. Officieel aandoende papieren, koffiekopjes, een schaal met fruit en vaasjes met bloemen uit de tuin waren door de regisseur van het programma zo gerangschikt dat ze de indruk moesten wekken van een zakelijke ongedwongenheid.

Jack had de mouwen van zijn denim overhemd tot zijn ellebogen opgerold. Zijn toch al knappe gelaatstrekken waren hier en daar subtiel met kleur aangezet en kwamen daardoor nog beter tot hun recht. Zijn accent was een combinatie van de afgevlakte klinkers van het noorden met de beslister intonatie van het zuiden. Hij wist dat zijn glimlach goed overkwam, hij maakte er dikwijls gebruik van. Hij had zijn ambtenaren de schrik op het lijf gejaagd toen hij ze zei dat hij zelf zijn speeches zou schrijven en het was dan ook zijn eigen toespraak die hij nu via het afleesapparaat voorlas. Zelfs in zijn eigen oren klonk de tekst bombastisch en belachelijk, maar het was te laat om daar nu nog verandering in te brengen.

'Burgers. We zijn niet langer onderdanen. Iedere man, vrouw en kind in dit land kan vandaag het hoofd hoog houden, nu we eindelijk bevrijd zijn van het verderfelijke klassesysteem waardoor onze maatschappij zo lang is vergiftigd. Vanaf vandaag zijn alle rangen, titels en bevoorrechte posities afgeschaft. Burgers zullen voortaan alleen nog maar meneer, mevrouw of juffrouw genoemd worden.

'De parasiterende koninklijke familie zal worden overgebracht naar een buurt waar ze een gewoon leven te midden van gewone mensen zullen leiden. Het zal als een overtreding worden beschouwd voor ze te buigen of ze aan te spreken anders dan met de eerder genoemde aanspreekvormen. Hun grondbezit, onroerend goed, schilderijen, meubelen, juwelen, fokvee enz., enz., enz., vallen in hun geheel aan de staat toe. Mensen die proberen bij de vroegere koninklijke familie in de gunst te komen, worden erop attent gemaakt dat zulk gedrag, mocht het ter kennis van de autoriteiten komen, zal worden bestraft.

'De ex-koninklijke familie zal evenwel de bescherming genieten van de wetten van het land. Iedereen die ze intimideert, bedreigt, beledigt of ze kwaad berokkent of inbreuk pleegt op hun privacy, zal gerechtelijk worden vervolgd. Het is te hopen dat de leden van de voormalige koninklijke familie deel gaan uitmaken van hun buurt, erin slagen werk te vinden en nuttige leden van de maatschappij worden – iets wat ze vele eeuwen niet zijn geweest.

'De kroonjuwelen zullen bij Sotheby geveild worden, zodra de nodige maatregelen getroffen zijn. De opbrengsten van deze veilingen zullen gebruikt worden voor het onderhoud van de Britse woningvoorraad. De Japanse regering heeft belangstelling getoond voor deze verkoop. Het is niet waar dat de kroonjuwelen van "onschatbare waarde" zijn. Alles heeft zijn prijs.

'Dus, medeburgers, houdt het hoofd hoog. U bent niet langer onderworpen.'

'Nou, wat vond je ervan,' zei Jack.

'Je klonk een beetje dikdoenerig,' zei Pat Barker. Ze zaten rechtop in hun bed op Downing Street nummer 10. Het bed lag vol documenten, kladjes en officiële en privé-correspondentie. Een fax braakte informatie uit, gelukwensen en scheldwoorden. Het geklik van het antwoordapparaat was een constant geluid op de achtergrond. Vijf minuten tevoren had Jack met de Amerikaanse president gesproken. De president had

Jack verzekerd dat hij zich 'nooit zo op zijn gemak had gevoeld met uw monarchie, Jack'.

Ondanks zichzelf was Jack onder de indruk geraakt van die vertrouwde lijzige stem. Het was iets waar hij voor uit moest kijken. Hij had de neiging om te genieten van dit soort contacten met beroemde personen, maar misschien nu hij zelf beroemd was...

Pat Barker bood haar man een sandwich met tomaat en chips aan en zei: 'Wat ga je met het pond doen, Jack?' Het geld was het land uitgestroomd of er een dijk doorgebroken was.

'Maandag zie ik de Japanners,' zei hij.

De koningin stond op van de kist waarop ze naar de televisie had zitten kijken. Er was zoveel te doen. Ze ging naar het portaal en zag hoe Tony en Beverley een tweepersoonsmatras de smalle trap op sjouwden. Philip volgde, hij droeg een druk bewerkt hoofdeinde.

'Lilibet, ik kan geen ander bed in de verhuisauto vinden.' De koningin fronste het voorhoofd en zei: 'Maar ik weet zeker dat ik om twee bedden heb gevraagd, een voor mij en een voor jou.'

Philip zei: 'Maar hoe moeten we nu vannacht *slapen?*'

'Bij elkaar,' zei ze.

6 Splitsing van de bank

De tapijten waren te groot voor de petieterige kamers. Tony zei: 'Ik heb een maat, Spiggy, die is stoffeerder. Hij zou ze op maat kunnen maken. Hij matst u wel voor twintig pond.'

De koningin keek eens naar haar Aubusson tapijten die in de hal stonden en verrukkelijke Zwitserse rollen leken.

Bev zei: 'Of u zou nieuwe kennen nemen. Ik bedoel, neem me niet kwalijk dat ik het zeg, maar ze zijn wel een pietsie versleten, hè? Op sommige plekken kaal.'

'Spiggy kan voor het hele huis vloerbedekking leveren voor zo'n tweehonderdenvijftig pond, met het leggen erbij,' opperde Tony behulpzaam. 'Hij heeft heel aardige spul leggen, olijfgroen, ruwe pool. We hebben het in onze huiskamer.'

Het was 10.30 's avonds en de chauffeur zat te slapen met zijn hoofd op het stuur.

'Philip?'

De koningin was moe – ze was nog nooit zo moe geweest. Ze kon geen enkele beslissing meer nemen. Ze wilde zich terugtrekken op haar kamer in Buckingham Palace, waar haar nachtgewaad klaar zou liggen. Ze wilde zich tussen de zijden lakens laten glijden en haar hoofd op de zachte kussens neerleggen en blijven slapen – voorgoed of tot iemand 's ochtends het dienblad met de thee bracht. Philip zat op de trap, het hoofd in zijn handen. Hij was doodop, nadat hij had meegeholpen de tapijten uit de verhuisauto naar binnen te brengen. Hij had gedacht dat hij fit was. Nu wist hij dat dat niet het geval was.

'Ik weet het verdomme niet. Doe maar wat je wilt,' zei hij.

'Laat meneer Spiggy komen,' zei de koningin.

Drie kwartier later kwam Spiggy opdagen met zijn stanleymes, zijn metalen rolcentimeter en vier blikjes Carlsberg. De koningin zag geen kans te blijven kijken terwijl Spiggy in haar kostbare tapijten sneed en hakte. Ze ging met de hond naar buiten, maar toen ze bij het eind van de straat kwam, werd ze teruggestuurd door beleefde agenten die bij een haastig opgetrokken afzetting stonden. Ene inspecteur Denton Holyland kwam uit een wachthuisje te voorschijn en legde uit dat de rest van Flowers Estate voor haar en haar familie verboden terrein was 'tot nader aankondiging'.

'Ik heb dat al uitgelegd aan uw zoon,' zei hij. 'Hij wilde gaan kijken waar ergens een patatzaak was, maar ik moest hem terugsturen. Opdracht van meneer Barker.'

De koningin liep het straatje vier keer op en neer. Er was niemand buiten, behalve een oude straathond. Ze dacht: ik woon in een getto. Ik moet mezelf als krijgsgevangene beschouwen. Ik moet dapper zijn, ik moet mijn eigen hoge niveau handhaven. Ze klopte op de voordeur van haar zoon. 'Mag ik binnenkomen?'

Diana was in het portaal. De koningin kon zien dat ze had gehuild. Het zou niet goed zijn nu te laten merken dat ze met haar te doen had, nu niet, dacht de koningin.

'Onze tapijten passen niet,' slikte Diana, 'en de meubelen staan nog in de auto.'

Prins Charles en de chauffeur van hun verhuiswagen, die met een onhandelbaar Chinees tapijt in de weer waren, kwamen in beeld.

'Geen enkele kans, lieverd,' hijgde prins Charles.

'Let op je rug, Charles,' zei de koningin. 'Verderop woont een mannetje dat tapijten op maat kan snijden.'

'Mammie, ik denk echt dat u eh... niet moet... is het niet vreselijk paternalistisch... ik bedoel, in onze huidige omstandigheden, om iemand een "mannetje" te noemen?'

'Maar het *is* een klein mannetje,' zei de koningin. 'Meneer Spiggy is nog kleiner dan ik en hij is stoffeerder. Zal ik hem vragen langs te komen?'

'Maar deze tapijten zijn van *onschatbare* waarde. Dat zou toch eh... je reinste... vandalisme zijn...'

William en Harry verschenen bovenaan de trap. Ze hadden hun pyjama en slofjes aan.

'We slapen op een matras,' piepte Harry.

'In slaapzakken,' pochte William. 'Pa zegt dat het een avontuur is.'

Diana liet de koningin het huis zien. Dat kostte niet veel tijd. Verf en behang waren uitgekozen door iemand die nog nooit

36

van een binnenhuisarchitect had gehoord. Diana rilde van het paars en turkoois behang op de muren van de echtelijke slaapkamer, de plafondtegels van polystyreen, de oranje verf die op het schuifraam was gekliederd.

Ze dacht: ik zal morgen *Interiors* opbellen en de hoofdredacteur vragen om met kleurenkaarten en behangselboeken langs te komen.

De koningin zei: 'We hebben het geluk dat het bij ons helemaal behangen en geschilderd is.'

Beide vrouwen zagen nogal op tegen de komende nacht. Geen van beiden waren ze gewend een slaapkamer of een bed met hun man te delen.

De twee jongetjes lagen op hun rug verzaligd naar hun Superman behang te kijken.

'En kijk,' zei William, die naar een ronde schimmelplek boven het raam wees, 'dat is de planeet Krypton.'

Maar Harry was al in slaap gevallen, zijn ene hand hing over het matras op de vuile kale planken van de slaapkamervloer.

Spiggy dronk zijn laatste blikje leeg en bekeek zijn handwerk. De tapijten glansden onder de kale gloeilampen. De koningin zocht de restanten bij elkaar en legde ze in de berging – in afwachting van de dag dat ze weer aan elkaar geweven zouden worden en opnieuw in Buckingham Palace neergelegd. Want deze nonsens zou niet lang duren. Het was een oprisping van de geschiedenis. Meneer Barker zou er een verschrikkelijke bende van maken en het gewone volk zou beginnen te roepen dat de conservatieve regering en de monarchie terug moesten keren. Zo was het toch? Natuurlijk was het zo. De Engelsen stonden bekend om hun verdraagzaamheid, hun gevoel voor eerlijk spel. Enige vorm van extremisme lag gewoon niet in hun aard. De koningin was erop attent dat ze, zelfs in haar gedachten, onderscheid maakte tussen de Engelsen en de Schotten, Ieren en de bewoners van Wales die, onder invloed van hun Keltisch bloed, gauw geneigd waren heethoofdig te worden.

'Dat wordt dan vijftig pond,' zei Spiggy. 'Het is na twaalf uur 's nachts, om zo te zeggen.'

De koningin zocht haar handtas en betaalde hem. Ze was niet gewend met geld om te gaan en telde het langzaam neer.

'Okiedokie en hartstikke bedankt,' zei Spiggy. 'Nou mot ik nog effe bij prins Charles gaan kijken. Hij zal toch nog wel op zijn, hè?'

Het was 4 uur in de nacht voor Spiggy zich bij de afzetting afmeldde, met zo'n honderd pond meer op zak en met een verhaal dat hij de volgende dag in de kroeg kon vertellen. Hij kon daar nauwelijks op wachten. Zijn tong jeukte.

Om 4.30 's nachts was Tony Threadgold op de stoep van nummer 9 bezig een zitbank door te zagen die ooit aan Napoleon had toebehoord. Niemand in Hell Close klaagde over het lawaai. Lawaai was normaal en het werd, overdag zowel als 's nachts, met veel energie voortgebracht. Alleen wanneer er *geen* lawaai was, kwamen de bewoners van Hell Close naar de deur of het raam, zich afvragend wat er aan de hand was.

De bank gaf mee en viel in twee stukken uiteen. Beverley hield één stuk overeind. Ze wachtte tot Tony en Philip het langste stuk in de huiskamer hadden gebracht, voor ze hen met het korte stuk volgde.

'Daar morgen een stuk of zes zesduims spijkers in en het is voor z'n rooie.' Tony was best te spreken over zijn timmerwerk. De koningin keek eens naar haar geliefde bank en constateerde dat die, zelfs in tweeën gezaagd, te groot was voor de kamer.

'U bent erg vriendelijk geweest, meneer en mevrouw Threadgold,' zei ze. 'Maar nu moet u toch *echt* naar bed.'

'Het ziet er hier best knus uit,' zei Bev, terwijl ze rondkeek. 'Een beetje vol, maar knus.'

'Als de schilderijen eenmaal hangen,' zei de koningin geeuwend.

'Ja, dat daar vind ik wel mooi,' zei Bev, die ook begon te geeuwen. 'Wie heeft dat daar geschilderd?'

'Titiaan,' zei de koningin. 'Goedenacht.'

De koningin en prins Philip voelden zich niet erg op hun gemak toen ze zich wasten en uitkleedden om naar bed te gaan. Alle kamers stonden vol meubilair. Ze konden maar nauwelijks langs elkaar heen en maakten herhaaldelijk excuses wanneer ze elkaar raakten. In het grijze licht van de morgen lagen ze eindelijk in bed, met hun gedachten bij de verschrikkingen van de afgelopen dag en de verschrikkingen die hun nog te wachten stonden.

Van buiten klonk geroep toen een melkboer probeerde zijn kar te beschermen tegen een melkdief uit Hell Close. De koningin draaide zich om naar haar echtgenoot. Hij was eigenlijk nog best een knappe man, dacht ze.

7 Juweeltjes

De Yeoman of the Silver Plate nam Jack Barker, de nieuwe premier, eens aandachtig op.

Heel *aardig*, dacht hij. Kleiner dan hij op de buis leek, maar heel aardig. Kleding een beetje te glossy en schoenen een tikkeltje opzichtig, maar een goed gezicht, sterke trekken, *aanbiddelijke* ogen – paars, en wimpers als spinnepootjes. Mieters.

Het was 9 uur in de ochtend. Ze gingen omlaag met de lift van de niet langer gebruikte schuilkelder die zich op het terrein van Buckingham Palace bevond. Jack bedwong een geeuw. Hij was heel de nacht opgebleven met zijn berekeningen. 'Ik denk dat u blij toe zult zijn als u 's avonds die malle kleren uit kunt trekken?' zei hij tegen de Yeoman, terwijl hij naar de slobkousen en gespen keek en de jas met de gecompliceerde galons en tressen en sluitingen.

'O, ik houd wel van een beetje opschik,' zei de Yeoman, terwijl hij een sleutel uit de zak van zijn vest haalde. De lift stopte.

'Hoe diep zijn we nu?' vroeg Jack.

'Dertien meter, maar we zijn er nog niet.'

Ze stapten uit de lift en volgden een U-vormige gang.

'Hoe heet u?' vroeg Jack.

'Officieel ben ik de Yeoman of the Silver Plate.'

'En niet-officieel?' zei Jack.

'Malcolm Bultitude Bostock.'

'Werkt u hier al lang, meneer Bostock?'

'Sinds ik van school af ben, meneer Barker.'

'Bevalt het u?'

'O ja. Ik houd van mooie dingen. In de zomer mis ik het daglicht, maar ik heb thuis een zonnebank.'

Ze kwamen bij de vijftig centimeter dikke stalen deur, die met een ingewikkeld slot beveiligd werd. Meneer Bostock stak de sleutel in het slot en na een reeks klikgeluiden zwaaide de deur open. 'Ogenblik,' zei hij en deed de lichten aan. Ze bevonden zich in een ruimte zo groot als een voetbalveld en onderverdeeld in een reeks vertrekken zonder deuren. Tegen de wanden van elk ervan waren planken aangebracht, afgedekt met zwaar plastic folie.

Meneer Bostock vroeg: 'Is er iets speciaals dat u wilt zien, meneer Barker?'

'Alles,' zei Jack.

'Het merendeel van de collectie bevindt zich uiteraard in Sandringham,' zei Bostock, die de folie wegtrok en een reeks verfijnd gesneden beeldjes liet zien. Jack pakte een met juwelen bezette kat op.

'Aardig.'

'Fabergé.'

'Hoeveel denkt u dat ze waard zijn?' vroeg Jack terwijl hij op de flonkerende menagerie wees.

'O, dat kan ik met geen mogelijkheid zeggen, meneer Barker,' zei meneer Bostock, die de kat terugzette.

'Doe eens een gooi.'

'Nou, vorig jaar viel mijn oog op een bericht in de krant. Het ging om een Fabergé schildpad, haalde op een veiling 250.000 pond.'

Jack keek nog eens naar de diertjes. Hij telde ze fluisterend.

Meneer Bostock zei: 'Er zijn er honderd en elf.'

'Voldoende om een ziekenhuis te bouwen,' mompelde Jack.

'*Verscheidene* ziekenhuizen,' corrigeerde meneer Bostock geprikkeld.

Ze gingen verder. Jack verbaasde zich erover hoe zorgeloos de schatten waren opgeborgen en uitgestald.

'O jé, we zouden het hier best wat op orde kunnen brengen,' zei meneer Bostock, terwijl hij een paar smaragden pakte die uit hun plastic doos waren gevallen. 'Er zijn vier sterke mannen nodig om dit op te tillen,' zei hij en wees naar een massief zilveren soepterrine. En verderop: 'Een heidens karwei om goud te poetsen.' Hij schoof de folie opzij en er werd een toren van gouden borden, schalen en dienborden zichtbaar.

Jack fluisterde: '*Echt* goud?'

'Achttien karaats.'

Jack herinnerde zich dat de veertien karaats trouwring voor zijn vrouw hem tien jaar geleden £ 115 had gekost en *daar* had nog een gat in gezeten.

41

'Komt hier weleens iemand beneden?'

'Zij komt wel, zo'n twee keer per jaar, maar ze doet dat meer omdat het tot haar functie behoort, als u begrijpt wat ik bedoel. Ze loopt zich niet te *verlekkeren*. De laatste keer dat ze hier was, vroeg ze of de temperatuur niet wat naar beneden kon, ze gooit het geld niet graag over de balk.'

'Nee, maar ik kan wel zien dat ze voorzichtig moest zijn,' zei Jack, terwijl hij met zijn vingers over een schede ging, die een Arabische vorst aan koningin Victoria had aangeboden. Hij zag er vanaf verder naar de waarde van de schatten te vragen. Getallen verloren hier hun betekenis en meneer Bostock vond het kennelijk niet prettig om over geld te praten.

'Zo, dus dit is maar een deel van de collectie, zo is het toch?' vroeg Jack toen ze elk vertrek vol wonderen hadden bezocht.

'Het topje van de ijsberg.'

Toen ze met de lift weer naar boven gingen, terug naar het daglicht, de zingende vogels en het gebrom van het verkeer, bedankte Jack meneer Bostock en zei: 'Later in de week komen er enkele buitenlanders om rondgeleid te worden. Ik neem rechtstreeks contact op.'

'Mag ik vragen wat voor buitenlanders?' vroeg meneer Bostock, die zijn gezicht naar de zon keerde.

'Japanners,' zei Jack Barker.

'En mag ik vragen of ik mijn huidige positie zal behouden, meneer Barker?'

Jack herhaalde een van de slogans uit zijn verkiezingscampagne: 'In Barkers Engeland zal alles en iedereen werken.'

Samen staken ze het bedauwde grasveld over, terwijl ze het Japanse protocol bespraken en hoe diep precies de Yeoman of the Plate zou moeten buigen wanneer hij de bezoekers begroette, die geen geschenken kwamen brengen, maar kwamen kopen.

8 Cliënt onwillig

Ze werd wakker van de kou en ze zonk helemaal weg in ellende, voor ze een beroep kon doen op haar kracht en reserves. Harris krabbelde vertwijfeld aan de slaapkamerdeur, omdat hij naar buiten wilde. De koningin deed een kasjmier vest over haar nachtgewaad aan, ging naar beneden en liet de hond de achtertuin in. De aprillucht was guur en toen ze hem zijn poot in het bevroren gras zag optillen, wolkte haar adem wit en zichtbaar voor haar op. Er lag een stapel lege magnolia verfblikken in de tuin. Iemand had geprobeerd ze in brand te steken, maar had er genoeg van gekregen en had ze laten liggen. De koningin riep het hondje binnen, maar dat wilde dit nieuwe territorium verkennen en liep op zijn belachelijk korte pootjes naar het eind van de tuin, waar het in de mist verdween.

Toen Harris weer kwam opdagen, had hij een dode rat in zijn bek. De rat was bevroren in een houding die veel pijn verried. Ze moest Harris een fikse tik met een houten lepel op zijn kop geven, eer hij zijn presentje voor de koningin wilde loslaten. Tijdens een banket in Belize had ze ooit een hapje rat gegeten. Als ze daarvoor had bedankt, zou dat een ernstige belediging zijn geweest. De RAF was er alles aan gelegen geweest, dat ze het gebruik van Belize om er te kunnen tanken, zouden behouden.

'Mogge. Lekker geslapen?'

Het was Beverley, die in een oranje ochtendjas bevroren wasgoed van de lijn haalde. Tony's spijkerbroek stond in de houding, alsof hij 'm nog aanhad. 'Hij heb vanmiddag een gesprek voor een baantje, dus ik moet zorgen dat zijn goeje goed droog is.'

Beverley's hart bonsde. Hoe sprak je tegen iemand van wie je gewend was dat je aan haar hoofd likte en het op een envelop plakte? Ze pakte de knijpers van Tony's beste trui, die bevroren was met de armen triomfantelijk in de lucht.

'Harris heeft een rat gevonden,' zei de koningin.

'Een rot?'

'Een *rat*, kijk maar.' Beverley keek naar het dode knaagdier aan de voeten van de koningin. 'Kan ik er meer tegemoet zien?'

'Zit er maar niet over in,' zei Beverley. 'Ze komen de huizen niet in. Nou ja, niet vaak. Ze hebben een complex van d'r eigen achter in de tuinen.'

Beverley wekte de indruk dat de ratten in een bungalowpark verbleven, waar ze zich in een niervormig zwembad vermaakten en op ligstoelen druk met elkaar lagen te praten.

Er klopte iemand aan de voordeur. De koningin excuseerde zich en liep het gangetje door. Ze trok een mantel aan over haar nachtkleding en vest en probeerde de deur open te doen. Dat ging uiterst moeilijk. Weliswaar was het al jaren geleden dat ze voor het laatst de deur van een huis had geopend, maar dat was toch vast gemakkelijker gegaan dan hier? Ze ging er met heel haar gewicht aan hangen. Intussen had de persoon aan de andere kant van de deur de brievenbus opengedaan. De koningin zag een paar gevoelvolle bruine ogen en hoorde een sympathieke vrouwenstem.

'Hallo, ik ben Trish McPherson, ik ben uw maatschappelijk werkster. Hoor eens, ik weet best dat het niet meevalt voor u, maar u maakt het er niet beter op als u me niet binnenlaat, zo is het toch?'

De koningin deinsde terug voor het woord 'maatschappelijk werkster' en deed een stap terug. Trish herinnerde zich haar opleiding, het was van belang dat je je niet confronterend opstelde. Ze probeerde het nog eens: 'Kom aan, mevrouw Windsor, doe de deur maar open, dan kunnen we eens rustig praten. Ik ben hier om u met uw trauma te helpen. We zetten water op en drinken een lekker kopje thee.'

De koningin zei: 'Ik ben nog niet gekleed. Ik kan pas bezoek ontvangen als ik aangekleed ben.'

Trish lachte vrolijk: 'Trekt u zich maar niets aan van mij; ik neem de mensen zoals ze zijn. De meeste van mijn cliënten liggen nog in bed als ik langskom.'

Trish wist dat ze een goed mens was en ze was er van overtuigd dat diep in hun hart haar meeste cliënten goed waren. Ze had echt te doen met de koningin. Haar collega's hadden geweigerd het dossier Windsor voor hun rekening te nemen, maar zoals Trish vanmorgen op het bureau had gezegd: 'Ze mogen dan koninklijk zijn, maar het zijn mensen. Voor mij zijn het net twee gepensioneerden die hun vertrouwde omgeving kwijt zijn en heel wat hulp nodig hebben.'

Omdat Trish haar cliënt niet tegen zich in wilde nemen, trok ze zich terug, maakte een notitie op papier van de sociale dienst en schoof dat onder de deur door. Er stond op: 'Ik kom vanmiddag langs, rond drie uur. Vriendelijke groet, Trish.'

De koningin ging naar boven, krabde het ijs van de binnenkant van het raam en keek omlaag naar Trish, die het ijs van de voorruit van haar auto schraapte met iets dat wel een keukenspatel leek, zo een als de koningin weleens bij barbecues op Balmoral gebruikte. Trish had kleren in Aztekenstijl aan en had zo van het toneel kunnen komen tijdens een opvoering van *De koninklijke jacht op de zon*. Het leek of ze stukken vel van een dode geit aan haar voeten had. Ze zat in de auto aantekeningen te maken: 'Cliënt onwillig; om 10 uur v.m. nog niet aangekleed.'

Toen de koningin de auto hoorde wegrijden, ging ze naar haar man, die op zijn rug vast lag te slapen. Er hing een druppel aan zijn bonkige neus. De koningin pakte een zakdoekje uit haar handtas en veegde de druppel weg. Ze wist niet wat ze verder met de dag aan moest: een bad nemen, zich aankleden en zelf haar haar doen, leken onoverkomelijke problemen. Ik kon niet eens mijn eigen voordeur opendoen, dacht ze. Het enige dat ze zeker wist was, dat ze niet om 3 uur in de middag thuis zou zijn om bezoek te ontvangen.

Er was geen warm water in de ijskoude badkamer, dus waste ze zich met koud. Haar haar was onmogelijk; helemaal uit model. Ze maakte ervan wat ze kon en bond tenslotte een sjaal om haar hoofd zoals zigeunerinnen dat doen. Wat was het toch lastig om jezelf aan te kleden, wat waren knopen onhandig. Waarom bleven ritsen telkens vastzitten? Hoe moest je in hemelsnaam uitzoeken wat bij wat paste? Ze dacht aan de gangen met kasten waar haar kleding kleur bij kleur hing. Ze miste de vaardige vingers van haar kleedster die haar bh vastmaakte. Wat een mal hulpmiddel was een bh. Hoe wisten andere vrouwen zich met die haakjes en oogjes te redden? Je moest wel een slangemens zijn om zonder hulp de twee uiteinden aan elkaar te bevestigen.

45

Toen de koningin aangekleed was, had ze het geweldige gevoel dat ze een prestatie had geleverd. Ze wilde het iemand vertellen, net als die dag waarop ze haar schoenveters voor de eerste keer had vastgemaakt. Crawfie was er zo mee in haar nopjes geweest: 'Brave meid. Je hoeft het natuurlijk nooit zelf te doen maar het is goed dat je ervan weet, net als van logaritmen.'

De enige warmtebron in huis was de gashaard in de woonkamer. Beverley had die de vorige avond aangemaakt, maar nu wist de koningin er geen weg mee. Ze draaide de knop naar vol, hield een lucifer bij het keramisch element, maar er gebeurde niets. Ze wilde erg graag dat er minstens één kamer warm zou zijn, voordat Philip wakker werd en ze was van plan (misschien was ze overijverig) het ontbijt klaar te maken: thee en toost. Ze stelde zich voor hoe Philip en zij bij de haard zouden zitten om plannen te maken voor hun nieuwe leven. Ze had Philip altijd moeten sussen; hij had het verschrikkelijk gevonden om altijd één stap achter haar te lopen. Zijn persoonlijkheid was er niet op afgestemd de tweede viool te spelen. Hij was een compleet ruziënd orkest.

Harris kwam binnen toen ze de laatste lucifer bij de weerbarstige gashaard hield. Hij had honger, had het koud en er was niemand, behalve zijzelf, die hem te eten kon geven. Ze stond in tweestrijd tussen de haard en de hond. Er valt zoveel te *doen*, dacht de koningin. Zoveel karweitjes. Hoe *speelden* gewone mensen dat toch *klaar*?

'Het hele geheim is dat u een munt van vijftig pence in de gleuf moet doen,' zei prins Charles. Hij had zich toegang verschaft tot het huis van zijn moeder door tegen het raam van de woonkamer te tikken en naar binnen te klimmen. Hij deed de meterkast open en wees zijn moeder de metalen gleuf.

'Maar ik heb geen munt van vijftig pence,' zei de koningin.

'Ik ook niet. Zou papa er eentje hebben?'

'Waarom zou papa er een hebben?'

'Dat is waar. Misschien heeft William er eentje in zijn spaarvarken. Zal ik... eh... eens gaan...?'

'Ja, zeg hem dat hij het terugkrijgt.'

Het viel de koningin op hoezeer haar zoon was veranderd.

Hij wilde weer uit het raam klimmen maar kwam nog even terug.

'Mama?'

'Ja, jongen?'

'Vanmorgen is er een maatschappelijk werkster langsgekomen.'

'Trish McPherson?'

'Ja. Ze was ontzettend aardig. Ze zei dat ik via het ziekenfonds iets aan mijn oren kon laten doen. Ze zei me dat ik psychisch schade had opgelopen... eh... en ik denk dat ze... eh... min of meer gelijk heeft. Diana denkt erover iets aan haar neus te laten doen. Ze heeft het daar altijd moeilijk mee gehad.'

Terwijl Charles via het raam haar woonkamer verliet, dacht de koningin: wat ziet hij er gelukkig uit op deze dag die toch eigenlijk de ellendigste van zijn leven moet zijn.

Boven bewoog prins Philip zich. Er hing iets onaangenaams aan het puntje van zijn neus. Hij zei: 'Geef me een zakdoek, gauw,' tegen een niet bestaande dienaar. Na een paar seconden schoot het hem te binnen waar hij was. Terwijl hij hulpeloos om zich heen keek, legde hij zich bij zijn huidige situatie neer en veegde zelf zijn neus aan een laken af. Daarna draaide hij zich om en ging weer slapen; hij gaf de voorkeur aan een koninklijk dromenrijk boven de afschuwelijke realiteit dat hij een gewone burger in een koud huis was.

De koningin pakte de kartonnen doos met het opschrift 'LEVENSMIDDELEN' uit, Daarin trof ze een brood aan met het etiket 'DIKGESNEDEN MOEDERS TROTS', een half pond boter, een pot aardbeienjam, een blikje cornedbeef, een blik Heinz tomatensoep, een blik met gestoofd rundvlees, een blikje nieuwe aardappelen, een blik kapucijners, een blik (gesneden) perziken in siroop, een pakje volkorenbiscuits, een doosje met jamtaartjes, een pot Nescafé, een doosje theezakjes, een pak gepasteuriseerde melk, een zak witte suiker, een kleine verpakking cornflakes, een pak zout, een flesje HP-saus, een pakket met ingrediënten voor een toetje, een pakje gesneden kaas en zes eieren (waarschijnlijk afkomstig van een legbatterij omdat er op de verpakking geen reclame stond dat de kippen een gezond buitenleven leidden).

Harris keek begerig naar de blikjes, maar de koningin zei: 'Er is niets voor jou bij, oude jongen.' Ze pakte het blikje cornedbeef. Dat lijkt wel hondevoer, dacht ze, maar hoe kreeg je het eruit?

Ze las de gebruiksaanwijzing: 'Gebruik sleutel', stond er. Ze vond het sleuteltje dat strak tegen het blik zat als een schildwacht in zijn huisje. Maar nu ze het had gevonden, wat moest ze ermee? Harris blafte ongeduldig terwijl hij stond te kijken hoe de koningin aan het haspelen was met het blikje cornedbeef en probeerde het sleuteltje in het enigszins uitstekende metalen stripje aan de onderkant te passen. De koningin zei: 'Toe Harris, een beetje geduld, ik doe mijn best. Ik heb honger en ik heb het koud en je helpt me helemaal niet.' En ze dacht (maar zei het niet hardop) en mijn man ligt boven in bed en *hij* helpt me al evenmin.

Ze draaide het sleuteltje rond en Harris sprong naar het blik toen de verschaalde bloedlucht van de cornedbeef vrijkwam. Hij blafte uitzinnig en zelfs de koningin, wier verdraagzaamheid voor lawaaierig geblaf werkelijk legendarisch was, verloor haar kalmte en sloeg Harris op zijn neus. Harris kroop boos onder het aanrecht. Na lang gepruts had de koningin de bodem van het blikje los. Het gespikkelde roze blok was duidelijk zichtbaar, maar hoe ze ook met het blikje schudde, het vlees kwam niet vrij. Als ze het eens met haar vingers probeerde te pakken...?

Toen Charles via het raam terugkwam, waarbij hij het muntstuk trots in de hoogte hield alsof het een trofee was, zag hij hoe zijn moeder steun zocht tegen een halfrond William Gateskastje, dat nu als haltafeltje dienst deed. Op het prachtig bewerkte oppervlak vormde zich een plasje bloed. Onder het kastje was Harris in gevecht met een blikje onderwijl oergeluiden uitstotend. Van boven klonken de angstaanjagende geluiden van zijn vader, die razend was. Een gestalttherapeut had Charles geleerd hoe hij met de angst voor zijn vader om moest gaan. Daarom sloot hij zich af voor de obscene taal van zijn vader door de datum van het William Gates-kastje te bepalen. '1781,' zei hij. 'Vervaardigd voor George IV.'

'Ja, heel knap, schat, maar ik denk wel dat ik dood kan

bloeden. Zou je mijn dokter willen vragen ernaar te komen kijken?'

Ze trok de sjaal van haar hoofd en bond die om haar bloedende vingers. Philip stond boven aan de trap, rillend in een zijden ochtendjas.

Ze moesten viereneenhalf uur wachten voor de koningin bij een dokter van het Koninklijk Ziekenhuis terecht kon. Het mistte op de autoweg en de afdeling eerste hulp van het Koninklijk Ziekenhuis was vol snelheidsmaniakken en hun slachtoffers.

Charles, de koningin en een gewapende agent, die overigens in burger was, waren net de afsluiting aan het eind van Hell Close gepasseerd, toen de grote verhuiswagen van prinses Margaret was komen aanrijden. Prinses Margaret had bij de politieauto naar binnen gekeken en had het met bloed bevlekte kasjmier vest van haar zuster en haar gesloten ogen gezien en ze was meteen hysterisch gaan gillen: 'Ze zullen ons allemaal vermoorden.'

De chauffeur van de verhuiswagen wierp haar een moordlustige blik toe. Nadat hij drie uur in haar gezelschap had doorgebracht, zou hij haar met genoegen tegen een muur hebben gezet, een sjaal voor haar ogen, een kogel in haar hart. Hij zou haar geen laatste sigaret hebben gegund.

Heel die middag zaten Charles en zijn moeder achter een dun gordijn in een hokje van het Koninklijk Ziekenhuis te luisteren naar de bijna ondraaglijke geluiden van menselijk lijden. Ze hoorden doodskreten, gekreun van pijn en het vertwijfeld gelach van nog geen twintigjarige verpleegsters die probeerden een verweerde rubberen pop van de penis van een man van middelbare leeftijd los te trekken. De koningin schoot bijna zelf in de lach toen ze de vrouw van de man tegen de verpleegsters hoorde zeggen: 'Ik *wist* dat-ie een ander had.'

Maar ze lachte niet. Ze trok een stuurs gezicht. Crawfie had haar geleerd haar emoties in bedwang te houden en de koningin was Crawfie erkentelijk voor haar wijze raadgevingen. Hoe had ze het anders bij al die eindeloze welkomsttoespraken

kunnen uithouden, in talen die ze niet verstond en in de wetenschap dat ze ook de Engelse vertaling zou moeten uitzitten.
Om daarna op te staan, haar eigen banaliteiten voor te lezen en
vervolgens de troepen te inspecteren, terwijl ze wist dat elke
man of vrouw beducht was dat ze bij hem of haar stil bleef
staan. En wat zei ze wanneer ze stilhield? 'Waar komt u vandaan? Hoe lang bent u al in het leger?' Het was pijnlijk om te
zien hoe ze stotterend antwoord gaven. Op een keer had ze aan
een jonge matroos van achttien gevraagd: 'Bent u graag bij de
marine?' Hij had meteen geantwoord: 'Nee, majesteit.' Ze had
boos gekeken en was doorgelopen. Maar ze had willen glimla-
chen en hem bedanken voor zijn eerlijkheid die ze zo zelden
tegenkwam. Ze had instructies gegeven dat hij niet bestraft
zou worden.

'Het spijt me dat ik u moest laten wachten, mevrouw Windsor, ik ben dokter Animba.' De dokter was gewaarschuwd,
maar hij voelde zijn bloeddruk oplopen toen hij de gewonde
hand van de koningin in zijn hand nam. Voorzichtig nam hij
het bebloede verband weg en bekeek de diepe sneden in de
duim en twee vingers.
    'En hoe is dit gebeurd, ma... mevrouw Windsor?'
    'Gesneden aan een blikje cornedbeef.'
    'Een veel voorkomende verwonding. De wet zou daar wat
tegen moeten doen. Die blikjes zouden verboden moeten worden.'
    Dokter Animba was een serieuze jongeman die nog ge-
loofde dat wetten het meeste sociale kwaad zouden kunnen
verhelpen.
    Charles zei: 'Dokter Animba, mijn moeder heeft bijna *vijf*
uur op medische hulp moeten wachten.'
    'Ja, dat is normaal.' Dokter Animba stond op.
    'Normaal?'
    'O ja, uw moeder mag nog van geluk spreken dat ze niet op
een zaterdagavond cornedbeef wilde eten. Op zaterdagavond
hebben we het enorm druk. Nu moet ik weg. Er komt direct
een verpleegster naar u toe.' Met een zwaai van het gordijn was
hij weg. De koningin liet zich terugvallen in de rolstoel en
kneep haar ogen stijf dicht om de tranen te bedwingen die zich

achter haar oogleden vormden. Ze *moest* zich tot elke prijs beheersen.

Charles zei: 'Het is een andere wereld.'

De koningin zei: 'In ieder geval een ander land.'

Ze hoorden dokter Animba het hokje met de rubberen pop en haar slachtoffer binnengaan. Ze hoorden zijn energieke krachtsinspanning, toen hij probeerde het rubber van het vlees los te trekken. Ze hoorden hem zeggen: 'Er zou een wet moeten komen.'

Rood van verlegenheid zei Charles: 'Ik had morgen een nieuw ziekenhuis in Taunton moeten openen.'

De koningin zei: 'Ik denk dat de bevolking van Taunton het wel zonder jouw aanwezigheid zal kunnen stellen.'

Zwijgend wachtten ze op de beloofde verpleegster. Tenslotte viel de koningin in slaap. Prins Charles keek naar zijn moeder, haar onverzorgde haar, haar bebloede vest. Hij nam haar niet-gewonde hand in de zijne en beloofde plechtig dat hij voor haar zou zorgen.

9 Faux pas

Die middag zat Diana's kleine woonkamer vol visite, allemaal vrouwen. Enkelen hadden hun album met handtekeningen meegenomen. De kamer rook naar parfum, die ze met kerstmis hadden gekregen. Parfum uit fabrieken in het verre Oosten. Violet Toby, een van Diana's naaste buren, vertelde Diana het verhaal van haar lange leven. De andere vrouwen zaten ongedurig op hun stoel, staken een sigaret op, trokken aan hun rok. Ze hadden dit verhaal al vele malen eerder gehoord.

'Nou, toen ik die brief had gezien, *wist* ik het. Toen hij thuiskwam van zijn werk, zeg ik tegen hem, ik zeg, wie is die rottige Yvonne als ze thuis is? Nou, zijn gezicht werd lijkwit. Ik zeg, je kan opdonderen, zeg ik, en je blijft maar weg. Nou, dat was nummer twee.'

Diana vroeg verder, zoals haar dat was geleerd: 'En ben je opnieuw getrouwd?'

Violet, die bepaald niet aangemoedigd hoefde te worden, schoot in de lach: 'Ik ben aan mijn vijfde.'

Al de vrouwen in de kamer begonnen te lachen.

'Vijf mannen. Elf kinderen, vijftien kleinkinderen, zes achterkleinkinderen en d'r is een gozer bij het Britse Legioen waar ik smoel op heb.' Violet bracht paarse lippenstift aan op haar mond, waarbij ze het spiegeltje aan de binnenkant van haar tas van plastic slangevel gebruikte.

'Jij bent een vuile smeerlap, Violet,' zei Mandy Carter, Diana's andere naaste buurvrouw, wier hek de vorige avond door prins William was omgeduwd. Mandy hield haar nieuwe baby, Shadow, tegen haar schouder. Diana keek naar Mandy's kleding en kon maar nauwelijks een rilling onderdrukken. Een spijkerbroek van stretch denim met witte naaldhakken – brr. En dat blonde haar als een suikerspin met meer gespleten uiteinden dan een Chinese bosui – afschuwelijk. En die witte borsten die uit dat roze diep uitgesneden truitje puilden – bijzonder vulgair.

'Je man en zijn moeder blijven wel lang weg,' zei Violet.
'Tja,' zei Diana. 'Is het ziekenhuis ver weg?'
'Drie kilometer verderop,' zei een jonge vrouw met een getatoeëerde spin in haar hals.
'Ik heb er zeseneenhalf uur zitten wachten toen Clive mijn kaak had gebroken,' zei Mandy.
'Goede genade,' zei Diana. 'Wie is Clive?'
'Z'n vader,' zei Mandy somber terwijl ze naar Shadow wees. 'Ik kon niet meer eten, niet meer roken, niet meer drinken.'
'Maar je kon nog best een nummertje maken,' zei Violet. 'Ik kon je horen en ik woon twee huizen verderop.'
Diana kreeg een kleur. Goede genade, ze was niet preuts, maar ze was er niet van gediend als vrouwen vulgair werden. Ze keek net op toen inspecteur Holyland langs de druipnatte ligusterheg liep. Hij keek dreigend de volle woonkamer binnen. De vrouwen joelden en de getatoeëerde vrouw floot alsof ze in Londen een taxi aanhield.
Holyland kwam het pad op. Diana zocht haar weg tussen de vrouwen en deed de voordeur open. Inspecteur Holyland hoestte even om zichzelf tijd te gunnen. Hij was vergeten hoe hij haar moest aanspreken. Was het mevrouw Windsor? Mevrouw Spencer? Mevrouw Charles?
Diana wachtte tot de hoestbui over was. Eindelijk hakkelde hij: 'Ze mogen daar niet zijn,' terwijl hij naar de vrouwen in de huiskamer wees. 'U mag geen bijzondere aandacht krijgen.' Hij had zichzelf nu weer in bedwang. 'U zou me dan ook een genoegen doen, als u ze vroeg weg te gaan, mevrouw.'
'Dat kan ik onmogelijk doen. Dat zou zo onbeleefd zijn.'
Er klonken toejuichingen uit de kamer en Violet haastte zich naar de voordeur, de handen in de zakken van haar satijnen vliegersjack, een gebiedende uitdrukking op haar gerimpelde gezicht. 'D'r is geen sprake van speciale aandacht, wij zijn buurvrouwen. We zijn komen kijken of ze ergens mee geholpen moet worden.'
'O ja,' zei Holyland schamper. 'Doet u dat bij iedereen?'
'Ja, dat doen we,' zei Violet naar waarheid. 'Hier in Hell Close staan we klaar voor mekaar.'

53

Ze keerde zich naar Diana: 'Goed, zullen we maar met de kasten beginnen?'

Holyland wendde zich af. Uit het dossier bleek dat Violet, Wilf, haar man, en zes van haar volwassen kinderen de poll tax van dit jaar nog niet hadden betaald. Ze hadden zelfs die van het vorig jaar nog niet betaald. Hij zou ze nog wel krijgen.

Diana zag de gestalte van prinses Margaret door de straat rennen, haar hoge hakken tikten, haar bontmantel waaide op en haar haar raakte los uit de bewerkelijke knot. Ze holde naar de afzetting en raakte handgemeen met een jonge agent. Inspecteur Holyland sprak in zijn radio en seconden later klonk er een claxon en de straat werd plotseling verlicht door een schel wit schijnsel.

'Christus,' zei Violet. 'Het lijkt verdomme Colditz wel.'

'Het is Margaret die zich niet aan het uitgaansverbod van zeven uur wil houden,' zei Diana, die op de stoep stond te kijken. Het was inspecteur Holyland zelf, die prinses Margaret weer naar haar huis begeleidde.

Diana hoorde haar zeggen: 'Maar ik *moet* naar Marks and Spencer voor ze sluiten. Ik kan niet koken.'

Diana deed haar voordeur dicht en ging terug naar haar buren. Ze verheugde zich erop een schort voor te doen, naar de keuken te gaan en met potten en pannen te rammelen net zoals het kookboek voorschreef. Ze zou vanavond Violets patatpan lenen en eieren met patat en bonen voor haar gezin klaarmaken. Charles zou zijn dieetregels maar moeten aanpassen tot ze een voorraad peulvruchten kon aanleggen. Ze betwijfelde het of Violet een pot linzen had die ze zou kunnen lenen.

Terwijl ze aan het werk waren, vroeg Mandy: 'Wat mis je nou het meest?'

Diana antwoordde onmiddellijk: 'Mijn Mers.'

'Mers?'

'Mercedes-Benz 500 SL. Die is metallic rood en hij haalt tweehonderdvijftig kilometer per uur.'

'Nou, die zal een smak centen kosten,' zei Mandy.

'Ja, zo'n zeventigduizend pond,' bekende Diana. Het werd stil in de kamer.

'En wie heeft dat betaald?'

'Het hertogdom Cornwall,' zei Diana.

'Wie mag dat wezen?' vroeg Mandy.

'Eigenlijk mijn man,' zei Diana.

'Zei je *zeventien*duizend?' vroeg Violet, terwijl ze haar roze gehoorapparaat bijstelde.

'*Zeventigduizend*,' brulde Philomena Toussaint, de enige zwarte vrouw in de kamer. Het bleef stil.

'Voor een auto?' Violets kinnen trilden van verontwaardiging. Diana sloeg haar ogen neer. Ze wist nog niet dat de vrouwen die haar keuken schoonmaakten en wier kleren ze minachtte, de meeste van die kleren in winkels van liefdadigheidsinstellingen hadden gekocht. Violets 38 DD bh had ze voor vijfentwintig pence bij Help de Bejaarden gekocht.

Mandy verbrak de stilte met te zeggen: 'Ik zou die verdomde kinderjuf missen.'

Dat herinnerde Diana eraan, dat ze William of Harry niet meer had gezien sinds haar bezoek er was. Ze riep naar boven, maar er kwam geen antwoord. Ze keek in de triest uitziende achtertuin, maar het enige teken van leven daar was Harris die het probeerde aan te leggen met een bastaard herdershond, die van Mandy Carter was. De twee honden draaiden in kringetjes om elkaar heen. Het kleintje en de grote, de gewone man en de aristocraat; de herder heette 'King'. Diana holde naar buiten, terwijl ze 'William, Harry' riep. Het was bijna donker. Kale glocilampen werden zichtbaar nu Hell Close zich klaarmaakte voor de nacht.

'De jongens zijn nog nooit eerder in het donker buiten geweest,' zei Diana. De vrouwen schoten in de lach om dat nieuwe bewijs van het verwende leventje van de jongens. Zij stuurden hun kleine kinderen regelmatig nog laat op de avond voor boodschappen naar de Indiase winkel. Waarom zou je zelf blaffen als je er een hond op na hield?

'Ze zullen wel ergens aan het spelen zijn,' troostte Violet haar. Maar Diana liet zich niet geruststellen. Ze schoot een zijden parka aan en ging in haar cowboylaarzen naar buiten om Hell Close af te zoeken. Ze vond ze tenslotte op nummer 9, waar ze met hun grootvader voor de gashaard oorlogsschip aan het spelen waren. Ze keek door het raam tot Harry haar zag en naar haar zwaaide. Prins Philip had zijn pyjama en ochtendjas aan. Hij had zich niet geschoren en zijn haar hing in enkele dunne slierten over zijn oren. Een blikje gebakken witte bonen met een gekarteld open deksel stond op de zilvertafel uit de tijd van William III.

'Charles heeft opgebeld,' riep Philip. 'Ze zijn nog in het ziekenhuis. Ik kan je niet vragen binnen te komen. Die verdomde voordeur gaat niet open. En van die verdomde achterdeur is de sleutel weg.'

Diana begreep het wel en keerde terug naar haar huishoudelijke taken. Toen de keukenkasten grondig waren schoongemaakt, pauzeerden de dames voor een kop thee en een sigaret.

'Dat houdt ze een tijdje buiten de deur,' zei Violet.

'*Wat* buiten de deur?' vroeg Diana.

'De kakkerlakken. We hebben er allemaal last van. Je raakt ze niet kwijt. Je kan d'r een raket op afschieten en drie dagen later zijn die krengen d'r weer.' Violet ging over op een andere versnelling. 'Wat je nu moet hebben, is kastpapier voor je er eten in opbergt.'

Diana had niets dat geschikt was, daarom bonsde Violet op de muur die haar huiskamer scheidde van die van Diana en riep: 'Wilf, kom es effe met de krant van gisteren.'

Diana hoorde een gedempt antwoord en algauw stond Wilf Toby voor de voordeur. Hij was ongewoon lang, met brede schouders en enorme handen en voeten. Het soort man dat door advocaten in de rechtszaal beschreven wordt als 'een vriendelijke reus'. Maar Wilf was niet vriendelijk. Hij had chronische bronchitis en zijn voortdurende gevecht om adem te krijgen maakte hem prikkelbaar en chagrijnig. Hij was bang voor de dood en leefde iedere dag in angst dat het weleens zijn laatste kon zijn. Hij had het gevoel dat Violet meer aandacht aan hem moest schenken. Hij dacht dat ze meer tijd in huizen van anderen spendeerde dan in haar eigen. Toen Diana Wilfs onregelmatige ademhaling hoorde, stelde haar dat gerust, ze wist nu wat het vreemde geluid was geweest dat haar de afgelopen nacht uit haar slaap had gehouden en haar angst had aangejaagd. Het was de ademhaling van Wilf, die naast de gemeenschappelijke muur lag te slapem.

Wilf keek naar Diana en het was liefde op het eerste gezicht. Hij had nog nooit in het echt zo'n mooie vrouw van dichtbij gezien. Hij had haar foto elke dag in de krant gezien, maar hij was allerminst voorbereid geweest op de aanblik van dat frisse gezicht, de zachte huid, de verlegen blauwe ogen, de warme vochtige lippen. Al de vrouwen die Wilf kende, hadden harde, ruw uitziende gezichten als waren ze meedogenloos door het leven toegetakeld. Toen Diana de krant van hem aannam, keek hij naar haar handen. Blanke, lange vingers met roze nagels. Wilf had die vingers wel vast willen houden. Zouden ze net zo glad aanvoelen als ze eruitzagen?

Hij bekeek Violet, sinds vier jaar zijn vrouw, eens aandachtig. Hoe was hij uiteindelijk met *haar* opgescheept geraakt? Maar hij wist het best, ze had hem achterna gezeten. Hij had geen schijn van een kans gehad.

'Nou, kom d'r in of ga naar buiten, jij grote pummel. Alle warmte vliegt eruit.' Hoor nou eens hoe zijn vrouw tegen hem sprak. Geen enkel respect.

Diana glimlachte en zei: 'Toe, komt u binnen.' Normaal zou niets Wilf ertoe hebben kunnen bewegen een huis met allemaal vrouwen uit Hell Close binnen te gaan, maar hij moest Diana zien, luisteren naar haar lieftallige stem. Ze sprak mooi, echt heel mooi.

De aanwezigheid van een man in het huis kalmeerde de vrouwen wat. Zelfs Violet dempte haar stem, terwijl ze bladzijden van *The News of the World* vouwde en er kasten en laden mee bekleedde. Diana zag flitsen van koppen.

POND BELAAGD

Naar verluidt verkeerde het pond gisteravond in een kritieke situatie na wat een financieel deskundige omschreef als een 'brutale aanval' van de kant van handelaren in vreemde valuta. 'Het was een geducht pak slaag,' zei hij.

Dit volgde op de 'dubbele dreun' van Jack Barkers verpletterende overwinning bij de verkiezingen van donderdag en de afschaffing van de monarchie op vrijdag. De president van de Bank of England heeft opgeroepen tot een periode van rust.

Piranha's

Een vertegenwoordiger van de Londense vestiging van de bank van Tokio zei gisteren: 'Het pond is net een goudvis die in een bassin met piranha's zwemt.'

Toen ze klaar was, bekeek Violet haar werk met trots. 'Zo, het ziet er allemaal aardig en keurig uit,' zei ze. Toen keerde ze zich naar Wilf en zei snibbig: 'Jij wil zeker thee?'

'Ik hoef niet,' zei Wilf. Hoe zou hij ooit weer kunnen drinken of eten? Diana verlangde naar het moment dat ze allemaal weg zouden gaan, maar kon niet bedenken hoe ze hun dat kenbaar moest maken. Toen werd Shadow op zijn tijdelijke slaapplaats op het fluwelen bankstel wakker en zijn gekrijs joeg zijn moeder en de andere vrouwen het huis uit.

'Klop maar op de muur als je wat nodig hebt,' beval Violet.

'Dag en nacht,' kwam Wilf erachteraan.

'Jullie zijn verschrikkelijk vriendelijk geweest,' zei Diana. 'Wat ben ik jullie schuldig?' Ze opende haar portemonnee en keek erin. Toen ze opkeek zag ze aan de uitdrukking op de gezichten van de vrouwen dat ze een ernstige *faux pas* had begaan.

Toen Charles en Elizabeth op nummer 9 arriveerden, zagen ze dat Tony Threadgold de voordeur had opengetrapt en de zijkant aan het bijschaven was.

'Door het vocht is-t-ie kromgetrokken,' legde hij uit. 'Daarom ging-ie niet uit z'n eigen open.'

Prins Philip, William en Harry zaten op de trap naar Tony te kijken. Alle drie aten ze slordige boterhammen met jam, klaargemaakt door William.

'Hoe is het ermee, meisje?' vroeg Philip.

'Ontzettend moe.' De koningin duwde met haar verbonden hand haar wanordelijke haar naar achteren.

'Je bent een verdomd lange tijd weggebleven,' zei haar man.

'Ze hadden het vreselijk druk,' legde Charles uit. 'Mammies verwonding is niet levensgevaarlijk en daarom moesten we wachten.'

'Maar verdomme, je moeder is de verdomde *koningin*!' ontplofte Philip.

'*Was* de verdomde koningin, Philip,' zei de koningin rustig. 'Ik ben nu mevrouw Windsor.'

'Mountbatten,' verbeterde prins Philip kortaf. 'Je bent nu mevrouw Mountbatten.'

'Windsor is mijn familienaam, Philip, en ik ben van plan die aan te houden.'

'Mountbatten is mijn familienaam en jij bent mijn vrouw, daarom ben je mevrouw Mountbatten.'

Tony Threadgold schaafde er als een bezetene op los. Ze waren kennelijk vergeten dat hij er was. William vroeg aan Charles: 'Hoe heten wij nu, papa?'

Charles keek van zijn moeder naar zijn vader. 'Eh, Diana en ik hebben het daar nog niet over gehad... eh... aan de ene kant trekt Mountbatten me wel aan vanwege oom Dickie, maar aan de andere kant, ik voel ook... nou ja... eh.'

'O, in jezusnaam,' Philip werd hatelijk. 'Kom voor de draad, man.'

Tony dacht dat het tijd werd dat de koningin ging zitten; ze zag er afgepeigerd uit. Hij nam haar bij de arm en bracht haar naar de woonkamer. De gashaard was uit, daarom zocht hij in zijn zak naar een geldstuk van vijftig pence en deed dat in de meter. De vlammen floepten aan en de koningin boog zich dankbaar naar de warmte.

'Ik denk dat je mama best een kop thee zou lusten,' gaf Tony aan Charles te kennen. Tony had allang door dat Philip wat huishoudelijke zaken betrof een wanhoop was, de man kon zich nog niet eens zelf aankleden. Maar toen Charles na een kwartier, waarin Tony intussen de krullen had opgeveegd en de zijkant van de deur met schuurpapier glad had gemaakt, *nog altijd* in de keuken rondscharrelde op een vergeefse zoektocht naar thee, melk en theelepeltjes, ging Tony naar het huis ernaast om Bev te vragen water op te zetten. De koningin zat in de gasvlammen te staren. Ze had gedacht dat het Windsor/Mountbatten-conflict al lang geleden was begraven, maar nu had het dan toch weer de lelijke kop opgestoken. Het was de schuld van Louis Mountbatten. Die afschuwelijke snob had de bisschop van Carlisle bepraat om bij gelegenheid van Charles' geboorte de opmerking te maken dat hij niet graag zag dat een wettig geboren kind de naam van zijn vader onthouden bleef. De opmerkingen van de obscure geestelijke hadden tot grote krantekoppen in het land geleid. Louis Mountbattens campagne om zijn familienaam luister bij te zetten en tot de

59

naam van het regerende vorstenhuis te maken, was in ernst begonnen. De koningin stond in tweestrijd tussen de wens van haar man en van Louis Mountbatten en die van koning George V, die het huis Windsor voor eeuwig had gesticht. De koningin sloot haar ogen. Louis was al lang heen, maar hij bleef nog altijd de loop van de gebeurtenissen beïnvloeden.

Beverley kwam binnen met een blad waarop vier dampende bekers thee stonden en twee glazen helder oranje priklimonade. Dikke gestreepte rietjes dobberden in het vurige vocht. Op een bord met een onderleggertje lag een assortiment biscuitjes. Charles nam het blad van Beverley over en drentelde rond op zoek naar een plekje waar hij het neer kon zetten. De koningin sloeg haar zoon met toenemende ergernis gade.

'Op mijn bureau, Charles.'

Charles zette het blad op het Chippendale bureau dat bij het raam stond. Hij deelde de bekers en glazen rond. Hij voelde zich niet op zijn gemak wanneer Beverley er was. Haar weelderige figuur maakte hem van streek. In een flits zag hij haar naakt, gehuld in tule, terwijl ze voor een spiegel zat die door een cherubijn werd opgehouden. Een Venus uit de jaren negentig. De koningin stelde haar voor: 'Dit is mevrouw Beverley Threadgold, Charles.'

'Hoe maakt u het?' zei Charles terwijl hij haar de hand bood.

'O best wel goed, dank u,' zei Beverley, die zijn hand nam en stevig schudde.

'Mijn zoon, Charles Windsor,' zei de koningin.

'Mountbatten,' verbeterde Philip. Tegen Beverley zei hij: 'Hij heet Charles Mountbatten. Ik ben zijn vader en hij zal mijn naam dragen.'

Charles vond dat het hoog tijd werd om een eind te maken aan dit verschrikkelijke paternalistische gedoe. Wat was ook weer de meisjesnaam van koningin Mary, zijn overgrootmoeder? Teck, zo was het. Hoe klonk dat, 'Charlie Teck'?

'We hebben het er later nog wel over, Philip,' waarschuwde de koningin.

'Dat is nergens voor nodig. Ik ben het hoofd van het gezin.

60

Ik heb veertig jaar achter je moeten lopen. Nu is het mijn beurt om voorop te lopen.'

'Jij wilt het huishouden regelen, Philip?'

'Jazeker.'

'Dan,' zei de koningin, 'kun je maar het beste naar de keuken gaan en je vertrouwd maken met het keukengerei en de handelingen die nodig zijn om thee te zetten. We kunnen ons niet altijd verlaten op de edelmoedigheid van mevrouw Threadgold.'

Beverley zei: 'Ik wijs u wel hoe u thee moet zetten. Het is hartstikke makkelijk, heus.'

Maar prins Philip sloeg geen acht op haar vriendelijk aanbod. In plaats daarvan richtte hij zich tot Tony en jammerde: 'Ik kan geen warm water krijgen; ik moet me scheren. Wilt u ervoor zorgen?'

Tony werd nijdig. Warempel, dacht hij, hij praat tegen me of hij zijn hond commandeert. 'Sorry,' zei hij, 'Bev en ik gaan naar de pub. Ben je klaar, Bev?'

Beverley was blij toe dat ze een excuus had om zo'n plek vol echtelijke spanning te verlaten.

Tony ging naar huis en nam zijn gereedschapskist mee. Alles bij elkaar was het een rotdag geweest. Hij had het baantje als kippeslachter niet gekregen – er waren honderdvierenveertig sollicitanten voor hem geweest, mannen en vrouwen van alle religies. Beverley bleef nog even en liet prins Philip zien hoe hij in een steelpannetje op het gasstel scheerwater kon opwarmen. Ze legde hem uit dat de steel van de pan van de voorkant van het gasstel af moest wijzen. 'Dan kunnen de kinderen er niet tegen stoten.'

Charles kwam naar de keuken en keek ernstig toe alsof hij naar een uitvoering van een Maori krijgsdans stond te kijken. Zijn twee zoontjes, met oranje vlekken rond hun mond, slopen dichterbij en pakten hem bij de hand. Ze konden zich niet herinneren wanneer zij hun vader zo vaak hadden gezien. Toen het water begon te borrelen, liet Beverley zien hoe hij het gasstel uit moest doen. 'En wat doe ik nou?' zei Philip klagend. Beverley dacht, ja, je denkt verdomme toch niet dat ik je ga scheren. Ze was blij toe dat ze het ex-koninklijke huishouden kon verlaten.

'Het zijn me net baby's,' zei ze tegen Tony, terwijl ze haar uitgaanskleren aantrok. 'Het is nog een mirakel dat ze d'r eigen kont af kunnen vegen.'

10 Warm houden

D e volgende morgen was de kou nog erger.
'Je hebt je nog niet geschoren, Philip, en het is al negen uur.'

'Ik laat mijn baard staan.'

'Je hebt je nog niet gewassen.'

'Badkamer is zo verdomde koud.'

'Je hebt je pyjama en ochtendjas al twee dagen aan.'

'Ik ben niet van plan de deur uit te gaan. Waarom zou ik me daar dan druk om maken?'

'Maar je moet naar buiten.'

'Waarom?'

'Voor frisse lucht, lichaamsbeweging.'

'Er is helemaal geen frisse lucht in dit verdomde Hell Close. Het stinkt er. Het is afgrijselijk. Ik weiger te accepteren dat het er is. Ik blijf in dit verdomde huis tot ik doodga.'

'En wat doe je dan?'

'Niets. In bed blijven liggen. Wil je nou alsjeblieft mijn ontbijt neerzetten en die verdomde gordijnen dichtdoen, toe.'

'Philip, je praat tegen me of ik je dienstmeid ben.'

'Ik ben je man. Jij bent mijn vrouw.'

Philip begon aan zijn ontbijt. Gekookte eieren, toost en koffie. De koningin trok de gordijnen dicht zodat Hell Close buitengesloten werd, en ze ging naar beneden om Harris binnen te roepen. Ze maakte zich zorgen over Harris. Hij trok de laatste tijd op met een ruige troep honden. Een bende ongure straathonden die, naar het scheen, van niemand in het bijzonder waren, gebruikten langzamerhand de voortuin van de koningin als verzamelpunt. Harris deed niets om ze daarvan af te brengen, hij leek integendeel ingenomen met hun vernielende aanwezigheid.

Philomena Toussaint werd wakker door de komst van de koningin-moeder, die haar bejaardenhuisje naast dat van haar betrok. Ze kwam uit bed en deed de warme ochtendjas aan die Fitzroy, haar oudste zoon, voor haar verjaardag had gekocht.

'Dat houdt je botten warm, wijfie,' had hij streng gezegd. 'Doe dat verdomde ding aan.'

Ze had gelezen dat de koningin-moeder wel van een glaasje en van wedden hield. Philomena was op beide tegen. Ze richtte een gebed tot God: 'Heer, laat mijn buurvrouw me met rust laten.'

Ze zocht in haar portemonnee naar een geldstuk van vijftig pence. Zou ze nu de haard aandoen, of vanmiddag, of vanavond als ze naar de televisie zat te kijken? Het was een beslissing die ze iedere dag, behalve in de zomer, nam. Troy, haar tweede zoon, had gezegd: 'Mens, hou de haard *de hele dag aan* als je dat nodig vindt, je hoeft maar om geld te vragen en je krijgt het.'

Maar Philomena was trots. Ze trok langzaam haar vele lagen kleren aan. Ze ging naar de hangkast waar haar wintermantel hing. Ze deed die aan, wikkelde een sjaal om haar hals, zette een vilthoed op haar hoofd en, gewapend tegen de kou, ging ze naar de keuken om haar ontbijt klaar te maken. Ze telde de sneetjes brood: vijf, en de eieren die er nog waren: drie. Een beetje margarine, net voldoende om er het hoofdje van een baby mee in te smeren. Ze schudde met het pak cornflakes. Nog een half kopje en nog twee dagen te gaan tot ze haar pensioen kreeg. Ze bukte zich om de deur van de koelkast open te doen. 'Geldverspilling om dat ding aan te laten wanneer de lucht bevroren is,' zei ze. Ze trok de stekker eruit en de koelkast maakte geen geluid meer. Ze pakte een homp kaas en met grote moeite (omdat haar handen stram waren en pijnlijk vanwege haar arthritis) raspte ze kaas op een sneetje brood en legde het onder de grill.

Ongeduldig, omdat ze zich ergerde dat er gas werd verbruikt, stond ze te wachten. Tenslotte pakte ze de toost met kaas, voordat de kaas goed en wel gesmolten was en ging met haar mantel, sjaal en handschoenen aan en haar hoed op, aan tafel zitten om aan haar halfgare ontbijt te beginnen. Door de muur heen kon ze horen dat de koningin-moeder lachte en hoe er met meubelen over de vloer werd geschoven. Ze richtte zich door de muur tot de koningin-moeder: 'Wacht maar eens, mens. Het lachen zal je gauw genoeg vergaan.'

Philomena had de vorige avond Jack Barker op de televisie gezien. Hij had daar uiteengezet dat de ex-koninklijke familie rond zou moeten komen van sociale uitkeringen. Dat de gepensioneerden, de koningin, prins Philip en de koningin-moeder voortaan hetzelfde zouden krijgen als Philomena. Ze sloot haar ogen en zei: 'Moge de Heer mij oprecht dankbaar stemmen voor hetgeen ik zal ontvangen. Amen.' Toen begon ze te eten. Ze kauwde elke hap zorgvuldig om er zo lang mogelijk over te doen. Ze zou graag een tweede sneetje hebben genomen, maar ze was aan het sparen voor haar kijkgeld.

De koningin-moeder stond te lachen omdat het allemaal zo belachelijk klein was. 'Het is een *schattig* huisje,' lachte ze. 'Het is snoezig. Het zou best een hok voor een grote *hond* kunnen zijn.'

Ze trok haar nertsmantel om zich heen en inspecteerde de badkamer. Dat leverde een nieuwe lachbui op: daarbij kwamen haar tanden bloot, die beducht waren voor de stoel van de tandarts.

'Het staat me wel aan,' klonk het. 'Het is zo overzichtelijk, en kijk, Lilibet, daar is zelfs een haakje voor mijn peignoir.'

De koningin keek naar het roestvrij stalen haakje aan de achterkant van de badkamerdeur. Het was bepaald niet iets om je over op te winden; het was eenvoudig een haak, een nuttig voorwerp, doelbewust ontworpen: om er je kleren aan op te hangen.

'Er is geen toiletpapier,' fluisterde de koningin-moeder. 'Hoe kom je aan toiletpapier?'

Koket hield ze haar hoofd scheef en wachtte op antwoord.

'Dat koop je in een winkel,' zei Charles, die in zijn eentje de vrachtwagen leeghaalde, die even tevoren voor het huisje van zijn grootmoeder was gearriveerd. Hij droeg een staande lamp onder zijn ene arm en een zijden lampekap onder de andere.

'O ja?' De glimlach van de koningin-moeder leek gefixeerd, alsof die op Mount Rushmore vereeuwigd was. 'Wat spannend gewoon.'

'Vindt u?'

Het irriteerde de koningin dat haar moeder weigerde om zich ook maar aan één moment van wanhoop over te geven. De woning was eenvoudig meelijwekkend, bekrompen, het stonk er en het was er koud. 'Hoe kon haar moeder zich hier *redden*? Maar toch trok ze een dwaas dapper gezicht bij deze echt afschuwelijke situatie.

Spiggy arriveerde voor zijn vertrouwde klus en werd begroet met overdreven welkomstkreten. De koningin-moeder had de maten die Jack Barker had opgegeven, niet willen geloven. Een kamer kon geen twee meter zeventig bij twee meter zeventig zijn. Er moest een vergissing zijn begaan; Barker had vast zeven meter twintig willen invullen. Er waren dan ook grote tapijten uit Clarence House met de vrachtwagen naar Hell Close getransporteerd. Daar had het personeel voor gezorgd – de laatste dienstverlening, door diegenen die nog nuchter genoeg waren om op hun benen te staan.

Spiggy haalde zijn destructieve gereedschap uit zijn tas. Stanleymes, stalen rolcentimeter, zwart plakband, en begon in een kostbaar tapijt, een geschenk uit Perzië, te snijden zodat het rond de oranje betegelde haardplaat van de koningin-moeder paste. Hij was weer eens de held van het uur. De koningin-moeder wandelde in haar achtertuin, met haar corgi, Susan, naast zich. De zwarte vrouw van het huis ernaast keek door het keukenraam naar haar. De koningin-moeder zwaaide, maar de zwarte vrouw dook weg en verdween uit het gezicht. De glimlach van de koningin werd even onzeker en herstelde zich weer, net als de *Financial Times* op een onrustige dag op de beurs.

De koningin-moeder kon niet zonder mensen die van haar hielden. Mensen die van haar hielden waren als plasma voor haar; zonder zou ze doodgaan. Het grootste deel van haar leven had ze het zonder de liefde van een man moeten stellen. Dat het volk haar aanbad, was maar een kleine compensatie. Ze was een beetje van streek door de onvriendelijke houding van haar naaste buurvrouw, maar toen ze uit de tuin terugkwam, zat haar glimlach alweer stevig op zijn plaats.

Ze zag Spiggy opkijken van zijn karwei. Zijn ogen gaven blijk van verering. Ze begon een gesprek en vroeg hem naar zijn vrouw.

'D'r vandoor,' zei Spiggy.

'Kinderen?'

'Die heeft ze meegenomen.'

'U bent nu dus een vrolijke vrijgezel,' tinkelde de koningin-moeder.

Spiggy's gezicht betrok. 'Nou, noem dat maar vrolijk.'

Charles keerde zich naar Spiggy en zei: 'Wat oma bedoelde te zeggen, is dat u waarschijnlijk een zorgeloos bestaan leidt, zonder huishoudelijke verplichtingen.'

'Ik moet sappelen voor mijn boterham,' zei Spiggy verdedigend. 'Moet u 's proberen heel de dag met vloerbedekking te slepen.'

Charles was in verlegenheid gebracht doordat hij verkeerd werd begrepen. Waarom kon zijn familie niet gewoon *praten* met de buren zonder... eh... voortdurend... eh...?

De koningin ging rond met exquise porseleinen kopjes en schoteltjes. 'Koffie,' deelde ze mee.

Spiggy bekeek van dichtbij hoe de koninklijke familie zo'n klein kopje vasthield. Ze deden hun wijsvinger door het oortje, hielden het schoteltje op en dronken. Maar Spiggy zag geen kans zijn wijsvinger, vol eelt en gezwollen door jaren handwerk, door het oortje van zijn kopje te krijgen. Hij keek naar hun handen en vergeleek die met de zijne. Een moment schaamde hij zich en stopte ze in de zakken van zijn overall. Hij voelde zich net een lomp beest. Zij hadden een glans over hun lichaam, net of ze met glas overtrokken waren, beschut. Spiggy's lichaam was ecn geïllustreerde landkaart: ongelukken bij het werk, vechtpartijen, verwaarlozing, armoede, allemaal hadden ze hun zichtbare sporen achtergelaten waaruit bleek dat Spiggy had geleefd. Hij pakte het kopje met zijn rechterhand en dronk de miezerige inhoud op. In een kopje zat nog niet genoeg om er de nagel van je pink in te wassen, bromde hij in zichzelf terwijl hij het kopje weer op het schoteltje zette.

Prins Charles baande zich een weg door het groepje mensen dat zich voor het hek van de koningin-moeder had verzameld. Een jongen met een kaalgeschoren hoofd stond in elkaar gedoken in de ijzige wind te rillen. Hij schoot Charles aan.

'Je wil vast wel een video hebben?'

Charles zei: 'Eigenlijk wel, ja, dat wil zeggen mijn vrouw wil er een. We hebben de onze laten staan, dachten niet dat in de... eh... maar... zijn ze niet verschrikkelijk eh... nou ja, duur?'

'*Normaal* wel, maar voor vijftig pond kan ik er wel eentje loskrijgen.'

'*Vijftig* pond?'

'Ja, ik ken een gozer die d'r aan kan komen.'

'Zeker een filantroop?'

Warren Deacon keek Charles niet-begrijpend aan. 'Nee, gewoon een gozer.'

'En die, eh... dat wil zeggen... die videoapparaten, *werken* ze?'

'Tuurlijk. Ze komen uit goede huizen,' zei Warren verontwaardigd. Iets was Charles niet duidelijk. Hoe kon die jongen met zijn gezicht als een knaagdier weten dat ze geen video hadden? Hij vroeg het Warren.

'Ik ben gisteravond langs jullie huis gelopen. Keek effe door het raam. Geen rood lichtje. Jullie moeten de gordijnen dichtdoen. Jullie hebben daar best aardige spullen staan. Die kandelaars mogen d'r wezen.'

Charles bedankte Warren voor het compliment. De jongen had kennelijk een goed ontwikkelde, kunstzinnige smaak. Je moest mensen niet zo haastig beoordelen. 'Ze zijn prachtig, hè? William III. Hij eh... dat wil zeggen, William begon zijn collectie in...'

'Massief zilver?' informeerde Warren.

'O ja,' verzekerde Charles. 'Gemaakt door Andrew Moore.'

'Goeiedag,' zei Warren, als kende hij de meeste zilversmeden uit de zeventiende eeuw. 'Ik denk zo, dat daar wel een paar centen voor te maken is?'

'Waarschijnlijk,' gaf Charles toe, 'maar zoals je... eh, wij, dat is te zeggen... mijn familie... eigenlijk mogen we niets verkopen van onze...'

'Spullen?' Warren werd het beu maar te staan wachten tot Charles zijn zinnen afmaakte. Wat een klojo. En die gozer moest koning worden en over Warren regeren?

'Ja, spullen.'

'Dus je had eigenlijk die kandelaars moeten laten staan en de video moeten meepikken?'

'*Meenemen*, de video, ja,' zei Charles pedant.

'Nou, mot je er nog een?' Warren voelde dat het tijd werd om de koop af te maken.

Charles voelde in zijn broekzakken. Hij moest ergens een biljet van vijftig pond hebben. Hij vond het en overhandigde het aan Warren Deacon. Hij wist niet hoe Warren heette en waar hij woonde, maar hij dacht dat een jongen die belangstelling had voor historische kunstvoorwerpen, het waard was dat je moeite voor hem deed. Hij zag al voor zich hoe hij Warren zijn kleine kunstcollectie zou laten zien en misschien zou hij de jongen aanmoedigen te gaan schilderen...

Charles klom achter in de vrachtwagen en pakte een doos waar 'schoenen' op stond, maar schoenen rammelden niet en waren ook niet zo zwaar om op te tillen. Charles opende het deksel van de doos en zag vierentwintig flessen Gordon gin, verpakt in vellen groen vloeipapier. Hij worstelde zich door het groepje mensen, terwijl hij zwetend van inspanning de doos tegen zijn borst hield. Beverley zou hem nu eens moeten zien, terwijl hij met zo'n vracht sjouwde – mannenwerk deed. Toen hij bij de voordeur kwam zonder zijn zware last te laten vallen, begon het groepje vrouwen en peuters in wandelwagentjes ironisch te juichen en Charles knikte, blozend van trots, om de toejuichingen te beantwoorden, iets wat hij al op zijn derde jaar had leren doen.

Hij wankelde met zijn vracht de keuken in en trof er zijn moeder, die aan het aanrecht stond af te wassen. Ze gebruikte één hand. Prinses Margaret leunde tegen het kleine formica tafeltje, terwijl ze naar de koningin keek. Haar eigen huishouden was een chaos. Ze had niets geschikts om aan te trekken. De hutkoffer met haar gemakkelijke kleren voor overdag was in Londen achtergebleven. Heel haar garderobe in Hell Close bestond uit zes cocktailjurken, die zich meer leenden voor prijsuitreikingen in het wereldje van de show business, maar verder had ze niets. Ze had natuurlijk haar bontmantels, maar een meisje met een getatoeëerde spin in haar hals had vanmorgen 'Klote dierenbeul' geroepen, toen ze elkaar op het trottoir voor haar nieuwe huis passeerden.

De koningin wilde maar dat ze het huis van haar moeder verliet. Ze stond in het licht en nam kostbare ruimte in beslag. Er moest gewerkt worden.

Spiggy stak zijn hoofd om de deur en zei tegen prinses Margaret: 'Moeten er bij u nog vloerkleden pas gemaakt worden?

Ik kan u er vanmiddag nog wel even tussendoor hebben.'

'Reuze bedankt, maar het is niet nodig,' zei ze lijzig. 'Het is amper de moeite waard, ik blijf niet.'

'Zoals je wilt, Maggie,' zei Spiggy, die vriendelijk probeerde te zijn.

'Maggie?' Ze richtte zich in haar volle lengte op. 'Hoe *durft* u op zo'n toon tegen me te spreken. Voor u ben ik prinses Margaret.' Hij dacht dat zij hem wilde slaan. Ze trok een prachtige, door Karl Lagerfeld ontworpen mouw op en liet hem haar vuist zien, maar ze trok die weer terug en stelde zich tevreden met te roepen: 'Akelig dik mannetje,' toen ze zich naar haar huis in Hell Close haastte.

De koningin zette de ketel op het vuur. Ze dacht dat meneer Spiggy een lekkere kop thee verdiende. 'Het spijt me erg. We zijn allemaal nogal overspannen.'

'Het is al goed,' zei Spiggy. 'Er *moet* ook wel wat van mijn gewicht af.' Dat was ook zoiets, dacht hij. Ze waren geen van allen dik. Terwijl al zijn bekenden dik waren. De vrouwen werden dik nadat ze kinderen hadden gekregen en de mannen werden dik van het bier. Met kerstmis kon zijn familie nauwelijks in hun huiskamer. De koningin neuriede een melodie onder het wachten tot het water kookte en Spiggy pikte de melodie op en floot die mee, terwijl hij aan het tapijt in het portaal aan het werk was.

'Hoe heet het?' vroeg hij de koningin toen ze aan het eind van hun geïmproviseerde duet waren.

'*Born Free,*' antwoordde ze. 'Ik heb de film in 1966 gezien. Een Royal British Film Performance.'

'Zeker vrijkaartjes, hè?'

'Ja,' erkende ze, 'en we hoefden er niet voor in de rij te staan.'

'Toch raar, naar de film gaan met een kroon op je hoofd.'

De koningin schoot in de lach. 'Een tiara. Je kunt geen kroon op hebben, dat zou niet aardig zijn voor degene die achter je zit.'

Spiggy lachte zijn dreunende lach en Philomena bonsde op de muur en riep: 'Hou op met dat lawaai, ik krijg er hoofdpijn van.' Philomena was hongerig, ze had het koud en ze had hoofdpijn. Ze was jaloers. Ooit, toen de kinderen nog thuis waren, Fitzroy, Troy en haar baby Jethroe, was haar keuken

70

van gelach vervuld geweest. Wat die jongens konden eten. Ze had waarachtig een bulldozer nodig om die monden vol te stoppen; ze was altijd onderweg naar de markt of ze kwam er net vandaan. Ze kon zich nog herinneren hoe zwaar de mand was en ze rook nog de lucht van het strijkijzer waarmee ze iedere morgen hun vochtige witte hemden voor school stond te strijken.

Ze sleepte een stoel naar de hoge kast waar ze haar dozen en pakjes bewaarde. Ze klom op de stoel en zette het pak cornflakes boven in de kast. Terwijl ze daar op ooghoogte bezig was, pakte ze haar blikjes en pakjes en rangschikte ze opnieuw. Ze schoof die soep naar voren, dat graanprodukt naar achteren, tot ze, voldaan over de nieuwe indeling, van de stoel afstapte.

'Ik heb nog nooit de politie aan de deur gehad,' zei ze hardop tegen de lege keuken. 'En ik had altijd blikjes in de kast,' zei ze tegen het portaal. 'En er is een plaatsje voor mij in de hemel,' zei ze tegen de slaapkamer toen ze haar mantel uittrok en in bed kroop om warm te blijven.

Laat in de namiddag had er zich rond de vrachtwagen een hele menigte verzameld, in de hoop de koningin-moeder te zien. Inspecteur Holyland stuurde er een jonge agent naar toe om te zeggen dat ze moesten doorlopen. Agent Isiah Ludlow zou liever opdracht hebben gekregen om een lijk in ontbinding te bewaken dan dat hij naar die vrouwen van Hell Close met hun harde gezichten en hun boosaardige kleuters toe moest.

'Kom aan, dames. Doorlopen, alstublieft.' Hij klapte in zijn dikke leren politiehandschoenen en dat gaf hem, samen met zijn piekerige snor, het uiterlijk van een enthousiaste zeehond die op het punt staat een bal op te gooien. Hij herhaalde zijn bevel. Geen van de vrouwen bewoog zich.

'U belemmert de doorgang.'

Niemand van de vrouwen wist wat hij daar nou precies mee bedoelde. Bedoelde hij soms dat ze van het trottoir moesten? Een vrouw wier anorak om haar zwangere buik spande, zei: 'We bewaken de auto voor de koningin-moeder.'

'Nou, dan kunt u nu toch naar huis? Ik ben er. Ik zal de auto wel bewaken.'

De zwangere vrouw lachte verachtelijk: 'Ik zou de politie

nog niet eens vertrouwen als ze een hoop stront moeten bewaken.'

Agent Ludlow raakte gepikeerd door die smet op zijn professionele integriteit, maar hij herinnerde zich wat hij in Hendon had geleerd. Bewaar je kalmte, laat het publiek je niet de baas worden. Blijf meester van de situatie.

'Door jouw schuld zit mijn man twee jaar in Pentonville,' ging de vrouw verder.

Agent Ludlow had geen aandacht moeten schenken aan haar opmerkingen, maar hij was jong en onervaren en zei: 'Zo, hij is zeker de vermoorde onschuld?' Hij had geprobeerd zijn stem sceptisch te laten klinken maar het was hem niet goed afgegaan.

De zwangere vrouw vatte het op als een serieuze vraag. Agent Ludlow zag tot zijn ontzetting dat er tranen over haar bolle blozende wangen biggelden. Was dit nou wat zijn instructeurs een dialoog met het publiek hadden genoemd?

'Ze zeiden dat hij al het lood van het dak van de kerk had gejat, maar dat was een rottige leugen.' De andere vrouwen gingen om de snikkende vrouw heen staan, terwijl ze haar aanhaalden en op de schouders klopten. 'Hij had hoogtevrees. Als er ergens een nieuwe lamp in moest, moest ik op de stoel klimmen.'

Toen Charles uit het huisje kwam om de laatste spullen uit de vrachtwagen te halen, hoorde hij een vrouwenstem klagend roepen: 'Les, Les, ik wil mijn Les terug.'

Hij zag een groepje vrouwen om een jonge politieman staan. De helm van de agent viel op de grond en werd opgepakt door een dreumes met een oorbel, die hem op zijn eigen hoofdje zette en de straat uitrende.

Agent Ludlow probeerde de hysterische vrouw uit te leggen dat hij ook wel wist dat er soms bewijsmateriaal in elkaar werd gestoken, maar dat hij daar zelf nooit bij betrokken was geweest. 'Nou moet je eens goed luisteren,' zei hij. Hij tikte op de mouw van de anorak.

Het groepje kwam als één geheel in beweging en blokkeerde Charles de doorgang naar de achterkant van de vrachtauto. Wat hij nu zag, was een agent die een hoogzwangere vrouw bij de arm vasthield, terwijl ze worstelde om vrij te komen. Hij had rapporten over brutaal optreden van de politie gelezen. Waren die dan toch waar?

Agent Ludlow stond nu te midden van het groepje schreeuwende en tierende vrouwen. Als hij niet uitkeek zou hij ondersteboven gelopen worden. Hij hing aan de mouw van de zwangere vrouw, die, naar hij nu dacht, Marilyn heette, te oordelen naar wat de overige deelnemers van het opstootje riepen. Zelfs terwijl hij nu eens deze en dan weer die kant uit wankelde, herhaalde hij voor zichzelf wat hij in zijn rapport zou vermelden, want dit was nu een 'incident' geworden. Meters papier zag hij zich voor hem uitstrekken.

Charles stond achter in het groepje. Zou hij tussenbeide komen? Hij had de naam dat hij verzoenend kon optreden. Als hij de kans had gekregen, daar was hij van overtuigd, had hij een eind kunnen maken aan de mijnwerkersstaking. Hij had tot de Labourclub van de universiteit van Cambridge willen toetreden, maar Rab Butler had hem dat afgeraden. Charles zag Beverley Threadgold haar voordeur dichtslaan en de straat over hollen. Met haar witte lycra topje, rode minirok en blote, blauwe benen, leek ze een wulpse Engelse vlag.

Ze baande zich een weg door de groep onder het roepen van: 'Laat onze Marilyn met rust, rotsmeris. Ken je wel?'

Terwijl Beverley agent Ludlow tegen de grond werkte en met hem in gevecht ging, zag hij zich al voor de rechter staan om zijn verklaring af te leggen. Ze duwde zijn gezicht tegen de straat, die naar honden, katten en nicotine stonk. Ze zat boven op zijn rug. Hij kreeg nauwelijks adem, want zij mocht er zijn. Met een machtige krachtsinspanning wierp hij haar van zich af. Hij hoorde hoe haar hoofd de grond raakte, daarna haar kreet van pijn.

'Toen, edelachtbare,' liet de doorlopende reportage in zijn hoofd zich horen, 'bemerkte ik een volgend gewicht op mijn rug, een man van wie ik nu weet dat hij de vroegere prins van Wales is. Deze man leek zich schuldig te maken aan een heftige aanval op mijn model politiejas. Toen ik hem vroeg daarmee op te houden, zei hij zoiets als – "Bij de mijnwerkersstaking moest ik werkeloos toekijken, dit is voor Orgreve." Op dat moment, edelachtbare, kwam inspecteur Holyland met versterking aan en verscheidene mensen werden gearresteerd,

73

waaronder de vroegere prins van Wales. De ordeverstoring werd om achttien uur nul nul beëindigd.'

Tijdens het opstootje was de rest van de inhoud van de vrachtwagen door Warren Deacon en zijn broertje Hussein gestolen. De Gainsboroughs, Constables en verscheidene olieverfschilderijen met sportvoorstellingen werden verkocht aan de eigenaar van de plaatselijke pub, de Yuri Gagarin, voor een pond elk. De kastelein was de rooksalon aan het opknappen zodat die een antiek tintje zou krijgen. De schilderijen zouden het goed doen naast de beddepannen, en de met droogbloemen volgepropte hoornen des overvloeds.

Later probeerde de koningin haar moeder met het verlies te troosten en zei: 'Ik heb een aardige Rembrandt; die kunt u wel krijgen. Die zou het goed doen boven de haard. Zal ik 'm halen, mammie?'

'Nee, ga niet weg, Lilibet. Je mag me niet alleen laten. Ik ben nog nooit alleen geweest.' De koningin-moeder pakte de hand van haar oudste dochter.

De nacht was allang gevallen. De koningin was vermoeid, ze verlangde naar de vergetelheid van de slaap. Het had een eeuwigheid geduurd om haar moeder uit te kleden en naar bed te brengen en er was nog zoveel te *doen*. Het politiebureau bellen, eten klaarmaken voor Philip en haarzelf. Was Anne er maar. Anne was een bolwerk.

Ze kon zinloos studio-gelach aan de andere kant van de muur horen. Misschien wilde haar naaste buurvrouw bij haar moeder blijven tot ze in slaap was gevallen? Voorzichtig trok ze de hand van haar moeder terug en onder het voorwendsel dat ze naar de keuken moest om Susan een bak voer te geven, verliet ze stilletjes het huisje, liep naar de deur ernaast en belde aan.

Philomena deed open, met haar jas, sjaal en handschoenen aan en haar hoed op.

'O,' zei de koningin, 'gaat u weg?'

'Nee, ik kom net binnen,' zei Philomena, geschrokken dat ze de koningin van Engeland en het Gemenebest voor de deur zag staan. De koningin legde uit wat haar dilemma was, waarbij ze de nadruk legde op de hoge leeftijd van haar moeder.

'Ik help je wel uit de moeilijkheden, vrouwtje. Ik zag dat je

74

zoon door de politie werd meegenomen, een schande voor de familie.'

De koningin mompelde deemoedig haar dank en ging naar haar moeder om haar het nieuws te vertellen dat ze de nacht niet alleen hoefde door te brengen. Mevrouw Philomena, die vroeger werkster in het ziekenhuis was geweest en geheelont-houdster en lid van de episcopale kerk was, zou bij de gas-haard in het buurhuis komen zitten. Maar ze stelde vier voor-waarden. Zo lang zij in huis was, zou er niet worden gedron-ken, gegokt, of gevloekt en zouden er geen drugs worden gebruikt. De koningin-moeder ging met die voorwaarden akkoord en de twee oude dametjes werden aan elkaar voorge-steld.

'We hebben elkaar al eens eerder ontmoet, in Jamaica,' zei Philomena. 'Ik had een rode jurk aan en stond met een vlagge-tje te zwaaien.'

De koningin-moeder probeerde tijd te winnen. 'Tja, welk jaar kan dat zijn geweest?' zei ze.

Philomena ging haar herinneringen na. Het getik van de Sèvres klok op de toilettafel droeg ertoe bij om de afstand en de tijd te accentueren die de twee bejaarde vrouwen probeerden te overbruggen.

'1927?' zei de koningin-moeder, die zich vaag een tournee door West-Indië herinnerde.

'Dus je herinnert je mij nog?' Philomena was in haar schik. 'Je man, hoe heette die toch ook weer?'

'George.'

'Ja, dat is 'm. George. Ik was zo verdrietig toen hij door God werd weggenomen.'

'Ja, ik ook,' erkende de koningin-moeder. 'Ik was in die tijd nogal boos op God.'

'Toen God mijn man tot zich nam, ben ik niet meer naar de kerk gegaan,' erkende Philomena. 'De man sloeg me en nam me mijn geld af om drank te kopen, maar ik miste hem. Sloeg George jou?' De koningin-moeder zei van nee, dat George haar nooit had geslagen, dat hij als kind geslagen was en daarom alle geweld haatte. Hij was een dierbare, lieve man geweest en hij had het bepaald niet prettig gevonden om ko-ning te zijn.

'Kijk,' zei Philomena, 'daarom heeft God de man tot zich genomen, om hem wat rust te gunnen.'

De koningin-moeder liet haar hoofd op haar mooie slopen rusten en sloot haar ogen. Philomena deed haar mantel uit, zette haar hoed af en zat in een mooie vergulde leunstoel bij de haard van de gratis warmte te genieten.

Charles mocht één keer telefoneren. Diana was de keukenmuren aan het witten, toen de telefoon overging. Een geknepen stem zei: 'Mevrouw Teck? Met het politiebureau van Tulip Road. Uw man is aan de lijn.' Ze hoorde Charles' stem: 'Hoor eens, het spijt me allemaal verschrikkelijk.'

Diana zei: 'Charles, ik kon het eenvoudig niet geloven, toen Wilf Toby langskwam om te vertellen dat jij op straat had gevochten. Ik was de badkamer aan het verven. Tussen haakjes, aqua groen doet het geweldig. Ik ga proberen een bijpassend douchegordijn te vinden. In elk geval had ik mijn Sony aanstaan en ik heb niets van al die drukte gemerkt. Dat je gearresteerd bent, in de overvalwagen werd gegooid; maar ik heb de jongens op laten blijven en naar de rest van het relletje laten kijken. O, Warren, je weet wel, die jongen, kwam langs met de video. Ik heb hem vijftig pond betaald.'

Charles zei: 'Maar *ik* heb hem al vijftig pond betaald.'

Diana praatte verder alsof hij niets had gezegd. Hij had haar nog nooit zo levendig gehoord.

'Hij doet het geweldig. Ik ga naar *Casablanca* kijken voor ik naar bed ga.'

Charles zei: 'Hoor eens, liefste, het is verschrikkelijk belangrijk. Kun je onze advocaat voor me bellen? Ze willen mij ervan beschuldigen dat ik een opstootje heb veroorzaakt.'

Diana hoorde een stem zeggen: 'Zo is het wel genoeg, Teck, terug naar je cel.'

11 Knop

Charles deelde de cel met een lange, magere jongen, Lee Christmas. Toen Charles de cel betrad, keerde Lee zijn sombere gezicht naar Charles, keek hem aan en zei: 'Bent u prins Charles?'

Charles zei: 'Nee, ik ben Charlie Teck.'

Lee zei: 'Waarom bent u hier?'

Charles zei: 'Opstootje en een agent belaagd.'

'O ja? Daar bent u toch een beetje te deftig voor?'

Charles gaf een andere wending aan de onplezierige reeks vragen en vroeg: 'Waarom... zit u hier?'

'Ik heb een knop gejat.'

'Een knop gejat?' Daar moest Charles eens over nadenken. Was dit een stukje criminele geheimtaal? Had meneer Christmas zich aan een of ander smerig soort sexueel misdrijf schuldig gemaakt? Als dat het geval was, dan was het schandelijk dat hij, Charles, genoodzaakt was samen met hem in een cel te verblijven. Charles drukte zich tegen de celdeur. Hij hield zijn oog gericht op de zoemer.

'Nou ja, daar stond een auto, weet u wel. Stond al meer dan drie maanden in onze straat; de eerste avond waren de banden en de stereo al pleite. Toen ging alles, ook de motor. Het was toen niet meer dan een casco, weet u wel?'

Charles knikte, hij kon zich het wrak voor de geest halen. Er stond er net zo een in Hell Close. William en Harry speelden er soms in. 'In ieder geval,' ging Lee verder, 'het is een Renault, snappie? Ik heb dezelfde. Zo'n beetje van hetzelfde jaar – dus ik loop erlangs. En er zitten kinderen in dat wrak te spelen, ze doen of ze Assepoester zijn op weg naar eh – wat was het ook weer?'

'Het bal,' opperde Charles.

'Dans, disco,' verbeterde Lee. 'In ieder geval, ik zeg tegen ze dat ze moeten oprotten en ik stap voorin – de stoelen zijn foetsie – en ik trek net die knop van de versnellingspook, weet u wel. Want de knop van de mijne is pleite. Daarom wil ik 'm wel hebben, knijs-ie?'

77

Charles begreep wat Lee hem duidelijk wilde maken.

'En wie denkt u dat me door het raampje bij mijn arm pakt?' Lee wachtte. Charles stotterde: 'Zonder dat ik uw omstandigheden ken, meneer Christmas, of uw familie, vrienden of kennissen, is het verschrikkelijk lastig te raden wie u zou kunnen...'

'Twee van het dof gajes,' riep Lee verontwaardigd. 'Twee smerissen in burger,' legde hij uit toen hij Charles' niet-begrijpende uitdrukking zag. 'En ik word gearresteerd, omdat ik van dit stuk schroot gestolen heb. Een knop, zo'n rotknoppie. Niet meer dan zevenendertig rottige pence waard.'

Charles was ontzet. 'Maar dat is eenvoudig verschrikkelijk,' zei hij.

'Het ergste wat me ooit is overkomen,' zei Lee. 'Behalve dan toen de hond doodgereden werd. Ze lachen zich bij ons thuis rot om me. Als ik hier uit ben, zal ik iets geweldigs moeten gaan doen. Bij de post of zo. Als ik dat niet doe, kan ik nooit meer met goed fatsoen in Hell Close komen.'

'Waar woont u?' vroeg Charles.

'Hell Close,' zei Lee Christmas. 'Uw zus komt vlak naast ons te wonen. We hebben een brief gekregen waarin stond dat we niet mochten buigen en meer van die dingen.'

'Nee, nee, dat moet u vooral niet doen,' zei Charles. 'We zijn nu gewone burgers.'

'Maar onze ma heeft toch d'r haar laten permanenten en ze is als een gek aan het schoonmaken. Normaal is ze zo lui als de pest. Net als uw moeder – doet nooit geen ene moer in het huishouden.'

Er klonk gerinkel van sleutels, de celdeur ging open en een politieman kwam binnen met een blad. Hij gaf Lee een bord met in folie verpakte boterhammen en zei: 'Hier Christmas, douw dat maar door je strot.' Tegen Charles zei hij: 'Lastig spul dat folie, meneer, laat ik het er voor u afhalen.'

Voor hij weer de cel uitging, had hij Charles zes keer met 'meneer' aangesproken, hem ook nog goedenacht gewenst en hem een minipak biscuitjes toegeschoven.

Lee Christmas zei: 'Verrek, het is dus toch waar?'

'Wat is waar?' vroeg Charles, zijn mond vol brood, kaas en augurk.

'Dat er een wet is voor die stomme rijken en een wet voor die stomme armen.'

'Sorry,' zei Charles en hij gaf Lee een biscuitje.

Om elf uur barstte radio 2 in de cel los en schetterde door de kleine ruimte. Charles en Lee hielden de handen voor hun oren om het oorverdovende lawaai te dempen. Charles drukte verscheidene malen op de zoemer, maar er kwam niemand, ook de beleefde agent niet om het dienblad op te halen.

Lee brulde 'Zachter' door het sleutelgat. Ze hoorden hoe andere gevangenen om genade riepen. 'Dit is folteren,' riep Charles boven 'Shrimp Boats Are A Comin' uit. Maar het zou nog erger worden. Een onzichtbaar persoon draaide aan de volumeknop en de radio loeide nog harder 'He's Got The Whole World In His Hands,' vergezeld van doordringende storing en op de achtergrond iets wat er erg veel van weg had of Servo-Kroatische luisteraars de studio opbelden.

Charles had zich dikwijls afgevraagd hoe hij zich zou houden als hij gefolterd zou worden. Nu wist hij het. Als hij vijf minuten in zo'n audio-hel zou moeten doorbrengen, zou hij zijn zoons aan de autoriteiten uitleveren. Hij probeerde of zijn geest het van de materie kon winnen en begon de koningen en koninginnen van Engeland vanaf het jaar 802 op te sommen: Egbert, Ethelwulf, Ethelbald, Ethelbert, Ethelred, Alfred de Grote, Edward de Oudere, Athelstan, Edmund I, Edred, Edwy, Edgar, Edward II de Martelaar – maar bij de Saksen en de Denen gaf hij het op, omdat hij zich niet kon herinneren of Harold Harefoot in 1037 alleen had geregeerd of samen met Harthaknoet. Toen hij bij het huis Plantagenet was – Edward I, de Stelt – doezelde hij weg, terwijl hij zich afvroeg hoe lang de Stelt *precies* was geweest. Maar Shirley Bassey maakte hem wakker met 'Diamonds Are Forever,' en hij ging weer verder met zijn lijst: het huis Saksen-Coburg en Gotha; Edward VII, dan snel langs het huis Windsor – George V, Edward VIII, George VI, Elizabeth II – en daar kwam hij bij een lege plek. Te eniger tijd in de toekomst, na de dood van zijn moeder, zou hij dat zijn geweest: opgesloten in een heel ander soort gevangenis.

Lee Christmas lag intussen te slapen, zijn magere handen om zijn schouders geslagen, zijn knieën opgetrokken tegen zijn ingevallen buik; zijn vernedering was vergeten. Zijn Renault stond weer in de straat, ongerept, glanzend, een meisje naast zich, zijn hand op de fatale knop, klaar om te schakelen.

De koningin lag wakker, vol zorgen om haar zoon. Ze had ooit eens bij toeval een BBC 2 documentaire over vandalisme gezien (ze had in de veronderstelling verkeerd dat het over wilde dieren ging). Een befaamd dierenarts had een verband gelegd tussen het gemis van een moeder en geweld. Was Charles daarom op straat gaan vechten? Was het haar schuld? Ze had al die wereldtournees niet willen maken, waarbij ze Charles thuis had moeten laten, maar in die dagen had ze geloof gehecht aan haar adviseurs, die haar verzekerden dat de Britse buitenlandse handel zonder haar steun in elkaar zou zakken. Nou, dat was toch gebeurd, dacht ze verbitterd. Ze had evengoed thuis kunnen blijven bij de honden en dan had ze Charles een paar uur per dag kunnen zien.

Nog een ander probleem hield de koningin uit haar slaap: haar geld raakte op. Er had iemand van de Sociale Dienst moeten komen om haar wat meer te geven, maar die was niet komen opdagen. Hoe kon ze morgenochtend zonder auto of geld voor een taxi naar de zitting van de politierechter toe?

Nadat ze de broekzakken van Philip had doorzocht en niets had gevonden, had ze haar familieleden gebeld om tien pond te lenen. Maar de koningin-moeder kon haar portemonnee niet vinden, prinses Margaret deed of ze niet thuis was, hoewel de koningin duidelijk haar schaduw achter het matglas van de voordeur zag en Diana had klaarblijkelijk haar eerste voorschot aan verf en een video uitgegeven.

De koningin kon maar niet begrijpen waaraan haar eigen geld was opgegaan. Hoe kwamen anderen rond? Ze deed het bedlampje aan en probeerde met behulp van papier en potlood haar uitgaven op te tellen, sinds ze in Hell Close was gearriveerd. Ze was net bij: 'Meneer Spiggy – £ 50', toen het licht uitging. De elektriciteitsmeter moest voeding krijgen, maar omdat de koningin geen geld had om voor voeding te zorgen, moest ze het wel zonder licht stellen.

Crawfie zei tegen haar: 'Kom aan, Lilibet, hoed, mantel en handschoenen aan, we gaan met de Ondergrondse.' Zij en

Margaret en Crawfie waren eens van Piccadilly Circus naar Tottenham Court Road gereden en overgestapt op Leicester Square. Spannend, de lichten in het rijtuig waren verscheidene keren tijdens de rit uitgegaan. Ze had aan haar ouders verteld dat dat het spannendste van heel het uitstapje was geweest, maar haar ouders waren niet zo enthousiast geweest. Voor hen betekende donker gevaar en het werd Crawfie verboden het experiment te herhalen om de jonge prinsesjes mee te nemen naar de werkelijke wereld van onvolmaakte mensen, die grauwe kleren droegen en een andere taal spraken.

12 Varkens

D e koningin keek naar haar zoon in de beklaagdenbank en ze moest denken aan de laatste keer dat ze hem achter tralies had gezien. Dat was in zijn babybox geweest, in de kindervleugel van Buckingham Palace. Diana zat naast haar met een natte zakdoek in haar hand. Haar ogen en neus waren roze. Waarom was ze vergeten een advocaat te vragen Charles op het politiebureau op te zoeken? Hoe kon haar zoiets belangrijks ontschoten zijn? Het was volkomen haar schuld dat Charles' belangen nu behartigd werden door de dienstdoende advocaat van de rechtbank, Oliver Meredith Lebutt, een roodharige, onguur uitziende man met een spraakgebrek en vingers vol nicotine. De koningin moest al meteen niets van hem hebben. Charles zwaaide lachend naar zijn vrouw en zijn moeder op de publieke tribune en werd berispt door de politierechter, een grimmig vakbondslid, die Tony Wrigglesworth heette.

'Het is hier geen carnaval, meneer Teck.'

De koningin spitste haar oren. 'Teck?' Waarom gebruikte Charles de naam van zijn overgrootmoeder? God zij dank had Philip geweigerd uit bed te komen en mee te gaan naar de terechtzitting. Het was best mogelijk dat het zijn dood was geweest.

Diana lachte terug naar haar man, hij zag er *geweldig* uit. Een baard van twee dagen gaf hem het legendarische ruige voorkomen van de straatvechter. Ze gaf haar man een knipoogje en hij knipoogde terug, wat hem opnieuw op een terechtwijzing van Tony Wrigglesworth te staan kwam. 'Meneer Teck, u bent niet de komediant Rowan Atkinson, laat dus het trekken van gezichten verder achterwege.'

Er golfde vleierig gelach langs de rechtbank. Maar het golfde niet langs de perstribune, omdat de pers afwezig was. De straten om het gerechtsgebouw waren afgesloten voor verkeer en voetgangers en in het bijzonder voor vertegenwoordigers van de media.

Er ontstond plotseling opschudding en Beverley Threadgold kwam van de cellen beneden de trap op en voegde zich bij Charles in de beklaagdenbank. Beverley was geboeid aan een agente. Charles, die nog stond, wendde zich naar Beverley en bood haar een stoel aan. Tony Wrigglesworth sloeg woedend met zijn vuist op de rechterstoel en riep: 'Teck, u bent geen meubelverkoper. Blijf staan, mevrouw Threadgold.'

Charles hielp Beverley overeind. Toen Diana hun handen elkaar aan zag raken, voelde ze een steek van jaloezie. Beverley zag er fantastisch uit in de beklaagdenbank, vrouwelijk en weelderig in haar gebreide tweedelige pakje. Diana nam zich voor minstens zes kilo aan te komen.

De derde arrestant werd binnen gebracht – Violet Toby, die er zonder make-up bleek en oud uitzag. Tony Threadgold en Wilf Toby knikten even naar hun vrouwen, ze waren te beducht voor Tony Wrigglesworth om een vriendelijker gebaar te maken.

De zitting begon. De openbare aanklager, een kleine dikke vrouw, een bazig type, Susan Bell, gaf de rechter een verslag van de gebeurtenissen. De koningin, die getuige was geweest van de voorvallen die in zulke dramatische termen door mevrouw Bell werden verteld, was ontzet. Het was eenvoudig niet *waar*. Agent Ludlow werd geroepen en vertelde leugens, hij beweerde dat Charles, Beverley en Violet hem verwoed hadden aangevallen.

Nee, hij kon geen verklaring geven wat de reden voor die aanval was geweest. Misschien de invloed van de televisie. Inspecteur Holyland bevestigde het verhaal van agent Ludlow, waarbij hij de zogenaamde aanval op Ludlow 'een orgie van geweld', noemde, 'waarbij de persoon Teck de leiding had gehad; men had hem horen roepen: "Sla dat varken dood".'

Tony Wrigglesworth kwam tussenbeide: 'En er was geen varken in de onmiddellijke nabijheid, dat wil zeggen: een viervoeter?'

'Nee, meneer, ik geloofde dat Tecks uitroep "Sla dat varken dood" bedoeld was om zijn medeplichtigen aan te zetten agent Ludlow te vermoorden.'

De koningin zei heel luid: 'Nonsens.'

Wrigglesworth sprak haar onmiddellijk aan: 'Mevrouw, het is hier geen experimenteel toneel. We nodigen het publiek niet uit om mee te doen.'

Oliver Meredith Lebutt stopte met het inspecteren van zijn oorsmeer en bracht een vettige vinger naar zijn lippen om de koningin te beduiden dat ze moest zwijgen. De koningin werd overmeesterd door gevoelens van woede en haat, maar ze bewaarde het stilzwijgen en keek alleen maar met gefronste blik naar de rechtbank, waar Tony Wrigglesworth ruggespraak hield met de beide andere rechters, van wie de ene een in tweed gestoken vierkant vrouwspersoon was en de andere een zenuwachtige man in een slecht passend kostuum.

Het verhoor ging verder, de zon kwam te voorschijn en het trio in de beklaagdenbank werd van achteren belicht, waardoor ze het aanzien kregen van engelen die uit de hemel neerdaalden.

Oliver Meredith Lebutt kwam moeizaam overeind, liet zijn paperassen vallen en met zijn hoge, slissende stem begon hij zijn cliënten bij de verkeerde namen aan te spreken, hun belastend materiaal door elkaar te haspelen en in het algemeen de rechters tegen zich in te nemen. Iedereen keek verrast op toen Tony Wrigglesworth na een korte schorsing mededeelde dat alle drie de beklaagden terecht zouden moeten staan voor de rechtbank voor strafzaken maar dat ze tegen borgtocht vrijgelaten zouden worden, mits er aan bepaalde voorwaarden was voldaan.

Oliver Meredith Lebutt stak zijn vuist in de lucht als had hij een belangrijke overwinning bij de Old Bailey in de wacht gesleept. Hij keek om zich heen of hij gelukwensen verwachtte, maar toen er niemand naar hem toekwam, pakte hij zijn paperassen bij elkaar en strompelde de rechtszaal uit om te gaan flirten met Susan Bell, de openbare aanklager, op wie hij verliefd begon te worden.

Charles drong aan dat ze nog in de rechtszaal zouden blijven om de volgende zaak bij te wonen. Lee Christmas werd voor het stelen van een zwarte plastic knop voor twee maanden naar de gevangenis gestuurd. Voordat hij de trap afging om zijn vonnis uit te zitten, riep hij: 'Zeg maar tegen ma, dat ze zich geen zorgen hoeft te maken, Charlie,' wat voor Tony Wrigglesworth aanleiding was om te verklaren dat de rechtszaal geen boodschappendienst was.

Toen ze de rechtbank verlieten en door de ongewoon rustige straat liepen, stelde Tony Threadgold voor dat ze om het te vieren een kopje thee in de British Home Stores zouden drinken voordat ze de bus terug naar Hell Close namen. De koningin voelde zich erg eenzaam toen ze de drie echtparen voor haar het café zag binnengaan. Wilfred hield zijn hand op Violets schouder. Tony en Beverley liepen hand in hand en Diana liet haar hoofd op Charles' schouder rusten. Alles wat de koningin had om er troost bij te zoeken, was haar zwarte lakleren handtas.

Ze had verwacht dat de publieke verschijning van drie leden van de ex-koninklijke familie sensatie in het volle café teweeg zou brengen, maar afgezien van een enkele nieuwsgierige blik naar Charles' onverzorgde uiterlijk en de Ray-Ban zonnebril die Diana in april op had, schonk niemand bijzondere aandacht aan ze. Aan de formica tafeltjes zaten veel vrouwen in de leeftijd van de koningin. De meesten hadden een hoofddoek om en op hun mantel was een broche gespeld. De koningin zei: 'Ik ben bang dat ik geen geld heb om te betalen.'

Tony zei: 'Niks geen probleem,' en nadat hij de rest van het gezelschap had aangespoord een tafeltje te zoeken, ging hij bij het zelfbedieningsbuffet in de rij staan. Hij kwam terug met zeven kopjes thee en zeven doughnuts. Beverley zei: 'Tony, je bent een lieverd, echt.'

De koningin dacht er net zo over. Ze was uitgehongerd. Gretig beet ze in de doughnut en de jam droop op de voorkant van haar kasjmier mantel.

Violet gaf haar een papieren servetje en zei: 'Hier heb je een servetje, Liz.' En in plaats van dat de koningin zich stoorde aan dat al te familiaire, bedankte ze Violet, nam het servetje aan en veegde haar mantel schoon.

13 Striemen van de stamper

Toen Charles terug was in Hell Close, ging hij naar mevrouw Christmas om haar de boodschap van haar zoon over te brengen. Hij trof het huis in rep en roer. De heer en mevrouw Christmas hadden net een hevige ruzie met de zes tienerzoons – het ging over het geld voor de huur dat verdwenen was. Mevrouw Christmas hield een zoon met een judogreep om zijn nek in bedwang. Meneer Christmas zwaaide met een aardappelstamper naar de anderen. De zoon die Charles had binnengelaten, mengde zich weer in de ruzie alsof hij geen moment weg was geweest en verklaarde uit alle macht dat hij onschuldig was. 'Ik heb het niet gedaan.'

'Alles wat ik weet is dat ik dat huurgeld onder de klok had leggen en dat het nou pissen is,' zei mevrouw Christmas.

Meneer Christmas zwaaide met de stamper naar zijn zoons en zei: 'En een van jullie schoften heeft het geratst.'

De zonen werden stil. Twee van hen hadden al striemen op hun voorhoofd. Zelfs Charles' hart klopte luid in zijn keel en hij had stellig het huurgeld niet.

Meneer Christmas schuifelde de kamer rond en sprak alsof hij college gaf aan een stelletje bijzonder stompzinnige studenten: 'Ik weet ook wel dat ik geen engel ben. Ik ben een jongen van de penoze, daar wil ik best voor uitkomen. En tot voor kort heb ik er altijd voor gezorgd dat jullie te bikken hadden en kleren en schoenen aan je bast hadden, zo is het toch?'

'Ze zouden niks aan hun bast hebben gehad,' zei mevrouw Christmas loyaal. 'En ze kregen alles wat ze nodig hadden, pa.' Ze liet de nek van haar zoon los en hij wankelde kokhalzend opzij.

Meneer Christmas vervolgde zijn toespraak. 'Okee, ik heb de wet van het land overtreden, maar ik heb nooit een wet overtreden die nog belangrijker is, en dat is dat je nooit je eigen nest mag bevuilen. Je steelt niet van je buren en je steelt *nooit* van je eigen familie.' Meneer Christmas liet zijn blik over zijn zonen gaan; hij was diep onder de indruk van zijn eigen welsprekendheid en zijn ogen werden vochtig. 'Ik weet dat het moeilijk is geworden nu ik een kapotte rug heb.'

Mevrouw Christmas verdedigde haar man heftig. 'Hoe kan hij nou inbreken, terwijl hij met zijn rug in een korset loopt?'

Charles kreeg te doen met meneer Christmas, die net als hij last had van zijn rug en van zijn middelen van bestaan was beroofd. Hij schraapte zijn keel. Het gezin Christmas wendde zich naar hem, in de verwachting dat hij iets zou zeggen. Charles stamelde: 'En, meneer Christmas, hoe komt het dat de moraal van de misdadige klassen afneemt?'

Meneer Christmas had de vraag niet begrepen en daarom zwaaide hij onbestemd met de aardappelstamper in de richting van het huiskamerraam en de straat erachter.

Opgewonden zei Charles: 'De maatschappij. Ja, ik ben het helemaal met u eens. De teruggang van het peil van het onderwijs en eh... het grote verschil tussen rijken en armen...'

Een enorme verhuiswagen reed langzaam langs het raam van de familie Christmas en benam ze het licht. De auto hield voor de volgende deur stil. Charles keek naar buiten en zag zijn zuster aan het stuur zitten. Mevrouw Christmas rende naar de schoorsteenmantel en begon haar stijve blauwe krullen op te frunniken. Ze gooide haar schort in een hoek en verwisselde haar sloffen voor witte sandalen met een sleehak. Ze keerde zich naar haar zes zonen en haar man en zei: 'Zo, en wat zeggen jullie als je haar ziet.'

Zeven sonore stemmen zeiden unisono: 'Hallo, koninklijke hoogheid. Welkom in Hell Close.'

'Ja,' fluisterde mevrouw Christmas: 'Ik ben groos op jullie.'

Charles zei: 'O mevrouw Christmas, ik ben bang dat ik slecht nieuws voor u heb. Lee heeft twee maanden gekregen.'

Mevrouw Christmas zuchtte en zei tegen haar man: 'Dan mot jij zijn karbonade maar opeten. Ken je d'r drie aan?'

Meneer Christmas verzekerde zijn vrouw dat de karbonade van Lee niet verloren zou gaan. Daarna dromden ze allemaal naar buiten en bleven bij hun gebladderde voordeur staan kijken hoe Charles zijn zuster welkom heette in Hell Close.

'Hallo,' zei Anne. 'Wat een rottige gribus. Je ziet er afschuwelijk uit. Wie zijn die klojo's daar bij de deur?'

'Je buren.'

'Christus. Het lijken de Munsters wel.'

'Het zijn geen monsters, Anne, het zijn…'

'*Munsters* – weet je wel, van de tv.'

'Ik kijk nooit.'

'Hoe is mammie?'

Anne liet de laadklep aan de achterkant van de vrachtwagen omlaag en haar kinderen, Peter en Zara, waggelden naar buiten; ze zagen er bleek en misselijk uit. Anne zei: 'Ik heb jullie verdorie toch verteld dat het achterin geen pretje zou zijn, maar jullie wilden niet luisteren.' Ze gooide de sleutels van Hell Close nummer 7 naar Peter en zei hem dat hij de voordeur open moest doen. Ze gaf Zara opdracht een eindje met de hond te gaan wandelen en zei Charles dat hij moest beginnen de auto leeg te halen. Ze liep naar de voorkant van de vrachtwagen en maakte de chauffeur, die op de passagiersstoel zat, wakker en ging zich toen voorstellen aan de familie Christmas.

Tot haar verbazing zeiden de Munstervrouw en de Munstermannen met een Munsterstem: 'Hallo, uwe hoogheid, welkom in Hell Close.' Ze schudde acht handen en zei: 'Ik heet Anne. Willen jullie me alsjeblieft zo noemen?'

Mevrouw Christmas viel bijna flauw, zo opgetogen was ze en ze begon aan een revérence, waarbij ze haar dikke knieën boog en haar hoofd neeg, maar toen ze zich oprichtte nadat ze de prinses nederig eerbied had betuigd, raakte ze in de war, omdat ze zag dat prinses Anne een revérence voor haar, Winnie Christmas, maakte. Ze wist niet wat ze daarvan moest denken. Het maakte haar helemaal van streek. Wat had dit te betekenen? Werd ze voor de gek gehouden? Maar nee, ze keek doodernstig. *Dood*ernstig. Alsof Winnie haar gelijke was. Ik bedoel maar.

De koningin haastte zich door Hell Close toen ze hoorde dat Anne was aangekomen. Met een hartstocht die niet bij haar paste, wierp ze zich in de armen van haar dochter. 'Ik ben zo, zo blij dat ik je zie,' zei de koningin.

Charles stond erbij te kijken; hij voelde zich nutteloos en dom. Er was iets in Anne dat hem het gevoel gaf dat hij… hij zocht naar het woord… belachelijk? Nee. Uitgeblust? Ja, dat kwam er dichter bij. Ze was heel anders van instelling dan hij, had weinig waardering voor het speculatieve en gaf de voorkeur aan praktische, realistische oplossingen voor alledaagse problemen. In het verleden had ze openlijk de spot gedreven met zijn pogingen de zin van de wereld te doorgronden. Hij voelde zich eenzaam. Waar zou hij in Hell Close een verwante geest vinden?

Annes huis had veel weg van de andere woningen in Hell Close, maar omdat het op een hoek lag, had het een ongewoon grote tuin vol doornstruiken. Het huis was vuil, vochtig en bekrompen, maar ze verklaarde dat ze er tevreden mee was. 'Ik heb een dak boven mijn hoofd,' zei ze. 'Het is beter dan tegen de muur gezet en doodgeschoten te worden.'

De zonen Christmas, Craig, Wayne, Darren, Barry, Mario en Englebert werden aan het werk gezet om de verhuiswagen leeg te ruimen. Mevrouw Christmas stuurde meneer Christmas naar de winkel om een pak Flash te halen en een plastic emmer voor de zwabber. Terwijl hij voor die boodschap onderweg was, veegde ze samen met Anne de muizekeutels van de vloer.

Peter en Zara werden naar het buurhuis gestuurd, waar het enorme televisietoestel van de familie Christmas stond. Toen ze de huiskamer binnenkwamen, trokken ze onwillekeurig hun neus op. Sonny, de reusachtige kat van de familie Christmas, lag op een acryl vest in een kartonnen doos. Hij was oud en incontinent, maar zoals mevrouw Christmas aan de kinderen duidelijk maakte: 'Ik laat 'm niet afmaken, wat maakt een beetje stank nou uit?' Ze ging naar Sonny toe en aaide hem over zijn schurftige kop. 'Jij wil thuis doodgaan, hè?'

De kinderen waren enigszins opgelucht. De familie Christmas was dan wel verschrikkelijk gewoon, maar ze hielden in elk geval van dieren. Zo slecht konden ze dus niet zijn. Ze hadden hun moeder die ochtend zien huilen, toen ze afscheid nam van haar paarden. Ze hadden geprobeerd haar te troosten, maar ze had ze weggeduwd, haar tranen gedroogd en ze zei: 'Het is nooit goed om je te veel aan je dieren te hechten.'

Zara kneep haar neus dicht en knielde naast Sonny's mand neer. Ze verlegde het van urine doordrenkte vest, terwijl Peter alle zesendertig kanalen van de kabeltelevisie afzocht. Sonny knipperde met zijn doffe ogen terwijl de stations langsflitsten.

Hij kon muizen ruiken, maar hij had de kracht niet meer om uit zijn mand te klimmen en zijn plicht te doen.

Ondertussen maakten de muizen capriolen in de holte van de gemeenschappelijke muur tussen de twee huizen, in afwachting van het moment waarop Annes kruidenierswaren uitgepakt waren en in de keukenkast gezet.

Spiggy verscheen, omdat hij verwachtte dat hij Annes tapijten zou moeten versnijden. Maar er was geen behoefte aan zijn bekwaamheden. In tegenstelling tot de anderen had Anne Jacks maten serieus genomen. Haar tapijten en meubelen waren bescheiden, van smaak zowel als van afmetingen. Mevrouw Christmas, die een luxe had verwacht die haar stoutste dromen te boven zou gaan, was bitter teleurgesteld. Waar was het gouden en zilveren bestek? De fluwelen gordijnen? De met zijde beklede stoelen? De hoge bedden met de brokaten draperieën? En waar waren al die fantastische avondjaponnen en tiara's. Annes garderobe bestond voornamelijk uit lange broeken en jeans en jasjes in de kleur van een moddersloot. Mevrouw Christmas voelde zich te kort gedaan. 'Ik bedoel maar,' zei ze later tegen meneer Christmas, toen ze vier kilo aardappelen voor hun avondeten zat te schillen. 'Waar hebben we die koninklijke familie voor, als het net gewone mensen zijn?'

'Kweeniet,' zei meneer Christmas terwijl hij negentien kleine lamskoteletjes in een vuile grillpan rangschikte. 'Maar ze zijn de koninklijke familie niet meer, daar gaat het om, of niet soms?'

Uit het huis ernaast klonk het geluid van leidingen waarop gehamerd werd, toen de vroegere koninklijke prinses haar wasmachine aansloot met behulp van de gereedschapskist van Tony Threadgold en het *Doe het zelf* handboek van *Het Beste*.

14 De troep

Harris holde zo hard dat hij dacht dat zijn hart en longen het zouden begeven. Voor hem uit liep de troep: de leider, King, een herder; Raver, de plaatsvervangend leider; Kylie, de teef van de meute; en Lovejoy, Mick en Duffy, gewone honden met net zo'n lage status als hijzelf. King stopte en deed een plas tegen de muur van het buurthuis en de anderen bleven een ogenblik zitten tot Harris ze had ingehaald. Na een kort schijngevecht gingen ze er toen weer vandoor, op weg naar het speelterrein. Harris holde naast Duffy, die een Ierse terriër als moeder had en waarvan de vader onbekend was. Duffy was een goede vechtersbaas, Harris had hem in actie gezien.

Voor de troep uit stak King de weg over, zodat een auto van Tafeltje Dekje met piepende remmen moest stoppen. Harris volgde; hij had geleerd om bij de stoeprand te blijven wachten, maar hij wist dat hij alle geloofwaardigheid bij de troep zou verliezen, wanneer hij dat nu zou doen. Flinke honden kijken niet naar links of rechts. Op het veilige trottoir liet hij zijn tanden zien aan de chauffeur van de auto, die wit van schrik zag. Het was een zachtaardig uitziende vrouw van middelbare leeftijd. Toen blafte Raver en ze gingen er weer vandoor, in de richting van het speelterrein van de kinderen, met de kapotte toestellen en de betonnen vloer vol gebroken glas en wikkels van snoepjes.

Lovejoy, de domme labrador, en Mick, de hazewind, snuffelden rond Kylie, die bescherming zocht bij King. Mick beet naar Lovejoy's staart en Lovejoy beet terug en algauw lagen beide honden als een grauwend boosaardig kluwen in het gras te rollen. Harris hoopte dat hij geen partij hoefde te kiezen. Hij had geen ervaring in straatgevechten. Hij had het grootste deel van zijn leven aan de riem gelopen. Terwijl hij keek hoe King en Raver zich in het gevecht mengden, realiseerde hij zich dat hij tot nu toe een uiterst beschermd leventje had geleid. Zonder dat Harris kon zien wat er de reden van was, hield het gevecht opeens op en iedere hond ging zitten om zijn wonden te likken.

Harris ging naast Kylie op het gras liggen. Het was een aantrekkelijke hond. Een honingkleurige bastaardcollie. Maar ze mocht best eens goed geborsteld worden, haar haren waren één en al klit en vol modder. Maar Harris raakte opgewonden dat ze zo dicht bij hem was. Hij had het nog nooit kunnen aanleggen met een hond die hij zelf had uitgekozen. Alle vorige liaisons waren door de koningin voor hem geregeld. Het werd tijd dat er eens iets als een romance in zijn leven kwam, dacht hij. Hij kroop dichter naar Kylie toe, maar toen sprong King overeind, spitste zijn oren en keek gespannen naar de andere kant van het recreatieterrein, waar in de verte een vreemde hond te zien was. Harris herkende de indringer onmiddellijk. Het was Susan, zijn halfzuster, die een eindje voor Philomena en de koningin-moeder uit dribbelde, die arm in arm liepen te genieten van de lentezon. Harris had nooit iets van Susan moeten hebben. Ze was een snob en hij was in elk geval jaloers op haar luxe garderobe. Moest je haar nu eens zien met dat protserige geruite jasje aan. Waar leek ze op? Harris zag een mogelijkheid om zijn status bij de meute te verbeteren en hij liep weg van de groep en holde woest blaffend op Susan af. Susan draaide zich om en rende terug naar de koningin-moeder, maar ze was geen partij voor Harris, die haar gemakkelijk inhaalde en haar hard in haar neus beet. De koningin-moeder mepte met de wandelstok die ze bij zich had naar Harris en riep: 'Harris, wat ben jij een akelig hondje.'

Toen Harris zich terugtrok, gooide Philomena een keitje naar hem, dat hem achter zijn linkeroor raakte, maar de pijn deed hem niets. Het was het waard, gezien de signalen waarmee de troep hem gelukwenste. Harris werd gepromoveerd en mocht nu achter Raver lopen toen ze het recreatieterrein verlieten en op weg gingen naar de vuilnisbakken van de patatwinkel, waarin soms verrukkelijke restjes vis lagen.

Toen Harris die avond laat thuiskwam, stinkend naar vis, onder de modder en met opgedroogd bloed achter zijn oor, zei de koningin: 'Je bent alleen maar een stinkende vandaal, Harris.'

Harris dacht: hè, dat hoef ik toch niet te nemen. Ik ben nu nummer drie in de troep, vrouwtje. Hij trippelde elegant naar de keuken, in de verwachting dat hij eten in zijn bak zou vinden, maar zijn bak was leeg. De koningin pakte hem op en droeg hem naar boven, naar de badkamer. Ze deed de deur op slot, draaide de badkranen open, goot het laatste van haar Crabtree and Evelyn badlotion leeg, wachtte tot er genoeg water in de kuip was en duwde de protesterende Harris in de schuimende zeepbellen.

In de badkamer van het buurhuis zei Beverley Threadgold tegen haar man: 'Tone, wat *voert ze uit met die arme hond?*' Tony zei: 'Om zeep helpen, hoop ik.' Harris had de achtertuin van de Threadgolds als toilet gebruikt.

'Trouwens,' zei Beverley, die rechtop in het bad ging staan, bloot en aantrekkelijk, 'het wordt tijd dat jij de kraan openzet.'

15 Eenzaam vannacht

De volgende avond stapte de koningin over het kapotte hekje en belde bij de voordeur van de Threadgolds aan. Enkele noten van 'Are You Lonesome Tonight?' klingelden door het huis. Beverley deed open, ze had een bordeauxrode pyjama van namaakfluweel aan met witte elastische boorden aan de polsen en enkels. Ze was op haar blote voeten en de koningin zag dat de nagels van Beverley's tenen een merkwaardige afgestorven kleur hadden. De koningin had een biljet van vijf pond in haar hand: 'Ik kom het geld terugbetalen dat uw man me zo vriendelijk heeft geleend, voor de bus en de gasmeter.'

'Kom binnen,' zei Beverley en ging de koningin door de gang voor naar het keukentje. Het was de eerste maal dat de koningin in hun huis kwam. Elvis Presley was alomtegenwoordig: op foto's, aan de muur, op borden, kopjes en schotels in een kast. Op theedoeken die aan een droogrek in de hoogte hingen. Op een schort dat aan de achterkant van een deur hing. Zijn gezicht was op de keukengordijnen afgebeeld. De mat onder de voeten van de koningin liet hem zien in zijn bekende houding met zijn bekken naar voren.

Tony Threadgold duwde zijn sigaret uit in het linkeroog van Elvis en stond op toen de koningin binnenkwam. De koningin gaf Tony het biljet van vijf pond en zei: 'Ik ben u erg erkentelijk, meneer Threadgold. Mijn moeder heeft haar portemonnee uiteindelijk in de oven gevonden.' Tony haalde een stapel Elvis-boxershorts van een kruk en vroeg de koningin te gaan zitten. Beverley vulde de Presley-ketel en de koningin zei: 'Ik zie dat u fans van Elvis Presley bent.'

De Threadgolds beaamden dat. Terwijl de thee stond te trekken, gingen ze de huiskamer rond en de koningin kreeg de waardevolste Elvis souvenirs te zien. Maar het oog van de koningin werd getroffen door een olieverfportret van twee jonge kinderen, dat in de meest schrille kleuren was geschilderd en dat boven de haard hing. De koningin vroeg wie het waren. Het bleef even stil en toen zei Tony: 'Het zijn Vernon en Lisa, onze kinderen. We dachten dat het wel het geld waard was ze te laten schilderen. In de komende jaren wordt het een familiestuk.' De koningin was verrast, ze had aangenomen dat de Threadgolds geen kinderen hadden. Dat zei ze ook. Beverley zei: 'Nee, we hebben kinderen, maar ze zijn van ons afgenomen.' De koningin vroeg: 'Door wie?'

Tony zei: 'De sociale dienst, al achttien maanden.' Hij en Beverley gingen naar elkaar toe en keken naar de knappe, geschilderde gezichten van hun kinderen. De koningin wilde liever niet verder vragen en ze kwamen zelf niet met verdere informatie, daarom bedankte de koningin hen voor de thee en wenste hen welterusten. Tony liep met haar mee en wachtte tot ze veilig bij haar eigen voordeur was. Terwijl de koningin haar sleutel pakte, zei ze over het hek tegen hem: 'Ik weet zeker dat u en mevrouw Threadgold uitstekende ouders waren.'

'Dank u,' zei Tony, sloot de deur en ging zijn vrouw troosten. De koningin ging naar boven en deed de deur van de slaapkamer enkele centimeters open en keek naar binnen. Haar man lag op zijn zij. Toen hij zijn ogen opende, stonden ze zo treurig dat ze naar het bed ging en zijn groezelige hand pakte.

'Philip, wat is er?'

'Ik ben alles kwijt,' zei hij. 'Wat heeft het leven nog voor zin?'

'Wat mis je in het bijzonder, lieverd?' De koningin streelde de ongeschoren wang van haar man. Wat ziet hij er nu *oud* uit, dacht ze.

'Ik mis verdomme alles, warmte, zachtheid, comfort, schoonheid, de auto's, de rijtuigen, het personeel, het eten, de *ruimte*. Ik krijg geen adem in dit afschuwelijke kot van een huis. Ik mis mijn kantoor en de koninklijke trein en het vliegtuig en de *Britannia*. Ik houd niet van de mensen in Hell Close, Lilibet. Ze zijn lelijk. Ze kunnen niet fatsoenlijk praten. Ze stinken. Ik ben bang voor ze. Ik weiger om met ze om te gaan. Ik blijf tot mijn dood in bed.'

De koningin dacht: Hij praat als een *kind*. Ze zei: 'Ik ga een blik soep opwarmen, wil jij er iets van hebben?' Philip dreinde: 'Geen honger', en draaide zich met zijn rug naar zijn vrouw. De koningin ging naar beneden om haar avondmaal klaar te

95

maken. Terwijl ze haar wildsoep stond te roeren, hoorde ze aan de andere kant van de gemeenschappelijke muur het hartverscheurende gesnik van Beverley Threadgold. De koningin beet op haar lip, maar toch rolde er een enkele traan van medeleven over haar wang en viel in de steelpan. De koningin roerde dit blijk van gebrek aan zelfbeheersing door de soep. Ik hoef er in elk geval geen zout meer bij te doen, dacht ze. En niemand had het gezien. Harris krabbelde aan de achterdeur, hongerig nadat hij zo'n tien kilometer met de troep mee had gehold. De koningin had het zich niet kunnen permitteren hondevoer te kopen, daarom goot ze iets van de soep in zijn bak en brokkelde er een snee oud brood in om de soep wat meer substantie te geven.

Harris keek vol walging toe. Wat was hier aan de hand? Zijn sociale leven was erop vooruitgegaan, maar zijn eten was een aanfluiting. Een aanfluiting. De koningin zei: 'Ik zal morgen wat kluiven voor je kopen, Harris, dat beloof ik je. Eet nu je soep en brood op, dan eet ik het mijne.'

Harris keek haar zo kwaadaardig aan als ze nog nooit van hem had gezien. Hij gromde achterin zijn keel, zijn ogen werden spleetjes, zijn tanden kwamen bloot en hij haalde uit naar de slanke enkels van de koningin. Ze schopte naar hem voor hij haar kon bijten. Hij trok zich terug achter de keukendeur. 'Je gedrag is onuitstaanbaar, Harris. Ik verbied je om nog langer met die vreselijke straathonden om te gaan. Ze hebben een slechte invloed op je. Je was altijd zo'n aardig hondje.'

Als een stuurse tiener trok Harris zijn lip op. Hij was nooit een aardig hondje geweest. De lakeien hadden een hekel aan hem en hij had ze maar wat graag gesard. Zijn riem in de war maken, een plas doen in de gangen en zijn waterbak omgooien, waren nog maar kleine misdrijven vergeleken bij zijn stiekeme hebbelijkheid om uitvallen te doen naar hun kwetsbare enkels. Harris had gebruik gemaakt van zijn positie dat hij de lieveling van de koningin was. Er was een tijd geweest dat hij geen kwaad kon doen. Tot vanavond. Hij kwam tot de conclusie dat het verstandig zou zijn een paar dagen bij huis te blijven, de koningin om excuus te vragen, een aardig hondje te zijn. Hij kwam vanachter de deur te voorschijn en begon keurig van zijn soep te eten.

16 Leslie maakt haar opwachting

In de vroege uren van de volgende morgen schonk Marilyn, de ongehuwde vrouw van de gedetineerde Les, het leven aan haar eerste kind. Violet Toby trad op als vroedvrouw. Ze werd geroepen zodra het water was gebroken. Marilyn was liever niet thuis bevallen. Ze had zelfs bijzonder uitgekeken naar de drie dagen in de kraamkliniek, maar de ambulance, die verkeerde aanwijzingen van de computer had gekregen, was in de doolhof van Flowers Estate verdwaald. Toen Violet begreep dat de komst van de baby niet lang meer op zich zou laten wachten, keek ze door het raam in Marilyns woonkamer om te zien wie er in Hell Close nog op was. Er drong een straaltje licht door de fluwelen gordijnen van de koningin. Violet stelde Marilyn, die het uitschreeuwde van de pijn, dan ook op haar gemak en zei dat ze hulp ging halen. Ze haastte zich naar buiten en klopte op de voordeur van de koningin.

De koningin keek door de gordijnen en zag Violet Toby op haar stoep staan in een wijnrode chenille ochtendjas en op gympjes. De koningin was bezig met een legpuzzel, ze hield een stukje met een wolk boven Balmoral in haar hand. Toen ze opstond om naar de deur te gaan, zag ze waar het stukje hoorde en legde het op zijn plaats.

'Ik mot hulp hebben,' zei Violet, die stond te hijgen na het korte stukje dat ze had gehold. 'Marilyns baby is onderweg en d'r is niemand anders in huis dan zo'n stomme tiener.'

De koningin protesteerde dat ze geen enkele ervaring had met kraamhulp, ze zou 'van geen nut zijn, alleen maar in de weg lopen'. Maar Violet drong aan en met tegenzin liep de koningin achter haar de straat door naar Marilyns huiskamer. De stomme tiener, een van de kinderen van Les uit een vroegere relatie, stond over Marilyn gebogen met een natte vaatdoek, een gore, smerige lap, die hij zonder uit te spoelen uit de gootsteen had gepakt. 'Ik zei washandje, stomme sufferd,' zei Violet en ze stuurde hem naar de badkamer boven, terwijl ze hem nariep: 'En pak een paar schone lakens.'

'D'r zijn geen schone lakens,' riep hij naar beneden.

Marilyn bewoog zich krampachtig op de stoffige bank, die vol lag met kleren die nodig gewassen moesten worden. Violet gooide de stinkende kleren opzij, legde Marilyn op haar rug en trok haar slipje uit. De koningin had genoeg cowboyfilms gezien om te weten dat er warm water nodig zou zijn en ze ging op zoek naar een ketel en een schone kom. De keuken was verbazingwekkend smerig. Het was duidelijk dat degene die hier de zorg voor de huishouding had, het er nogal lang bij had laten liggen.

De koningin had de moed niet een van de voorwerpen in de keuken aan te raken, omdat ze allemaal met een laag vet en vuil waren bedekt. Haar schoenen bleven plakken aan de smerige tegelvloer. Er was geen ketel, alleen een zwartgeworden steelpan, die op een fornuis stond dat onder het vet zat.

Toen ze zich omdraaide om weg te gaan, werd haar aandacht getrokken door een lichte kleurige vlek. Op een plank, zo hoog dat het vuil daar niet had kunnen komen, had iemand een pakje met drie babytruitjes gelegd – geel, turkoois en groen. De koningin ging op haar tenen staan en wipte het plastic pakje omlaag. Om de een of andere reden kreeg ze het even te kwaad toen ze de truitjes in haar handen had. 'Ik ga naar huis,' zei ze.

'La me nou niet in de steek, het kan elk ogenblik komen,' smeekte Violet. Marilyn krijste bij iedere wee. 'Ik wil Les, ik wil Les.'

'Ik kom zo terug,' zei de koningin. Ze liep snel terug naar huis en pakte lakens, handdoeken en kussens, een zilveren ketel, kopjes en schotels, een grote vijftiende-eeuwse porseleinen kom en babykleertjes, die ooit het eigendom waren geweest van haar overgrootmoeder, koningin Victoria. Ze had ze meegenomen van Buckingham Palace. Ze wist dat Diana graag een dochter zou hebben. Philip bewoog zich, toen ze, al zoekend naar babykleertjes in de kartonnen dozen, in de slaapkamer rumoer maakte. Wat ziet hij er vies uit, dacht de koningin, en even kreeg ze enig idee hoe gemakkelijk het was je tot een dergelijke toestand af te laten zakken en hoe moeilijk het moest zijn er weer uit te raken.

De koningin en Violet wasten samen Marilyn en kleedden haar

uit, waarna ze haar een nachtjapon van de koningin aandeden, schoon beddegoed op de bank legden en alles in gereedheid brachten voor de komst van de baby. De porseleinen kom was gevuld met kokend water, de luiermand werd bij de haard gezet om warm te worden en de stomme tiener kreeg opdracht thee te zetten en die in de Doulton-kopjes en schotels van de koningin zelf te schenken.

'Als je het hart hebt een van die kopjes te breken, breek ik je verdomde nek,' dreigde Violet de nukkige knul.

De koningin begon een ondiepe kartonnen doos te bekleden met handdoeken en kussenslopen die ze van huis had meegenomen. 'Het is net of ik weer met poppen aan het spelen ben,' zei ze tegen Violet. 'Ik vind het eigenlijk wel leuk.'

'We moeten de vuile rotzooi maar opruimen als Marilyn straks naar het ziekenhuis is. Die stomme meid had d'r mond open moeten doen. We hadden d'r geholpen. D'r was voor d'r gedaan, spullen voor de baby gehaald en de boel aan kant gemaakt.'

'Ik denk dat ze te depressief is om het uit zichzelf te doen, denk je niet?' zei de koningin. 'Ik ken iemand die in net zo'n situatie zit.'

'Ik zal mijn parlementslid schrijven over die verrotte ambulance,' zei Violet, terwijl ze even keek of het hoofdje van de baby al te zien was. 'Ik kom er wel achter wie het is en ik zal hem schrijven. Het is afschuwelijk. Ik ben te oud voor dit gedoe.'

Maar haar handen gingen zeker te werk toen ze met Marilyns lichaam in de weer was, en de koningin raakte ervan onder de indruk hoe bereidwillig Marilyn Violets aanwijzingen volgde als die haar zei wanneer ze moest persen en wanneer stoppen.

'Heb je een opleiding voor verpleegster gevolgd, Violet?' vroeg de koningin, terwijl ze de schaar in de vlammen van de gashaard steriliseerde.

'Nee, bij ons thuis kon je nooit nergens voor doorleren. Ik kon een studiebeurs krijgen, maar d'r was geen kijk op dat ik naar het voortgezet onderwijs kon.' Violet moest lachen bij de gedachte. 'Kon het schooluniform niet betalen en ik moest trouwens geld in huis brengen.'

'Wat onbillijk,' zei de koningin. Marilyn riep: 'O, Violet, het is vreselijk, het doet zo'n pijn.'

Met een sneeuwwit washandje met een monogram wiste Violet Marilyns gezicht af, keek tussen haar dijen en zei: 'Ik kan z'n koppie al zien, het is nou zo gepiept en dan ken je je kleintje in je armen houden.'

Leslie Kerry Violet Elizabeth Monk werd om 2.10 uur 's nachts geboren en woog vier pond en 750 gram. 'Haast niks meer als een zakje piepers,' zei Violet terwijl ze toebereidselen trof om de navelstreng door te knippen die het kind nog met de moeder verbond.

De koningin was verrukt van de baby die daar, als een roze schelp op een wit strand, op de buik van Marilyn lag. Violet vroeg de koningin de baby in te wikkelen en het gezichtje schoon te maken. Toen dat gebeurd was, deed de baby de oogjes open en keek de koningin aan met ogen in dezelfde kleur als de saffieren in de broche die haar ouders haar bij Charles' geboorte hadden gegeven.

De koningin gaf Leslie aan Marilyn, die lag te kwebbelen van geluk, dankbaar dat de pijn over was en haar baby 'niet misvormd was of zoiets'. De stomme tiener werd overdadig geprezen, omdat hij weer thee had gezet zonder dat het hem was gevraagd. Leslie werd in haar kartonnen doos die als wieg diende, gelegd, terwijl de vrouwen van het oranje vocht dronken.

De stomme tiener deed de deur open en drie kleine kinderen in groezelige T-shirts en broekjes kwamen achter hem aan de kamer binnen. 'Ze willen de baby zien,' zei hij. 'Je hebt ze wakker gemaakt met je geschreeuw.'

'Het is een meisje,' zei Marilyn tegen haar stiefkinderen. 'Ik heb 'r Leslie genoemd naar jullie pa.' De koningin waste hun handen en gezichten. Daarna mochten ze ieder om beurten de baby vasthouden.

Ze bracht ze vervolgens naar boven en dekte ze toe met de voddige dekens van het tweepersoonsbed waar ze met zijn drieën in lagen.

Op de overloop zag ze haar eigen portret: een pagina die uit een krant was gescheurd en die met plakband, bedrukt met kerstornamenten, tegen de muur was bevestigd. De foto liet haar in vol ornaat zien – ze stond op het punt het parlement te openen. De koningin liep snel langs de slaapkamers en de badkamer. De stank van armoede en hopeloosheid drong door in haar neus en mond en hechtte zich als een slijmlaag aan haar kleren. Ik neem aan dat je na een tijdje aan die stank gewend raakt, dacht de koningin en ze liep naar beneden om de deur open te doen voor de chauffeur van de ziekenauto, die eindelijk Hell Close had gevonden en zich nu stond te verontschuldigen.

Marilyn werd met Leslie in een rolstoel gezet en in de ziekenauto gebeurd. De luiermand van koningin Victoria lag, in een draagtas van Woolworth, op Marilyns schoot. 'Heb het hart niet in je donder om de deur uit te gaan,' zei Violet tegen de stomme tiener die net van plan was dat wel te doen. 'Je gaat niet naar een van die LSD house parties, terwijl je de koters alleen laat. In de ochtend zijn we terug, denk erom dat je er dan bent.' Hij knikte zonder enig enthousiasme en ging naar zijn eigen chaotische bed.

Zoals een efficiënte slagersknecht een groot stuk runderlever inpakt, rolde Violet de nageboorte in kranten. Daarna gingen zij en de koningin op ceremoniële wijze naar de achtertuin, waar ze een vuurtje maakten en het pakje in brand staken. Rustig pratend keken ze toe, tot de nageboorte door de vlammen was verteerd.

De koningin had zich nog maar zelden zo na aan iemand gevoeld. Er was iets met het schijnsel van het vuur dat uitnodigde om vertrouwelijkheden uit te wisselen. Violet was vulgair en had een verschrikkelijke smaak wat haar kleren betrof, maar ze had een innerlijke kracht die de koningin bewonderde, waarom ze haar zelfs benijdde. De twee vrouwen praatten over de angst die zij om hun kinderen hadden uitgestaan. De koningin biechtte Violet op, dat ze sinds haar verhuizing niets meer had gehoord van haar zoons Andrew en Edward, die beiden in het buitenland waren. 'Ik zit daar verschrikkelijk over in,' zei ze.

Violet snoof verachtelijk. 'Egoïstische hufters. Ze komen d'r gauw genoeg weer aan als ze wat van je moeten hebben.'

'Ik dacht,' zei de koningin, 'dat ik geen omkijken meer naar ze zou hebben wanneer ze achttien waren, en dat ze dan op eigen benen konden staan.'

'Vergeet het maar,' zei Violet.

101

De koningin en Violet pookten in de as tot het vuur uit was. Wel, wel, wel, kommer en kwel, dacht de koningin.

Toen ze weer thuis was, keek ze haar keurige en schone huisje rond en ze was dankbaar voor het comfort. En als ik ooit echt niet meer in staat ben om te werken, springt Violet Toby bij.

De koningin liep naar boven om te gaan slapen en ze droomde dat ze Violet benoemde tot officier in de orde van het Britse koninkrijk, voor diensten aan de mensheid bewezen.

17 Het koffertje was leeg

Voor de televisie gezeten at de koningin haar cornflakes. Er viel er een uit haar mond en kwam op de vloer terecht. Harris likte het meteen op.

De koningin zei: 'Wat een enorme slons ben ik aan het worden, Harris.' Toen werd haar aandacht getrokken door de woordenwisseling die er in de tv-studio was losgebarsten. Jack Barker en de (gewoonlijk geniale) presentatrice van het programma hadden het aan de stok over de toestand van het pond.

De presentatrice zei: 'Maar meneer Barker, het pond staat hopeloos zwak. Het heeft vannacht een heel diepe val gemaakt.' Haar kraaloogjes keken hem strak aan.

Toe maar, dacht de koningin, ze doet het voorkomen alsof het pond een zelfmoordpoging heeft gedaan door van een hoog gebouw te springen.

Jack glimlachte geruststellend. 'Maar dank zij de maatregelen die we nu hebben genomen, is het pond zich aan het herstellen en de verwachting is dat het zal standhouden.'

De koningin stelde zich voor dat het pond lag te kwijnen in een ziekenhuisbed, aangesloten op monitors en infusen en omgeven door bezorgde dokters en financiële adviseurs.

De presentatrice wendde zich naar de camera en zei: 'En nu het weerbericht,' en de koningin ging naar de keuken om haar schaaltje en lepel af te wassen.

Later op die morgen ontstond er in de straat een hevige ruzie tussen Violet Toby en Beverley Threadgold.

Beverley wilde weten waarom zij niet was geroepen om bij de bevalling van haar zus te helpen. Afschuwelijke, kwetsende woorden vlogen over en weer. Violet beschuldigde Beverley ervan dat ze Marilyn verwaarloosd had tijdens haar zwangerschap. 'Wanneer ben jij voor het laatst in dat stinkende huis van je zus geweest?' brulde Violet.

De koningin stond achter haar gesloten voordeur naar de ruzie te luisteren. Beide tegenstanders stonden bij het hekje van hun huis te schreeuwen. Het was niet moeilijk te horen wat ze zeiden; wanneer ze het op hun heupen hadden, hadden ze allebei een stem als een misthoorn. Bewoners van Hell Close kwamen hun huizen uit om van de confrontatie te genieten – het was ongewoon dat er al in het voorjaar twee zo tegen elkaar tekeergingen. De lange zomervakantie was er de traditionele tijd voor – wanneer het warm was, de kinderen ruzieden en de moeders prikkelbaar waren en uitkeken naar de eerste schooldag.

Tot haar schrik hoorde de koningin haar naam noemen. Beverley schreeuwde: 'Jij wilde alleen maar aanpappen met de koningin.'

Violet schreeuwde: 'Ik verbeeld me niks. Ik ben naar d'r toegegaan omdat zij nog op was en omdat zij niet in paniek raakt. En dat doe jij wel, Beverley Threadgold, jij kan geen bloed zien.'

De koningin ging weg van de deur, omdat zij het niet meer wilde horen als ze het nog over haar hadden. Het was waar, ze kon zich heel goed beheersen. Zou zij het graf ingaan zonder ooit emotioneel ingestort te zijn? Was het beter om je aan de normen van je opvoeding te houden: goede manieren, zelfbeheersing en discipline, of moest je je gedragen zoals je je voelde en op straat staan gillen als een knettergekke helleveeg?

Toen ze dertien was, had ze tijdens een diner voor de Hongaarse ambassadeur een boertje gelaten – een boertje dat duidelijk te horen was en waarop de andere voorname gasten diplomatiek geen acht sloegen. Tegenover Crawfie had ze het boertje afgedaan met: 'Beter buiten dan binnen.'

Crawfie had gezegd: 'Nee, nee, nee, Lilibet, het is altijd, onthoud het, altijd beter binnen dan buiten.'

Hoe zou het voelen als je je mond opendeed en begon te gillen? De koningin stond over een afwasteiltje gebogen en slaakte een korte, experimentele gil. In haar oren klonk het net als een scharnier dat nodig geolied moest worden. Ze probeerde het nog eens: 'Aaaaah.' Heel aardig. En nog eens: 'Aaaaaaaah!' Ze sperde haar mond wijd open en de koningin kon voelen hoe de gil uit haar longen opsteeg, haar luchtpijp vulde en aan haar mond ontsnapte als het gebrul van de Britse leeuw. Philip schrok wakker van de gil en er kwamen mensen naar de voordeur van de koningin gerend. Harris ging van schrik op de grond liggen en legde zijn oren plat, in de tuin van de koningin fladderden vogels geschrokken weg en regenwormen kropen dieper de grond in.

Door de gil werd de aandacht afgeleid van de ruziënde vrouwen in de straat en de man van de afdeling Sociale Dienst wachtte even voor hij het hekje van de koningin opende en het pad opliep. Wat was er *nu* verdorie aan de hand? Werd de koningin soms vermoord? Had hij de goede formulieren voor een aanvrage voor de begrafeniskosten bij zich?

De koningin deed de voordeur open en verzekerde haar buren dat er helemaal niets aan de hand was. Op haar kousevoeten had ze in een punaise getrapt. Alle ogen gingen omlaag. De koningin had groene rubberlaarzen aan. De man van de Sociale Dienst wrong zich tussen de sceptische groep mensen door en stelde zich voor: 'Ik ben David Dorkin, van de Sociale Dienst. Ik ben hier om uw uitkering te regelen.'

De koningin ging hem voor naar de huiskamer en nodigde hem uit plaats te nemen op de bank van Napoleon. Ze raadde hem aan niet op het verbindingsstuk te gaan zitten waar zich de zesduims spijkers bevonden. Dorkin opende zijn metalen koffertje en begon zijn formulieren te pakken en op het deksel te leggen. Hij was nerveus, wie zou dat niet zijn? Hij kon zijn pen niet vinden en de koningin ging naar haar bureau en gaf hem een zware gouden vulpen, die wel tweemaal zijn jaarsalaris waard was. Dorkin zei: 'Ik kan niet met een vulpen overweg.' Hij had de dop eraf genomen en al de kleine juwelen rond de pen gezien. Dat was een veel te grote verantwoordelijkheid, voelde hij. Als hij die pen zou beschadigen, wat dan? Er zou een hoge eis van de verzekering kunnen komen. Hij gaf de pen terug aan de koningin, haalde diep adem, zocht in zijn beige anorak en vond zijn eigen balpen. Met een pen in zijn hand had hij het gevoel dat hij zich meer in de hand had. Hij wilde geen koffie.

'Ik zou graag zien dat uw man bij dit gesprek aanwezig is,' zei Dorkin.

'Mijn man is onwel,' zei de koningin. 'Hij is al onwel sinds we hier zijn komen wonen.'

'Sinds u overgeplaatst bent?' zei Dorkin.

'Sinds we hier zijn komen wonen,' herhaalde de koningin.

De balpen gleed over de bladzijde van Dorkins aanteken-boekje.

'En hoe is de huidige situatie met betrekking tot uw per-soonlijke financiën?'

'We hebben geen penny. Ik heb van mijn moeder moeten lenen, maar die heeft nu ook niets meer. Net als heel mijn familie. Ik ben genoodzaakt me op de vrijgevigheid van mijn buren te verlaten. Maar dat kan ik niet blijven doen. Mijn buren zijn...' De koningin wachtte.

'Sociaal minder bevoorrecht?' hielp Dorkin.

'Nee, ze zijn *arm*,' zei de koningin. 'Net als ik hebben ze gebrek aan geld. Ik zou graag zien, mijnheer Dorkin, dat u mij wat geld gaf – vandaag nog, alstublieft. Ik heb geen eten in huis, kan de haard niet aansteken en als de elektriciteit uitvalt heb ik geen licht.'

'Als uw aanvrage behandeld en goedgekeurd is, ontvangt u een giro over de post,' zei Dorkin.

Omdat het vrijdag was, had de koningin verwacht dat deze jongeman met zijn uitstekende adamsappel eenvoudig wat bankbiljetten uit zijn koffertje zou halen en aan haar overhan-digen. Al haar familieleden verkeerden in diezelfde onjuiste veronderstelling en dat was de reden waarom ze deze week zo nonchalant geld hadden uitgegeven. Ze probeerde Dorkin nog eens uit te leggen dat ze het geld direct nodig had; ze had niets in de koelkast, de kasten waren leeg.

Precies op dat moment schuifelde prins Philip de kamer binnen; hij jammerde dat hij geen ontbijt had gekregen en hij vroeg waar zijn contactlenzen waren en klaagde over de kou.

Dorkin was geschrokken toen hij zag hoe erg prins Philip achteruitgegaan was: vóór de verkiezingen had hij er op de tv als een energiek man uitgezien, onberispelijk gekleed, met een gezonde roze gelaatskleur en een arrogante houding. Dorkin kon het nauwelijks over zich verkrijgen naar dat wrak voor zich te kijken. Het was net of je je eigen vader dronken in de goot aantrof. De koningin suste Philip met de belofte dat hij koffie zou krijgen, ging met hem naar de trap en drong erop aan dat hij weer naar bed zou gaan.

Toen ze weer in de huiskamer kwam, zag ze dat David

Dorkin was begonnen een formulier in te vullen. Was dit het al eerder genoemde aanvraagformulier? Als dat het geval was, moest het meteen in orde worden gemaakt. Philip en Harris moesten eten krijgen. Zij had altijd weinig eetlust gehad, zij zou het wel redden. Maar de man en de hond waren hulpeloos en waren volkomen afhankelijk van haar bekwaamheid om een koers over de donkere wateren van de Sociale Dienst te varen.

Toen het formulier volledig was ingevuld, vroeg de koningin wanneer zij de giro zou krijgen. 'Dat kan een week duren, maar we zitten krap in het personeel, dus...' Dorkins stem stierf weg.

'Dus?'

'Het kan wat langer duren; misschien negen, tien dagen.'

'Maar hoe kunnen we tien dagen zonder eten blijven? U wilt toch niet dat we van de honger omkomen?' zei de koningin tegen de jongeman. Dorkin gaf schoorvoetend toe dat de hongerdood niet tot de officiële politiek behoorde. 'Er is,' zei hij, 'zoiets als een voorschot voor noodgevallen.'

'En hoe kom je aan zo'n voorschot?' vroeg de koningin.

'U moet persoonlijk naar het bureau van Sociale Zaken gaan,' zei hij. Hij waarschuwde haar dat er zelfs op het moment waarop hij dit zei, nog een rij tot buiten op straat zou staan, maar de koningin had haar mantel al aan. Ze kon eenvoudig niet van de buren blijven lenen. Ze deed een hoofddoek om. Aangezien ze geen geld had, zou ze naar de stad moeten lopen.

18 Wedden

Fitzroy Toussaint keek verbaasd op toen hij zag dat zijn moeder niet thuis was. Hij kwam altijd op vrijdag om 1 uur 's middags langs en gewoonlijk stond ze op de stoep op hem te wachten, wat voor weer het ook was. Met een sleutel liet hij zich in haar huisje binnen. Fitzroy was blij toe dat hij zelf niet meer in Hell Close hoefde te wonen. Toen hij eenmaal geslaagd was voor de middelbare school, was hij er gauw weggetrokken en in de buitenwijken gaan wonen. God, wat was het koud. Hij liep door de smalle gang naar de keuken. Goed, ze had in elk geval volop te eten; de planken in haar hoge kasten waren goed bevoorraad. Waarom was ze dan zo mager? Ze kwijnde weg, haar benen en armen waren net stokken, nee, dunne takjes.

Zoals gewoonlijk was het interieur van het huisje smetteloos, het tafelkleed lag vierkant opgevouwen op het aanrecht. Hij keek in de slaapkamer en zag dat het bed was opgemaakt en dat ze was begonnen met het breien van kerstcadeautjes voor haar kleinkinderen. Dat stelde hem gerust – haar artritis kon niet erger zijn geworden. Hij stak zijn hoofd om de deur van de huiskamer en zag een briefje dat in de spiegel boven de koude haard was gestoken.

'Fitzroy, ik ben hiernaast bij de konigin-moeder. Kom maar langs, ze vint het best, ik heb het 'r gevraagt.'

De deur van de koningin-moeder stond op een kier. Fitzroy duwde de deur open en voelde een vlaag warme lucht. Hij hoorde de stem van zijn moeder, die luid klonk van verontwaardiging. Ze vertelde een van de familieverhalen.

'Dat mens was *slecht*, zeg ik je, om er zomaar tussenuit te knijpen en haar kinderen in de steek te laten...'

Hij hoorde de stem van de koningin-moeder, die haar probeerde te onderbreken en daar tenslotte in slaagde: 'Wallis Simpson was ook slecht, daar ben ik van overtuigd. Ik zal haar nooit vergeven wat ze die arme David heeft aangedaan. Het was een vreselijke tijd voor ons allemaal. Troonsafstand. Het was zo beschamend. Hij wist dat mijn man, George, helemaal geen koning wilde worden – wie zou dat willen wanneer je zo stottert als hij? Al die toespraken, het was een kwelling voor hem – voor mij ook trouwens.'

Fitzroy hoorde hoe zijn moeder de koningin-moeder overstemde. 'En hier heb je nog zo'n afschuwelijke vrouw. Mijn tante Matilda. Mens, die vrouw lustte 'm. Kijk, als je goed kijkt, kun je de fles in haar hand zien.'

Fitzroy klopte op de deur van de huiskamer, ging naar binnen en trof de beide oude dames, die ieder in het fotoalbum van hun familie zaten te kijken. Allebei waren ze te oud om zich nog iets aan te trekken van wat anderen van hen dachten, beiden schepten er een genoegen in familiegeheimen prijs te geven.

Fitzroy zag de blijdschap op het gezicht van zijn moeder, toen zij hem zag. Hij zag ook het tikkeltje angst op het gezicht van de koningin-moeder. Dacht ze misschien dat hij haar zou beroven? Stelden het kostuum dat hij aanhad en de Filofax die hij onder zijn arm had, dan helemaal niets voor?

'Hallo mam,' zei hij en hij was nauwelijks verbaasd toen beide vrouwen zeiden: 'Hallo, Fitzroy.'

Zijn moeder bestookte hem met vragen zoals gewoonlijk. Hoe was het met zijn borst? Werkte hij nog zo hard? Kookte hij behoorlijk voor zichzelf? Had hij iets van Troy gehoord? Waarom had hij zijn snor afgeschoren? Het was koud, had hij een onderhemd aan? Had hij Jethro's graf bezocht? Wilde hij iets warms drinken?

De koningin-moeder drong erop aan dat ze een kopje thee met haar zouden drinken. Ze stond heel moeilijk op uit haar stoel, merkte Fitzroy. Hij bood haar zijn hand aan en ze leunde zwaar op hem.

'Ga zitten, mens,' riep Philomena. 'Praat wat met mijn zoon. Ik ben nog niet zo oud als jij. Ik ga wel thee zetten.'

Ze stapte naar de keuken of ze in haar eigen huis was. De koningin-moeder ging zitten en vroeg Fitzroy of hij belangstelling had voor paarden. Fitzroy vroeg zich af of dit een valstrik was. Hij had zijn moeder beloofd dat hij nooit zou wedden. Op zijn achttiende verjaardag had ze hem met de hand op de bijbel laten zweren dat hij nooit een stap in het kantoor van een bookmaker zou zetten. Hij had zijn belofte gehouden.

Toen hij eenentwintig was, had hij een telefoonrekening geopend bij Jack Johnson, bookmaker. Wat hij had gewonnen, werd rechtstreeks bijgeschreven op zijn bankrekening, maar net als de koningin-moeder was hij nooit bij een bookmaker binnen geweest. Hij ging zachter praten en kwam dichter bij de koningin-moeder staan.

'Ja, ik heb zeker belangstelling.'

'In vorm?'

'Jazeker.'

'Wie heeft het paard van mijn kleinzoon, Sea Swell, getraind?' Fitzroy antwoordde meteen: 'Nick Gaselee, voor de herdenkingstrofee van de Hertog van Gloucester. Prins Charles eindigde als vierde.'

'Ja, en ik verloor vijfentwintig pond.'

De koningin-moeder haalde uit haar corsage een biljet van vijf pond, dat ze voor haar dochter verborgen had gehouden, en gaf het aan Fitzroy.

'Sea Mist – Kempton Park, twee uur,' zei ze, terwijl ze haar oog op de keukendeur gericht hield.

'Wint hij?'

'O ja, dat is zeker. De baan is zacht en daar houdt hij van.'

Fitzroy nam een draagbare telefoon uit de binnenzak van zijn Paul Smith jasje. Hij drukte op de knopjes en gaf de inzet van de koningin-moeder door. En om een vriendelijk gebaar te maken, zette hij zelf vijfentwintig pond op Sea Mist in. Ze wisselden verhalen over het wedden uit, tot Philomena met het theeblad binnenkwam en toen begonnen ze over Fitzroy's baan. Hij werkte als accountant voor bedrijven die insolvabel waren en op dit moment begeleidde hij een keten van schoenwinkels naar een vreedzaam einde. Hij beloofde de koningin-moeder dat hij haar een paar ruime brokaten huispantoffels zou bezorgen – met korting.

Om kwart over twee ging de telefoon van Fitzroy. Philomena was onder veel lawaai in de keuken aan het afwassen. 'Ja?' zei hij, terwijl hij naar de koningin-moeder keek. 'Moet u horen, u hebt een leuk bedrag gewonnen.'

De ogen van de koningin-moeder glinsterden begerig.

110

'Mooi,' fluisterde ze. 'Nectarine – Kempton Park; twee uur dertig. Twintig pond supertrio.'

Hij zou daardoor te laat op kantoor komen, maar hij wachtte tot 2.35, toen de telefoon opnieuw ging. Dit keer was zijn moeder weer in de kamer en daarom maakte hij voor de koningin-moeder slechts een gebaar met zijn duim omlaag. Ze begreep het terstond.

Philomena pakte haar fotoalbums en zei de koningin-moeder dat ze een dutje moest doen. Ze was zelf ook moe en ze moest slapen.

Fitzroy liep samen met zijn moeder naar de voordeur en gaf haar een plastic tasje vol vijftig-pencemunten. 'Voor de gasmeter,' zei hij. 'Maak ze op.' Extra veerkrachtig liep hij naar zijn Ford Sierra, ingenomen met zijn winst en blij dat zijn moeder een vriendin had. Man, dat was een pak van zijn hart. Hij drukte op een knopje in zijn sleutelring en via een mysterieus elektronisch proces sprongen de deursloten gelijktijdig open. Hij zwaaide naar de twee oude dames, die elk voor hun eigen voorraam stonden te zwaaien en hij reed achteruit naar de afsluiting. Hij reed de politie niet graag frontaal tegemoet. Dat had hij nog nooit gedaan.

19 De lange wandeling

Harris was met de troep in de straat aan het spelen. De koningin stond op de stoep naar hem te roepen, maar hij vertikte het te komen. Ze ging de straat op en riep boos zijn naam. Een groepje kinderen deed mee aan de jacht. Wat een sjofel stelletje was het toch, dacht de koningin. Toen zag ze dat haar eigen kleinkinderen, William en Harry, als wilde dieren met ze meeholden. Harris schoot onder het uitgebrande wrak van een Renault, dat langs de stoep stond, om er zich te verstoppen. De koningin lokte hem te voorschijn met een pepermuntje dat ze in de zak van haar waxjas had gevonden. Toen gaf ze hem een tik met zijn riem. Maar ze deed het maar zachtjes.

Harris liet de koningin de riem over zijn kop doen en ze begon aan de bijna vijf kilometer naar de stad. Toen ze bij de afsluiting kwam, zag ze dat agent Ludlow dienst had en het rijbewijs controleerde van een modieus geklede zwarte man, die achter het stuur van een Ford Sierra zat.

Toen de auto snel achterwaarts Hell Close was uitgereden, ging ze naar Ludlow en zei hem dat ze graag wilde weten waarom hij in de rechtszaal zulke verschrikkelijke leugens had verteld. Agent Ludlow was bang geweest voor dit moment. Hij had al drie nachten niet goed geslapen – schuldgevoelens hielden hem wakker. Tot de vroege uren had hij op zijn wekkerradio naar de World Service geluisterd, om te proberen de herinnering aan het misdrijf dat hij had begaan, uit te bannen. Meineed was een ernstig misdrijf, het zou hem zijn betrekking kunnen kosten. Dat was wel onwaarschijnlijk, maar vandaag de dag kon je maar nooit weten.

Inspecteur Holyland had hem verteld wat hij moest zeggen en had het hem woord voor woord voorgezegd. Hij had niet verwacht dat hij zou worden geloofd. 'Sla dat varken dood.' Hij had verwacht dat de magistraten in de rechtszaal en op de publieke tribune in lachen zouden uitbarsten bij de gedachte dat de prins van Wales zulke clichéwoorden zou uiten, maar hij had zijn uniform aan, hij vertegenwoordigde Wet, Orde en Waarheid; en inspecteur Holyland had zijn verklaring bevestigd, ook al was hij op dat tijdstip niet ter plaatse geweest.

De koningin herhaalde: 'Waarom hebt u zulke leugens over mijn zoon verteld?' Ludlow zei: 'Het waren de feiten zoals ik ze toen heb waargenomen.' Harris snuffelde aan de onderkant van zijn broekspijpen. Ludlow verzette zijn voeten en Harris, die dit als een agressief gebaar opvatte, zette zijn tanden in een dienstsok en beet in de huid daaronder. Volgens Ludlow deed de koningin er onnodig lang over om Harris van zijn linkerenkel weg te trekken. Er moest een formulier worden ingevuld voor zij toestemming kreeg Hell Close te verlaten.

Naam	Elizabeth Windsor
Adres	Hell Close 9
Tijd	2 uur n.m.
Bestemming	Sociale Zaken, Middleton
Wijze van vervoer	Te voet
Geschatte tijd van terugkomst	6 uur n.m.

Ludlow tilde de slagboom op en zij passeerde de afzetting.

Ze werd gevolgd door een stille, die er wel voor zorgde dat hij de nodige afstand bewaarde. Ze zou toch niet naar de stad gaan *lopen*? Hij had nieuwe schoenen aan. Zijn voeten zouden straks aan flarden zijn. Ze waren al aan alle kanten getooid met likdoornpleisters. Hij was het beu om in burger rond te lopen. Hij verlangde naar het comfort van zijn oude patrouillewagen. Hij heette Colin Lightfoot, het was zijn plicht de koningin te volgen en aan inspecteur Holyland verslag uit te brengen.

De koningin genoot wel van de wandeling, al zou ze liever op Holkham Beach bij Sandringham hebben gelopen – of over de hei op Balmoral hebben gewandeld. Maar uiteindelijk was ze weg uit Hell Close en kreeg ze wat lichaamsbeweging. Harris vond het verschrikkelijk. Het trottoir voelde hard aan en zijn pootjes konden nauwelijks het stevige tempo van de koningin bijhouden.

Ze liepen langs de vierbaans rijweg die Flowers Estate met de stad verbond. De koningin had de stad al eens eerder bezocht, ze had 's morgens een ziekenhuis geopend, en er een kousenfabriek en een fabriek van lichte machines bezocht, en in de namiddag, na de lunch op het gemeentehuis, een instelling voor bejaarden waar ze hopeloos verwarrende gesprekken met de dementen had gevoerd. Een oude kwijlende man was ervan overtuigd dat zij zijn moeder was, dat het 1941 was en dat hij nog bij de intendance diende. Op de terugweg naar de koninklijke trein was ze bij een reclasseringstehuis uitgestapt. Daar was ze rondgeleid langs de glanzende slaapzalen en de pas geschilderde tafeltenniszaal. Enkele voorwaardelijk veroordeelden, die wel toonbaar leken, hadden mogen toekijken toen de dochter van de directeur van de Sociale Dienst haar een tuiltje voorjaarsbloemen had aangeboden. Nu vroeg ze zich af waar de andere, waarschijnlijk minder toonbare veroordeelden zich hadden opgehouden.

Het begon te regenen; een aanhoudende onbarmhartige bui. Ze trok haar hoofddoek over haar voorhoofd en stapte flink door. De stille achter haar schold en vloekte en balde zijn vuist naar de hemel; als om hem te plagen reed er een politieauto langs, de geüniformeerde inzittenden waren met meneer Christmas op weg naar het politiebureau in Tulip Street; ze leken het warm en naar hun zin te hebben.

Ze keek op haar horloge en begon sneller te lopen. Meneer Dorkin had haar verteld dat het bureau om half zes sloot. Hij had het adres op een stukje papier geschreven. De koningin haalde het opgevouwen velletje uit haar zak. De enige leesbare woorden waren 'Bureau Sociale Dienst'. De rest van het adres was volkomen onleesbaar, de regen was in haar jaszak gelopen en had alles uitgewist wat onder de vouw op het papiertje stond.

Harris probeerde zijn gang aan te passen bij de haastiger stap van de koningin, maar na een paar minuten kreeg hij er genoeg van en vertikte het verder te gaan. Hij wist dat ze hem zijn regenjasje aan had moeten gespen. Hij had onder de kapstok in de gang staan blaffen om te kennen te geven dat hij graag zijn jasje aan wou hebben, maar *zij* had te veel haast gehad om acht op *hem* te slaan, of niet soms? O ja, ze had nu niet eens een ogenblik de tijd genomen om hem eten te geven en te zeggen dat hij haar schatje was. En hoe zat het met al dat fysieke geweld? Eens per dag slaag – minstens. Als ze niet oppaste…

hij wist van de dierenbescherming. En dan nog iets, hij had echt vlooien. De koningin rukte aan Harris' riem, maar hij weigerde zich te verroeren. Ze probeerde hem mee te sleuren, maar hij ging zitten en zette zijn nagels schrap. Een kletsnatte voorbijganger zei: 'Die hond heeft straks geen vel meer aan z'n kont.'

De koningin antwoordde: 'Als die hond niet mee wil, heeft hij straks geen vel meer op zijn rug.' Ze gaf Harris een duw met haar voet en hij jankte alsof hij verging van de pijn en ging voor dood op zijn rug liggen. Tussen zijn oogleden door keek hij toe hoe de koningin zich over hem heen boog, haar ogen vol bezorgdheid en schuldgevoelens. Hij voelde dat hij werd opgetild en in haar armen kwam te rusten.

Hun tocht ging verder langs de vierbaansweg naar de stad, waar de straten niet geplaveid waren met goud – ze waren amper geplaveid. De gemeenteraad had zijn geld gestoken in de aankoop van een winderig terrein van vierhonderd hectare aan de buitenkant van de stad, waar ze voornemens waren een themapark te bouwen: een dierentuin zonder dieren. Een particuliere onderneming had de gemeenteraad weten te overtuigen dat ze in plaats van de rommel, de stank en de noodzaak om echte wilde dieren te voeren, een reeks reusachtige gebouwen zonder ramen neer moesten zetten. Binnen moesten elektronische reprodukties en vernuftige geluidssystemen de werelddelen en hun inheemse dieren uitbeelden. Het was Virtuele Realiteit op reusachtige schaal. Men ging ervan uit dat er miljoenen bezoekers uit heel Engeland met grote ogen zouden staan te kijken. Er zou een hotel met vijfhonderd bedden worden gebouwd om de bezoekers onderdak te bieden. De smalle secundaire wegen die naar het terrein leidden, zouden enigszins worden verbreed. Ze hadden gehoopt dat prins Philip (in zijn hoedanigheid van president van het World Wildlife Fund, en bepaald niet omdat hij een liefhebber van jagen was en vogeltjes en andere dieren doodde) de elektronische dierentuin voor hen zou openen.

Toen de koningin het centrum van de stad bereikte, ging ze op een bank zitten en zette Harris op de grond. Hij tilde zijn poot op en deed een plas tegen een overvolle afvalbak. De koningin moest denken aan de Niagara Waterval waarvan de waterstroom, anders dan bij Harris, desgewenst kon worden stopgezet.

Er zat een man naast de koningin. Hij had een ontvelde, pas gebroken neus. Hij dronk uit een bruine fles. Na elke slok ging hij met een smerige hand langs zijn mond, alsof hij wou maskeren dat hij had gedronken. Zijn schoenen waren van het type dat tussen de beide oorlogen door bandleiders werd gedragen. Harris' urine stroomde naar de schoenen en de man trok zijn voeten op en zette ze op de bank met de sierlijke beweging van een jong meisje dat een rondlopende spin probeert te ontwijken.

De koningin verontschuldigde Harris' gedrag.

'Ach, het beessie kan het niet helpen,' zei de man, wiens stem hees was van heftig geschreeuw in de kleine uurtjes. 'En laten we eerlijk wezen, mevrouw, hij is te klein om op een wc te zitten.'

De man begon te lachen en verslikte zich bijna in zijn grap. Toen hij zag dat de koningin niet lachte, stootte hij haar aan en zei: 'Ach, kom op, meid. Je trekt een gezicht als een regenachtige zondag in Schotland.'

De koningin liet even haar tanden zien en de man bond in.

Hij zei: 'Weet u op wie u lijkt. Dat zal ik nou eens vertellen. U lijkt op die vrouw die de koningin imiteert. Nou en of, u lijkt krek op, hoe heet ze nou toch ook weer. U weet wel wie. Maar u lijkt nog meer op haar dan zijzelf. Zeker weten. Zeker weten. U zou d'r een fortuin mee kunnen verdienen. Mot u doen. Mot u doen. Weet u voor wie ze mij weleens hebben aangezien?'

De koningin keek naar zijn gezicht vol rode adertjes, zijn ogen als een tropische zonsondergang, zijn haar vol klitten, zijn kopergroene tanden.

'Kom op nou, voor wie zagen ze me aan?'

'Ik zou het eenvoudig niet weten,' zei de koningin, die haar hoofd opzij hield om zijn drankadem te ontwijken

'Hè, hè, hè,' lachte de man. 'Hè, hè, hè, dat is een goeje. U praat ook al net als haar. "Ik zou het eenvoudig niet weten",' spotte hij. 'Net als zij, net als de koningin. U mot naar de clubs gaan, dat mot u doen. "Ik zou het eenvoudig niet weten".' Zijn gelach weerklonk over het stadscentrum. Hij sloeg met zijn

116

vuisten op zijn dijbenen. 'Ik bedoel, u wou me toch niet vertellen dat haar accent echt is. Ben je mal. Het is niet echt. Ze klinkt als een robot uit *Doctor Who*. Is het niet zo, mevrouw? Nou ja, we zijn van d'r af. Opgeruimd staat netjes, zeg ik maar. Daar drink ik op. Daar drink ik op. Wie is er nu de baas?'

'Jack Barker,' zei de koningin, die probeerde haar klinkers af te vlakken.

'Hi, hi, hi. Jek Baaker. Om je te bescheuren, mevrouw,' zei de republikein. 'Reken maar. Reken maar.'

Hij kwam overeind en stond wankelend voor de koningin. Ze zag dat hij geen sokken aan had. De zoom van zijn broek had losgelaten, de draden sleepten achter hem aan. Als een journalist van een modeblad hem zou vragen eens uit te leggen hoe hij elke dag zijn kleren uitzocht, zou hij in alle eerlijkheid moeten zeggen dat hij 's morgens zijn kleren aantrok en dat hij ze dag en nacht bleef dragen tot ze hem vele maanden later werden uitgetrokken door mannen in overalls, die rubberhandschoenen en een masker droegen.

'Nou, kom op, aan wie moet u nou denken?' Hij nam wat hij dacht een artistieke pose aan. Eén vinger tegen zijn kin en zijn hoofd opzij gekeerd om zijn verloederde profiel te tonen.

De koningin schudde het hoofd, ze wist het niet.

'De hertog,' riep de liederlijke kerel. Hij zag dat de koningin niet met die naam vertrouwd was. 'Prins Philip. Ik ben wat je noemt zijn evenbeeld. Iedereen zegt het, iedereen. Ziet u het niet? Nee?'

De koningin gaf tenslotte toe dat er misschien een 'kleine gelijkenis' was. Hij dronk de fles leeg, schudde ermee en mikte twee bruine druppels in zijn opengesperde mond. Hij schudde nog eens, zette de fles aan zijn mond, wachtte, werd kwaad toen er niets kwam en beet op de hals.

'U hebt niet toevallig geld voor een Big Mac, hè mevrouw?' vroeg hij.

'Nee,' zei de koningin, die de ciderfles tegen de vuilnisbak zette. 'Ik heb geen geld.'

'O, dat zeggen ze allemaal, maar niet op zo'n deftige toon.'

De koningin vroeg hem waar het bureau van de Sociale Dienst was. Hij bood de koningin aan, haar tot aan de deur te

117

vergezellen, maar dat sloeg ze beleefd af. Terwijl ze stond te wachten tot het groene mannetje haar toestemming gaf om over te steken, hoorde ze de vieze kerel roepen: 'Jeanette Charles. Dat is ze, dat is ze. U bent gespogen haar evenbeeld. Een fortuin. Een fortuin.'

De koningin sloot zich aan bij de rij voor het bureau van de Sociale Dienst. Een meisje in kleren die het onthouden niet waard waren, gaf haar een plaatje met een nummer – negenendertig. Ze stond achter nummer achtendertig en algauw kwam nummer veertig erbij. Degenen in de rij die een horloge hadden, keken daar herhaaldelijk op; die er geen hadden, vroegen vaak hoe laat het was.

De tijd spoedde onzichtbaar en onachterhaalbaar voort en dreef de spot met degenen die buiten stonden. Zou men ze zien? Ze hadden nog vijfentwintig minuten. In hun hoofd maakten ze allerlei berekeningen. Kleine kinderen hielden zich gelaten vast aan het wandelwagentje van hun jongere broertje of zusje. Op een meter afstand raasde het verkeer van het spitsuur voorbij en joeg de uitlaatgassen rechtstreeks in de longen van de kinderen in de wandelwagentjes.

Harris blafte en trok aan zijn riem.

De rij schuifelde steeds verder naar binnen tot de koningin in het grote lokaal kon kijken, waar een dreigende klok met zwarte cijfers en een zich voortreppende secondenwijzer haar liet weten dat het twaalf minuten over vijf was. Een baby begon te huilen en kreeg een ongeopend zakje chips om erop te sabbelen.

'Het is niet goed om hem chips te geven, een en al zout en azijn,' zei de jonge moeder – nummer achtendertig. 'Hij lust geen zout en azijn.'

De koningin knikte, ze voelde er niet voor haar mond open te doen en blijk te geven van haar klasse. Haar accent bleek nogal hinderlijk te zijn. Zou ze proberen het wat te veranderen? En haar taalgebruik was hinderlijk. Zou ze er wat dubbele ontkenningen tussen strooien? Het was verschrikkelijk lastig om enig inzicht te krijgen waar ze nu eigenlijk thuishoorde – behalve als een nummer tussen de nummers achtendertig en veertig.

Toen de wijzers van de klok naar 5.30 bewogen, begon de rij

118

onrustig te worden en op te dringen naar de balies waar de aanvragers hun aangelegenheden zaten te bespreken voor tralies die in het veiligheidsglas waren aangebracht.

Smekende, boze en wanhopige woorden gingen in één richting door het rooster van de wachtkamer naar het kantoor. In de tegenovergestelde richting gingen woorden die betrekking hadden op regelingen, verklaringen en afwijzingen. Een man stond op en sloeg tegen het rooster: 'Ik moet wat geld hebben – nou meteen,' riep hij. 'Ik kan niet zonder geld naar huis. We hebben niks meer.'

De ambtenaar bleef onbewogen zitten en keek toe hoe een bewaker de man wegleidde.

'Zesendertig,' zei de ambtenaar. 'Zevenendertig,' zei een andere.

Een derde ambtenaar, een vrouw, stond op van haar bureau en pakte haar papieren en haar pen en potlood die in een etui zaten. Ze deed de riem van haar tas over haar schouder en maakte aanstalten om te vertrekken.

De koningin verliet haar plaats in de rij en zei door het rooster: 'Neemt u me niet kwalijk, maar om hoe laat is uw werk gedaan?'

De ambtenares zei met tegenzin: 'Half zes.'

'Dan hebt u nog vijf minuten,' zei de koningin. 'Misschien loopt uw horloge iets voor.'

De ambtenares ging weer zitten en zei: 'Achtendertig.' De koningin ging weer in de rij staan, die zich ingenomen toonde met de kleine overwinning. Achter haar zei veertig: 'Goede beurt van u, mevrouw.' Hij kwam dichter bij haar staan en zei zijdelings: 'Ik heb de eer gehad in uw regiment te dienen, Welsh Guards. Ik heb op de Falkland Eilanden gevochten, Bluff Cove. Eervol ontslag. Zenuwen naar de bliksem.'

'Slechte beurt,' zei de koningin, die vroeger opperbevelhebber was over achtendertig regimenten en kapitein-generaal van zeven andere.

Een sympathiek uitziende Aziatische jongeman riep haar nummer. De koningin kreeg twee minuten de tijd om haar geval uiteen te zetten om te vertrekken met geld voor de bus, voor eten en munten voor de gas- en elektriciteitsmeter. 'Het is onmogelijk,' glimlachte de jongeman nadat ze had geantwoord dat nee, ze geen papieren had om aan te tonen wie ze was en waar ze woonde.

'Voor een voorschot hebben we een bewijs nodig; een pensioenboekje? Een gasrekening?'

De koningin legde uit dat ze haar pensioenboekje nog niet had ontvangen. Ze woonde pas vier dagen op haar tegenwoordige adres.

'En waar hebt u voor die tijd gewoond?' vroeg de jongeman.

'Op Buckingham Palace,' antwoordde de koningin.

'O, maar natuurlijk,' lachte de jongeman, terwijl hij eens naar de jas van de koningin keek, vol modderige afdrukken van hondepoten, naar haar vuile nagels, haar natte verwarde haar. Eerlijk. Hij had al alle mogelijke verhalen gehoord. Hij kon er een boek over schrijven. Wel twee boeken. Echt waar.

'En waarom woonde u op Buckingham Palace?' vroeg hij, terwijl hij harder ging praten zodat zijn collega's van de grap konden meegenieten.

'Omdat ik de koningin was,' zei de koningin.

De jongeman drukte op een zoemer onder zijn balie en een bewaker nam de koningin bij de arm en leidde haar en Harris de donkere avond in. Ze stond daar op het trottoir, niet wetend wat ze moest doen of waar ze om hulp zou kunnen vragen. Ze zocht al haar zakken na om geld voor de telefoon, hoewel ze maar al te goed wist dat haar zakken helemaal leeg waren, op een velletje wc-papier na dat ze van een rol had gescheurd. Ze wist niet dat het mogelijk was om via de telefoniste collect te bellen.

Het was vrijdagavond. De Sociale Dienst zou twee dagen gesloten zijn. Zij hadden geld, zij had niets.

Harris achter zich aan trekkend, rende ze het kantoor weer binnen. De ambtenaren hadden hun jas al aan. De klok wees dat het vijf uur negenentwintig minuten en dertig seconden was. Aanvragers werden het lokaal uitgeleid. De koningin zag dat nummer achtendertig een biljet van vijf pond in haar hand had en tegen haar baby praatte: ze vertelde het kind dat ze melk ging kopen, brood en luiers. Veertig weigerde weg te gaan. 'Ik was in Bluff Cove,' riep hij.

De koningin pakte Harris op en nam hem onder de arm.

120

'Mijn hond komt om van de honger,' deelde zij de wachtkamer mee.

Ambtenaar nummer twee woonde bij haar moeder in, samen met drie honden en vijf katten. Ze had dierenarts willen worden, maar had het einddiploma van de middelbare school niet gehaald. Ze keek naar Harris, die apathisch in de armen van de koningin lag, als verkeerde hij in de laatste fase van ondervoeding. De ambtenaar ging achter haar bureau zitten. Ze deed haar jas los, pakte een pen en nodigde de koningin uit te gaan zitten. Eerst las ze de koningin de les over de verantwoordelijkheden die ze had als ze een hond had en zei: 'U zou er eigenlijk geen hond op na moeten houden, tenzij u bereid bent, zeg maar, er goed voor te zorgen.'

Harris jankte meelijwekkend en liet zijn oren hangen. De ambtenaar vervolgde haar vermanende woorden. 'Hij lijkt er bar slecht aan toe te zijn. Ik zal u voldoende geld geven voor een paar blikjes hondevoer en wat vitaminepillen om hem weer in conditie te brengen – Bob Martin is goed spul.'

De koningin nam het geld aan, tekende het reçu en verliet het bureau. Ze dankte God dat de Engelsen een volk van hondenliefhebbers waren.

20 Een handvol botten

De stille volgde haar. Toen zij het bureau verliet, bad hij dat ze niet het plan had naar huis te lopen. Zijn voeten waren rauwe vleesklompen. Hij verlangde naar het moment waarop hij zijn schoenen uit zou kunnen trekken. De koningin hield de drie pond stevig in haar hand. Hoeveel kostte een brood? Een pond aardappelen? Een pak koffie? Ze was niet van plan hondevoer of vitaminepillen voor Harris te kopen.

Crawfie maakte altijd bouillon wanneer de koningin als kind ziek was. De koningin had onthouden dat daar botten voor nodig waren. Ze passeerde een slagerij. Een man in een witte jas en gestreept voorschoot was de schappen in de uitstalkast aan het schrobben. Kleine bosjes plastic peterselie lagen op een hoopje op de toonbank te wachten tot ze teruggelegd zouden worden om de schappen te versieren. De koningin bond Harris buiten vast en duwde de deur open.

'We zijn gesloten,' zei de slager.

'Kan ik wat botten kopen?' vroeg de koningin.

'Ik ben gesloten,' zei hij.

De koningin smeekte: 'Toe, ze zijn voor mijn hond.'

De slager zuchtte, liep naar achteren en kwam terug met een handjevol afschuwelijke botten, die hij op de weegschaal gooide. 'Dertig pence,' zei hij bruusk, en wikkelde er losjes een stuk papier omheen. De koningin gaf hem een pond en hij pakte het wisselgeld uit een zak met munten en gaf het zonder een glimlach aan haar.

'Mag ik een draagtasje van u?' vroeg de koningin.

'Nee, niet voor dertig pence,' zei de slager.

'O nou, dankuwel en goedenavond,' zei de koningin. Ze wist niet wat het zou kosten als ze een tasje kocht. Ze kon het er niet op wagen dat ze misschien nog eens twintig of dertig pence uit zou moeten geven.

De koningin zei nog eens: 'Goedenavond.'

De slager draaide zich om en begon de plastic peterselie rond de zijkanten van de schappen te leggen.

De koningin zei: 'Heb ik u misschien beledigd?'

De slager zei: 'Kom nou, u hebt voor dertig pence botten, doe de deur achter u dicht.'

Voor ze kon doen wat haar werd gezegd, kwam er een goedgeklede man de winkel binnen en zei: 'Ik zie wel dat u gesloten bent, maar kunt u mij nog aan drie pond biefstuk van de haas helpen?'

De slager glimlachte en zei: 'Zeker, meneer. Dat komt voor elkaar.'

De koningin pakte haar botten en ging weg. Terwijl ze Harris losmaakte, keek ze door het winkelraam naar de slager, die dikke plakken biefstuk van een grote homp vlees afsneed. Hij was nu één en al joligheid, als een slager die je wel op een speelkaart ziet.

Harris werd razend van de lucht van de botten. Hij sprong op naar het pak dat de koningin onder haar arm hield. Toen ze bij de bushalte waren, gooide ze een botje op het trottoir en hij viel er verwoed op aan; hij hield het in zijn voorpoten, terwijl hij met gulzig gegrom aan de flintertjes vlees trok.

Het bot was helemaal kaal toen de bus arriveerde. Het centrum van de stad was nagenoeg verlaten. De koningin zag op tegen het komende weekend. Hoe kon je jezelf, je man en je hond te eten geven van twee pond en tien pence, want dat was alles wat ze overhield als ze haar buskaartje had betaald. Ze kon eenvoudig niet meer lenen. Ze zou bidden dat haar pensioenboekje morgen met de post zou komen.

De koningin zei: 'Een enkel naar Flowers Estate, alstublieft.'

Ze legde zestig pence in het zwarte bakje van de chauffeur en wachtte op haar kaartje. De chauffeur zei: 'Het is negentig pence. Half geld voor de hond.'

De koningin schrok: 'Nee toch?'

'Honden half geld,' herhaalde de chauffeur.

De koningin wierp Harris een giftige blik toe. Het liefst had ze hem achter de bus aan laten hollen. Heel de dag was hij haar alleen maar tot last geweest. Maar ze betaalde en droeg, zoals de chauffeur haar had gezegd, de hond naar boven. Ze telde haar geld en deed dat nog eens, maar steeds kwam ze tot hetzelfde totaal: een pond en tachtig pence. Ze sloot haar

123

ogen en bad om een wonder – zoiets als de wonderbare broodvermenigvuldiging.

De koningin stapte uit en ging naar Food-U-R, de supermarkt van Flowers Estate. Chef en eigenaar was Victor Berryman. Hij stond bij de deur om klanten welkom te heten en eventuele winkeldieven te betrappen.

'Goedenavond, mevrouw. Begint u al te wennen?'

De koningin knikte glimlachend. 'Ja, we beginnen thuis te raken.'

'Dat mag ik horen. Jammer van uw man.'

'Mijn man?'

'Ja, ik hoor dat hij het niet goed maakt.'

'Niet goed?'

'Niet zo best, van slag af.'

'Hij is depressief, dat is zo.'

'Ik weet hoe hij zich moet voelen. Ik heb een keten van deze winkels gehad, moet u weten. Overal in het oosten van Midden-Engeland had je Food-U-R's. Reclame op de tv. Met van die hoela-hoela meisjes. Food-U-R, een paradijs om te winkelen.' Hij zong de jingle en deinde met zijn dikke heupen.

> Food-U-R!
> Een paradijs om te winkelen.
> Food-U-R!

'Ik probeerde de winkelmeisjes met dat Polynesische thema mee te laten doen – u weet wel, rieten schortjes, bloemenslingers – maar er kwamen alleen maar klachten.'

Hij keek verbitterd naar de kassa's waar twee kleine gezette vrouwen van middelbare leeftijd kruidenierswaren langs een elektronische scanner schoven. 'Ja, ik stond ooit aan het hoofd van een dynastie, dus ik weet hoe uw man zich voelt – nu ze het allemaal van hem afgepakt hebben.'

De koningin keek boos. 'Mijn man stond niet aan het hoofd van de dynastie. Dat was ik.'

Victor Berryman griste een Mars uit de binnenzak van een jongen die naar buiten wilde lopen, gaf hem een draai om zijn oren en schopte hem de winkel uit.

124

'In ieder geval, mevrouw, als ik u ergens mee kan helpen,' zei Victor, terwijl hij zijn vuist naar de jongen schudde.

De koningin zei dat ze graag bouillon zou willen trekken.

'Ballon?' herhaalde Victor.

'Bouillon – een magere soep,' legde de koningin uit. 'Ik heb de botten al, wat heb ik verder nog nodig?'

Victor stond met zijn mond vol tanden, de keuken was een mysterieus oord voor hem. Alles wat hij wist was dat er koude ingrediënten naartoe gingen en dat er, met min of meer regelmatige tussenpozen, warm voedsel uit kwam. Hij riep naar een van de vrouwen bij de kassa's: 'Mevrouw Maundy, wilt u deze mevrouw verder helpen? Ik neem de kassa wel even over.'

Mevrouw Maundy maakte een halve revérence, gaf haar een mandje en ze liepen de paden door. De koningin kocht één ui, twee wortelen, één knol, een pond aardappelen, een heel brood, een potje aardbeienjam en twee bouillonblokjes.

Victor Berryman liet de boodschappen van de koningin langs het wonderoog gaan en zei: 'Een pond en achtenvijftig pence.'

'O hemeltje.' De koningin keek naar de een pond tachtig in haar hand.

'Ik moet iets terugzetten,' zei ze. 'Ik heb vijftig pence nodig voor de gasmeter.'

Samen rekenden ze uit dat, wanneer ze één wortel teruggaf en één bouillonblokje en het hele brood omruilde voor een half...

De koningin ging de winkel uit met een tas van Food-U-R. Victor hield de deur voor haar open en zei dat hij hoopte haar terug te zien, misschien wilde ze hem bij haar familie aanbevelen en als ze misschien nog ergens een helmbos had, die daar toch maar doelloos hing, dan zou hij die graag boven de voordeur hangen.

De koningin had geleerd om vragen te stellen en terwijl ze Harris' riem losmaakte van een betonnen paaltje, vroeg ze Victor hoe hij zijn dynastie van Food-U-R winkels was kwijtgeraakt.

'De bank,' zei hij, ondertussen de hangsloten aan de metalen schermen voor de ramen controlerend. 'Ze bleven maar zeuren dat ik geld moest lenen om uit te breiden. Toen ging de rente omhoog en kon ik niet meer betalen. Eigenlijk mijn verdiende loon en ik raakte alles kwijt. Mijn vrouw heeft het zich erg aangetrokken; het huis werd verkocht, de auto's. Niemand wilde deze winkel in Flowers Estate kopen – afgezien van een gek zou niemand hier toch willen zitten? We wonen nu boven de winkel.' De koningin keek omhoog en zag een vrouw, van wie zij aannam dat het mevrouw Berryman was, verdrietig uit een raam zonder gordijnen kijken.

'Maar ja,' zei Victor, 'het is nog niks vergeleken met wat *u* allemaal hebt verloren.'

De koningin, die paleizen was kwijtgeraakt, onroerend goed, land, juwelen, schilderijen, huizen, een jacht, een vliegtuig, een trein, meer dan duizend personeelsleden en miljarden ponden, knikte instemmend.

Victor pakte een kam en ging ermee over zijn kale schedel. 'De volgende keer dat u weer hier komt, moet u eens naar boven gaan en mijn vrouw opzoeken. Drink een kopje thee met haar – zij is altijd thuis; ze heeft pleinvrees.' De koningin keek weer omhoog, maar het verdrietige gezicht was verdwenen.

Met de vijftig pence in haar hand geklemd, liep de koningin terug naar Hell Close. Op de nodige afstand hinkte de stille achter haar aan. Als dit nou dienstdoen in burger is, dacht hij, geef mij dan maar iedere dag een uniform.

Toen de koningin haar huis binnenging, hoorde ze een vertrouwd kuchje. Margaret was er. Ja, daar zat ze te roken, en tikte haar as in een koffiekopje.

'Lilibet, je ziet er werkelijk verschrikkelijk uit. En wat heb je in die afschuwelijk stinkende plastic tas?'

'Botten, voor ons avondeten.'

Margaret zei: 'Ik heb een afgrijselijke middag achter de rug met een vreselijk mannetje van de Sociale Dienst. Hij was onbeschrijfelijk gemeen.'

Ze liepen de keuken in. De koningin vulde een steelpan voor de helft met water en deed er de botten in. Margaret keek gespannen toe, als was de koningin Paul Daniels die aanstonds een goocheltruc zou verrichten.

'Kun jij goed aardappelen schillen, Margaret?'

'Nee, natuurlijk niet, jij wel dan?'

'Nee, maar we zullen het moeten proberen.'

'Ga je gang, je doet je best maar,' geeuwde Margaret. 'Ik ga vanavond dineren. Ik heb Bobo Criche-Hutchinson opgebeld, hij heeft een buitenhuis. Hij haalt me om half negen op.'

Er vormde zich schuim op de steelpan, toen kookte het water over en ging de gasvlam uit. De koningin stak het gas weer aan en zei: 'Je weet dat we de straat niet uit mogen om ergens te gaan dineren; we hebben nog een uitgaansverbod. Je kunt maar het beste Bobo opbellen en hem afzeggen. Je hebt zeker Jack Barkers papier met instructies niet gelezen?'

'Nee, dat heb ik verscheurd.'

'Lees dan het mijne maar,' zei de koningin terwijl ze met een tafelmes op een aardappel los hakte. 'In mijn handtas.'

Toen Margaret klaar was met lezen, stak ze een nieuwe sigaret in een pijpje en zei: 'Ik maak me van kant.'

'Dat is één mogelijkheid,' zei de koningin. 'Maar wat zou Crawfie er wel van denken als je dat zou doen?'

'Wie kan het nou iets schelen *wat* die boze oude heks denkt? Trouwens, ze is dood,' viel Margaret uit.

'Voor mij niet, voor mij is ze niet dood. Ze is nog altijd bij mij, Margaret.'

'Ze haatte me,' zei Margaret. 'En daar maakte ze geen geheim van.'

'Dat kwam omdat je een vervelend kind was. Bazig, arrogant en geniepig,' zei de koningin. 'Crawfie zei dat je een puinhoop van je leven zou maken en ze had gelijk – dat heb je ervan gemaakt.'

Na een half uur zwijgen maakte de koningin haar excuses voor haar uitbarsting. Ze legde uit dat dat door Hell Close kwam. Je begon je de gewoonte eigen te maken hardop te zeggen wat je ervan dacht. Soms was het lastig, maar achteraf voelde je je merkwaardig opgelucht.

Margaret ging Bobo Criche-Hutchinson opbellen en liet de koningin de groente en het bouillonblokje in de steelpan doen. Mevrouw Maundy had haar verteld dat bouillon uren op een laag pitje moest staan – 'om al het goede eruit te trekken' – maar de koningin was uitgehongerd, ze moest nu eten, onmiddellijk. Iets lekkers, voedzaam en zoet. Ze pakte het brood en de jam en maakte een stapel boterhammen voor zichzelf klaar. Ze at staande aan het aanrecht, zonder een bord of servet te gebruiken.

Een oude politicus – een vrouw – had haar ooit verzekerd dat de reden waarom de armen niet rond konden komen van hun uitkering, was dat 'ze niet het talent bezaten om goede, eenvoudige, voedzame maaltijden te bereiden.'

De koningin keek eens naar haar goede, eenvoudige voedzame bouillon die in de pan stond te borrelen en pakte een nieuwe snee brood met jam.

Die avond slofte prins Philip, in zichzelf mompelend, de slaapkamer rond. Hij keek uit het raam. De straat was vol familie. Hij zag zijn vrouw en schoonzuster uit het huis van zijn schoondochter komen. Ze staken de straat over naar het huisje van zijn schoonmoeder. Hij zag dat zijn zoon aan het spitten was in de voortuin, *in het donker*, de stomme sufferd. Philip voelde zich belaagd door zijn familie. De rotzakken waren overal. Anne, die met hulp van Peter en Zara gordijnen aan het ophangen was. William en Harry, die in het wrak van een auto zaten te gillen. Hij voelde zich als een belegerde cowboy in het midden van een trein wagens, terwijl die verdomde Indianen er van alle kanten aankwamen.

Hij kroop weer in bed. De walgelijke soep, nu koud geworden, die zijn vrouw hem eerder had gebracht, golfde op het zilveren dienblad en vandaar op de sprei. Hij stak geen vinger uit om het vocht op te vangen. Hij was te moe. Hij trok het laken over zijn hoofd en wou dat hij ergens anders was. Alles was goed, als het maar niet hier was.

21 Op de wieken

De Yeoman Raven Master passeerde de White Tower en liep toen weer terug. Er was iets mis, al kon hij niet direct aanwijzen wat. Hij bleef staan om beter na te kunnen denken. De Japanse toeristen namen een foto van hem. Een groepje Duitse pubers giechelde om zijn malle hoofddeksel. Amerikanen vroegen of het echt waar was dat de koningin van Engeland nu in een woningbouwproject van de staat woonde.

Op hetzelfde moment dat een schoolmeisje uit Tokio op het knopje van haar Nikon drukte, wist de Yeoman Raven Master wat er mis was. Toen de foto was ontwikkeld, stond de Yeoman Raven Master daar: zijn mond open van ontzetting, zijn ogen opengesperd van primitieve angst.

De raven van de Tower waren verdwenen: het koninkrijk zou vallen.

22 Lommerrijk

Het was Harry's eerste dag op zijn nieuwe school. De basisschool van Marigold Road. Charles stond zich voor de spreekkamer van de hoofdonderwijzeres af te vragen of hij naar binnen zou gaan of niet. Binnen was er iets als een woordenwisseling gaande. Hij hoorde luide vrouwenstemmen, maar hij kon niet verstaan wat er werd gezegd.

Harry: 'Hé, pa, wat mot dat daar?'

Charles gaf een ruk aan Harry's hand en zei: 'Harry toe, alsjeblieft, spreek netjes.'

Harry zei: 'Als ik netjes praat, krijg ik op mijn donder.'

'Wie doet dat?' vroeg Charles met een bezorgde blik.

'Wie doen dat?' verbeterde Harry. 'De knullen van Hell Close, die doen dat.'

Violet Toby kwam uit de spreekkamer, op de voet gevolgd door de hoofdonderwijzeres, mevrouw Strickland.

Violet riep: 'Als je ooit nog eens aan één van mijn kleinkinderen komt, dan zal ik je, rotwijf met je keiharde facie.'

Mevrouw Strickland had inderdaad een nogal vastberaden gezicht, meende Charles. Hij voelde weer de oude vertrouwde angst die scholen altijd bij hem teweegbrachten. Hij pakte Harry's hand zelfs steviger vast – arm ventje.

Mevrouw Strickland glimlachte ijzig naar Charles en zei: 'Het spijt me van dat ongelukkige incident. Afgelopen vrijdag heb ik Chantelle Toby straf moeten geven en haar grootmoeder heeft zich daar nogal boos over gemaakt. Ze schijnt er zelfs heel het weekend over te hebben zitten piekeren.'

Charles: 'Tja, ik hoop wel dat het niet nodig zal zijn Harry straf te geven, het is een nogal gevoelig kereltje.'

'Dat ben ik nooit van z'n leven niet.'

Charles trok een pijnlijk gezicht bij Harry's ongrammaticale protest en zei: 'Als u me zegt in welke klas Harry komt, breng ik hem er wel heen...' Er viel een druppel water op Charles' hoofd. Hij veegde die weg en voelde toen een nieuwe druppel op zijn hand.

'O hemeltje, het is gaan regenen,' zei mevrouw Strickland. Charles keek naar boven en zag water langs barsten in het plafond omlaag kletteren. Het doordringende geluid van een bel klonk door het schoolgebouw.

'Is dat het brandalarm?' vroeg Charles.

'Nee, het is het regenalarm,' zei mevrouw Strickland. 'De helpers met de emmers komen er aanstonds aan, wilt u me excuseren.'

En inderdaad zagen Charles en Harry van alle kanten kinderen komen aanrennen; ze stelden zich in een rij voor de kamer van mevrouw Strickland op. Mevrouw Strickland verscheen in de deuropening met een stapel plastic emmers die ze aan de kinderen uitdeelde; die pakten ze aan en plaatsten ze strategisch onder de lekken in de gang. Andere emmers gingen naar de klaslokalen. Charles was onder de indruk van de rustige en doeltreffende werkwijze waarmee dat alles gebeurde. Hij zei er iets over tegen mevrouw Strickland.

'O, ze zijn goed getraind,' zei ze om het compliment af te wijzen. 'We zitten al vijf jaar op ons nieuwe dak te wachten.'

'Lieve help,' zei Charles. 'Eh, hebt u al eens geprobeerd een geldinzameling te houden?'

'O ja,' zei mevrouw Strickland bitter. 'We hebben toen voldoende geld ingezameld om drie dozijn plastic emmers te kopen.'

Harry zei op een doordringende fluistertoon: 'Pap, ik moet plassen.'

Charles zei tegen mevrouw Strickland: 'Waar, eh, kan ik met hem naartoe?'

'Daar, aan de overkant,' zei mevrouw Strickland, ze wees naar de speelplaats waar de kuilen snel vol regenwater liepen. 'Hij heeft dit nodig.'

Ze pakte vanachter de deur van haar kamer een paraplu, waarop het flauw grijnzende gezicht van postbode Pat prijkte, en gaf die aan Harry.

'Geen binnen-wc's?' vroeg Charles verbaasd.

'Nee,' zei mevrouw Strickland. Ze keken hoe Harry moeite had om de paraplu open te krijgen, voordat hij door de regen naar een luguber bijgebouw rende waar zich de toiletten bevonden. Charles had aangeboden om met zijn zoon mee te lopen, maar Harry had geroepen: 'Zet me nou niet voor aap, pa.'

Charles ging de kamer van de hoofdonderwijzeres binnen en vulde een formulier in om Harry in te schrijven als leerling van de lagere school van Marigold Street. Tot zijn genoegen hoorde hij van mevrouw Strickland dat Harry in aanmerking kwam voor gratis schoolmaaltijden. Toen Harry de druipende paraplu aan mevrouw Strickland had teruggegeven en zij die weer in de paraplubak in haar spreekkamer had gezet, ging ze met hen naar Harry's klaslokaal.

'Je onderwijzer is meneer Newman,' zei ze tegen Harry.

Ze kwamen bij de klas van meneer Newman en mevrouw Strickland klopte aan en ging naar binnen. Niemand zag of hoorde hen binnenkomen. De leerlingen lachten te luidruchtig om meneer Newman, die een dodelijk nauwkeurige imitatie van de hoofdonderwijzeres weggaf. Zelfs Charles, die mevrouw Strickland nog maar net kende, kon zien dat meneer Newman een voortreffelijk imitator was. Hij had de vooruitstekende kaak, de bruuske manier van doen en de gebogen houding perfect getroffen. Pas toen de kinderen stil werden, draaide meneer Newman zich om en zag hij zijn bezoekers.

'Ach,' zei hij tegen mevrouw Strickland. 'U treft me net bij een imitatie van Quasimodo; we hebben vanmorgen Franse literatuur.'

'Franse literatuur,' snauwde mevrouw Strickland. 'Deze kinderen moeten nog met *Engelse* literatuur beginnen.'

'Dat komt omdat we geen boeken hebben,' zei meneer Newman. 'Ik moet bladzijden uit mijn eigen boeken fotokopiëren – en dat moet ik uit mijn eigen zak betalen.'

Hij bukte zich en gaf Harry een hand, en zei: 'Ik ben meneer Newman, je nieuwe onderwijzer, en jij bent Harry, als ik het wel heb? Charmaine, wil jij vandaag op Harry letten?'

Een mollig meisje in opzichtige bermuda shorts en een T-shirt met Terminator II kwam naar voren, trok Harry bij zijn vader vandaan en bracht hem naar een lege stoel naast die van haar.

'Hij krijgt gratis schoolmaaltijden,' kondigde mevrouw Strickland luid aan. Meneer Newman zei rustig: 'Ze krijgen allemaal gratis schoolmaaltijden. Hij zit hier tussen vriendjes.'

132

Charles zwaaide naar Harry en ging met mevrouw Strickland weg. Terwijl ze zich een weg zochten tussen de emmers in de gang, zei Charles: 'U hebt dus geen boeken?'

'En geen papier en potloden, geen lijm en verf en gymnastiektoestellen en geen bestek voor de eetzaal en het personeel,' zei mevrouw Strickland. 'Maar dat alles buiten beschouwing gelaten, hebben we hier een goed geëquipeerde school.' Ze ging verder: 'Onze ouders zijn heel behulpzaam, maar ze hebben geen geld. Er komt ooit een grens aan de lootjes die je kunt kopen en aan rommelmarkten waar ze naartoe kunnen. Het zijn hier niet de lommerrijke buitenwijken, meneer Teck.'

Charles was het daarmee eens; Flowers Estate kon je bepaald niet lommerrijk noemen, laat staan rijk, dacht hij.

Mei

23 Erwten in de dop

Het was 1 mei. Charles riep naar Diana: 'Schat, doe je ogen eens dicht. Verrassing.'

Diana, die nog niet eens haar ogen open had – het was pas half zeven, verdorie, – draaide zich om in bed met haar gezicht naar de deur. Charles kwam de badkamer uit en liep naar het bed.

'Doe je ogen maar open.'

Ze deed één oog open, toen het tweede. Hij zag er net zo uit als altijd, misschien was zijn haar wat sluiker dan anders... Toen keerde Charles haar zijn rug toe en Diana snakte geschrokken naar adem. Hij had een paardestaart, het was nog maar een korte, maar toch... Een helderrode band van badstof hield zijn haar achter in zijn nek bij elkaar. Zijn oren staken nog meer uit dan ooit tevoren.

'Je ziet er gaaf uit, schat.'

'Echt?'

'Ja, hartstikke gaaf.'

'Denk je dat mammie het leuk zal vinden?' Charles' gezicht kreeg een bezorgde trek.

'Weet ik niet. Je pa in geen geval.'

'Maar jij wel?'

'Hart-, hartstikke gaaf.'

'De bietjes staan op uitkomen en de eerste merel zit bij ons te broeden.'

'Geweldig.'

Diana raakte eraan gewend dat ze in de vroege ochtend dit soort verslagen over de tuin te horen kreeg. Hij was iedere morgen om zes uur op en stapte in zijn rubberlaarzen door de tuin. Ze had *geprobeerd* belangstelling te tonen, maar goede genade... Ze zag op tegen het najaar; blijkbaar verwachtte hij dat zij dan zou inmaken en inleggen. Hij had haar gevraagd lege potten te verzamelen; hij rekende op een overvloed van produkten van eigen bodem. Ze kwam uit bed en pakte haar zijden ochtendjas.

'Ik ben zo gelukkig. Jij ook?' vroeg hij.

'Enorm,' loog ze.

'Ik bedoel,' zei Charles, 'het is een bewijs dat de tuin ecologisch gezond is. Merels komen niet...'

Door de gemeenschappelijke muur heen hoorden ze Shadow huilen, gevolgd door het gepiep van het springmatras toen zijn moeder opstond om hem zijn fles met thee te geven. Voor ze de badkamer inging, vroeg Diana: 'Charles, ik moet mijn haar laten doen. Kan ik wat geld krijgen?'

Charles zei: 'Maar ik was van plan deze week een zak beendermeel te kopen.'

Aan de andere kant van de muur riep Sharon: 'Ik zal je haar wel knippen, Di. Ik ben in de leer geweest bij een kapper. Kom om tien uur maar langs.'

Charles zei: 'De geluidsisolatie van deze huizen is verschrikkelijk. Nou ja, totaal afwezig.'

Via de andere muur hoorden Diana en Charles dat Wilf Toby tegen zijn vrouw zei: 'Ik hoop dat Diana haar haar maar niet te kort laat knippen.'

Ze hoorden het hoofdeinde van de Toby's tegen de muur bonken, toen Violet zei: 'Ach, hou je bakkes,' en zich in bed omdraaide.

Toen gingen ze naar beneden en zochten de kasten af naar iets dat ze als ontbijt konden eten. Net als de rest van de familie in Hell Close liepen ze financieel vlak langs de afgrond. Eigenlijk scheelde het maar een haar of ze zouden te pletter vallen op de ongenaakbare rots van de uitkeringen van de staat. Charles had twee stel aanvraagformulieren ingevuld. Beide keren waren ze teruggekomen met een begeleidend briefje dat ze 'niet correct waren ingevuld'.

Toen het tweede formulier was gekomen, had Diana gezegd: 'Maar ik dacht dat jij zo goed in sommen was, in taal en al dat soort dingen.'

Charles had de brief de keuken ingeslingerd met de kreet: 'Maar ze zijn verdomme niet in het Engels geschreven. Ze zijn in het ambtenaars en de berekeningen zijn gewoon *onmogelijk*.'

Hij ging aan de keukentafel zitten om het nog eens te proberen, maar de berekeningen gingen zijn vermogens te boven. Wat hij becijferde was, dat ze geen huurbijdrage konden krijgen voor hun uitkering bekend was; en ze konden geen uitkering aanvragen zolang hun huurbijdrage niet was vastgesteld en dan was er nog hun gezinskrediet, waarvoor zij in aanmerking kwamen, maar dat scheen in het totaalbedrag inbegrepen te zijn. Charles moest denken aan Alice in Wonderland toen hij probeerde van dat alles iets zinnigs te maken. Net als zij liep hij verloren in een surrealistisch landschap. Hij kreeg brieven dat hij moest opbellen, maar wanneer hij dat deed, kreeg hij geen gehoor. Hij schreef brieven, maar kreeg geen antwoord. Het enige wat hij kon doen, was het derde stel formulieren terugsturen en maar wachten tot de staat hem de uitkeringen gaf die hem waren toegezegd. Intussen was hun leven onzeker. Ze ruilden, leenden en waren drieënvijftig pond en eenentachtig pence schuldig aan Victor Berryman, eigenaar van Food–U–R en filantroop.

De melkboer klopte op de deur voor zijn geld. Diana keek de keuken rond en pakte een stel Wedgewood eierdopjes van de plank. Charles volgde haar met een zilveren apostellepel. 'Vraag hem om twaalf eieren,' zei hij, en duwde de lepel in haar vrije hand.

Barry, de melkboer, stond op de stoep, en hield intussen zijn melkkar in het oog. Toen de deur openging, zag hij tot zijn teleurstelling dat ze hem weer niet contant zouden betalen.

Later op de dag was Charles de stokken van zijn tuinbonen in de voortuin aan het samenbinden, toen Beverley Threadgold langskwam, achter een oude hoge kinderwagen met haar kleine nichtje. Ze droeg een zwarte PVC minirok, witte hoge hakken en een rood bloezend jackje. Haar benen zagen blauw van de kou. Charles voelde zijn maag draaien. De stokken ontglipten aan zijn greep en vielen kletterend op de grond.

'Hulp nodig?' vroeg Beverley.

Charles knikte en Beverley kwam de tuin in en hielp hem de stokken weer bij elkaar te zoeken. Toen Charles ze in het model van een wigwam had neergezet, hield Beverley ze aan de bovenkant bij elkaar tot Charles ze met groen draad stevig had vastgebonden. Ze rook naar goedkope odeur en sigaretten, dacht Charles. Ik zou haar afstotend moeten vinden. Hij zocht naar woorden die hij haar zou kunnen zeggen. Alles was

139

goed. Hij moest het moment dat ze weg zou gaan zo lang mogelijk zien uit te stellen.

'Wanneer moeten we weer voorkomen?' vroeg hij, al wist hij terdege wanneer dat was.

'Volgende week,' zei Beverley. 'Ik zie er erg tegenop.'

Hij zag dat ze vier van haar kiezen miste. Hij wilde haar op haar mond zoenen. De zon kwam door en de gespleten uiteinden van haar haren glinsterden; hij had haar haar willen strelen. Ze stak een sigaret op en hij, een protesterend niet-roker, had haar adem wel willen inhaleren. Het was dwaasheid, maar hij vreesde dat hij verliefd was geworden op Beverley Threadgold. Dat moest het wel zijn of hij moest last hebben van een virus waardoor zijn hersenen waren aangetast – of in elk geval zijn oordeelsvermogen. Ze was niet alleen een gewone burger, ze was ook gewoon. Toen ze aanstalten maakte om verder te gaan, probeerde Charles een andere vertragingstactiek. 'Wat ziet die baby er fantastisch uit,' zei hij.

Maar baby Leslie was eigenlijk helemaal geen aantrekkelijk kind. Ze lag op haar rug boos op een grote fopspeen te zuigen en de bleekblauwe ogen die naar de hemel boven Hell Close staarden, leken oud, als van een man die door het leven teleurgesteld is. Ze wasemde een ranzig luchtje uit. Haar piepkleine kleertjes waren niet helemaal schoon. Beverley stopte een fluorescerend losgebreid dekentje rond Leslies schouders in en nam haar voet van de rem van de kinderwagen.

Charles praatte maar aan: 'Het heeft helemaal niet lang geduurd, hè, voor ons geval voorkomt?'

'Ons' – wat een kostbaar woord was dat; het hield in dat hij iets met Beverley Threadgold gemeenschappelijk had.

'Dat komt omdat het om jou gaat,' zei Beverley. 'Ze willen vast van je af.'

'Zou dat?' zei Charles.

'Tuurlijk,' zei Beverley. 'In de bak, waar je geen kwaad kan.'

'O, maar ik ga niet naar de gevangenis,' zei Charles. En hij lachte om het absurde idee. Tenslotte was hij onschuldig. En ze waren hier nog altijd in Engeland, niet in de een of andere bananenrepubliek die geregeerd werd door een despoot met een zonnebril.

'Ze willen niet dat je het land rondtrekt om ervoor te zorgen dat je mam weer op de troon komt.'

'Maar dat is het laatste wat ik zal doen,' zei Charles. 'Ik ben nog nooit zo gelukkig geweest. Op dit moment, Beverley, ben ik dolgelukkig.'

Beverley trok stevig aan de laatste millimeter van haar sigaret en gooide het smeulende filter in de goot, waar het bij vele andere kwam te liggen. Ze keek naar Charles' grijze flanellen broek en zijn blazer en zei: 'Warren Deacon verkoopt trainingspakken voor tien pond het stuk, je zou er een aan moeten trekken als je in de tuin werkt. Hij heeft ook sportschoenen en zo.'

Charles koesterde ieder woord van Beverley. Als zij hem dat adviseerde, dan zou hij op zoek gaan naar Warren Deacon, hem opsporen en naar een trainingspak vragen – wat dat er dan ook voor een mocht zijn. De baby begon te huilen en Beverley zei: 'Ta-ta toe,' en liep verder de straat door. Charles zag de blauwe aderen in haar knieholten, hij had ze wel willen likken. Hij was verliefd op Beverley Threadgold! Hij kon wel huilen en zingen, lachen en roepen. Hij keek haar na terwijl ze de afzetting passeerde; hij zag hoe ze met minachtende accuratesse naar de schoenen van inspecteur Holyland spuwde. Wat een vrouw.

Diana tikte op het raam en maakte het gebaar van drinken. Charles deed of hij niet begreep wat ze bedoelde, zodat ze naar de voordeur moest komen en vragen: 'Thee, schat?'

Charles zei geïrriteerd: 'Nee, ik ben die verdomde thee zat. Het komt me de strot uit.'

Diana zei niets, maar haar lip trilde en haar ogen vulden zich met tranen. Waarom deed hij zo lelijk tegen haar? Ze had zo haar best gedaan dit afschuwelijke huisje comfortabel te maken. Ze had geleerd om dat afgrijselijke macrobiotische eten voor hem klaar te maken. Ze probeerde de jongens in toom te houden. Ze was zelfs bereid dat dwaze paardestaartje van hem te accepteren. Maar er viel hier niets te beleven. Ze ging nooit uit. Ze kon geen batterijen voor de radio betalen, met als gevolg dat ze er geen idee van had hoe de hitparade eruitzag. Er was absoluut niets waarvoor ze zich weer eens leuk kon aankleden. Sharon had haar haar verpest. Ze moest naar een professioncle manicure en pedicure. Als ze niet uitkeek, zou ze er op den duur uitzien als Beverley Threadgold en dan zou Charles *meteen* bij haar weggaan.

'Ben je wigwams voor de jongens aan het maken?' vroeg ze toen ze naar buiten kwam en de bonestaken even aanraakte. Charles wierp haar zo'n vernietigende en verachtelijk blik toe, dat ze maar weer naar binnen ging. Ze had het huis schoongemaakt, ze had gewassen en gestreken; de jongens waren ergens buiten, ze had niets om handen. Het enige waar ze naar uit kon kijken, was Charles' terechtzitting. Ze ging naar boven en keek in haar garderobekast. Wat zou ze aandoen? Ze liep haar kleren na en zocht schoenen en een tas uit en voelde zich meteen getroost. Als klein meisje was ze dol geweest op verkleedpartijen. Ze deed de deur van de garderobekast dicht en nam zich voor haar deftige zwarte mantelpakje te bewaren voor de laatste dag van het proces – tenslotte *zou* Charles naar de gevangenis *kunnen* gaan.

Diana deed de deur van de kast weer open. Wat zou ze aandoen als ze hem in de gevangenis ging bezoeken?

24 De monteurs

Rond middernacht lag Spiggy in een plas water op de vloer van Anne. Anne was naast hem aan het dweilen. Ze droeg groene rubberlaarzen, een spijkerbroek en een geruit hemd. Haar dikke blonde haar was losgeschoten uit de klem van een haarspeld van schildpad en het viel op haar rug. Beiden waren ze nat en zagen ze er verfomfaaid uit.

Anne had haar wasmachine aangezet, was weggegaan om bij haar grootmoeder op bezoek te gaan en toen ze terugkwam stond er zo'n tien centimeter water op de vloertegels. Ze had Spiggy laten roepen.

Anne vroeg: 'Wat heb ik verkeerd gedaan?'

'Je slang is losgeschoten,' zei Spiggy, die zijn best deed om netjes te spreken. 'Dat is alles, maar je hebt het goed gedaan. Er zijn maar weinig vrouwen die een wasmachine kunnen aansluiten.'

'Dank je,' zei Anne, die ingenomen was met het compliment. 'Ik moet zien dat ik aan een eigen gereedschapskist kom.'

'Heeft je man er geeneen?' vroeg Spiggy.

'Ik ben twee jaar geleden gescheiden,' zei Anne.

'Nee toch?' zei Spiggy.

Anne was verbaasd. Iedereen in de Engels sprekende wereld wist toch wel wat er met haar aan de hand was? Anne wrong de dweil in een zinken emmer uit en vroeg: 'Lees je geen kranten, Spiggy?'

'Mooi niet,' zei Spiggy. 'Ik kan niet lezen.'

Anne zei: 'Kijk je televisie of luister je naar de radio?'

'Nee,' zei Spiggy. 'Dat kan ik niet aan mijn kop hebben.' Wat verfrissend was het om met iemand te praten die niet vooringenomen jegens haar was. Spiggy zette de slang vast, daarna schroefden ze samen de achterplaat op de wasmachine en duwden die weer op zijn plaats onder het formica aanrecht.

'Goed zo,' zei Spiggy. 'Moet er nog wat anders gerepareerd worden?'

'Nee,' zei Anne. 'Trouwens, het is al erg laat.' Spiggy sloeg geen acht op die opmerking. Hij ging aan de kleine keukentafel zitten.

'Ik ben gescheiden van mijn vrouw,' zei hij, opeens kreeg hij met zichzelf te doen. 'Misschien kunnen we op een avond eens op de club een borreltje gaan drinken, een paar potjes biljarten?'

Spiggy sloeg zijn arm om Annes schouder, maar het was geen sexueel gebaar. Het was een kameraadschappelijk gebaar van de ene gescheiden wasmachinemonteur jegens de andere. Anne dacht over zijn voorstel na en Spiggy stelde zich al voor hoe hij de Arbeidersclub zou komen binnenstappen met prinses Anne aan zijn arm. Dat zou zijn maten leren de spot te drijven met zijn lengte en figuur. Veel vrouwen waren gesteld op korte, dikke mannen. Kijk maar naar Bob Hoskins; hij had het 'm toch maar geleverd.

Anne schoof onder Spiggy's arm uit, die wel een dolfijn leek, en schonk zijn glas weer vol met Carlsberg. Ze keek even in de spiegel naar zichzelf. Zou ze haar haar laten knippen? Ze had al jaren hetzelfde model. Werd het geen tijd voor verandering? Vooral nu, nu ze op een absoluut dieptepunt was gekomen: een alleenstaande moeder, die in een gemeentewoning zat en die om middernacht door een kleine dikke man het hof werd gemaakt.

'Ja, waarom niet, Spiggs?' zei ze tot haar eigen verbazing. 'Ik zal zien dat ik een oppas krijg.' Spiggy kon nauwelijks geloven dat hij zoveel geluk had. Hij zou een film voor zijn camera kopen en een van zijn maten vragen een foto van hem en prinses Anne te maken, terwijl ze feestelijk zaten te klinken. Hij zou de foto laten inlijsten en een afdruk aan zijn moeder geven. Eindelijk zou ze trots op hem kunnen zijn. Hij zou een nieuw overhemd kopen, een stropdas had hij nog wel ergens. Hij zou niet de vergissing begaan die hij bij de meeste vrouwen maakte: al bij de eerste afspraak een uitval doen naar de bandjes van haar bh, haar in de auto zijn cassette met vieze moppen laten horen. Bij haar zou hij het kalmpjes aan doen. Zij was een dame.

Met tegenzin kwam hij overeind. Hij trok het kruis van zijn overall recht. Hij had een bestelwagen aangeschaft. Die stond buiten langs het trottoir. Een amateur-reclameschilder had op de zijkant 'L.A. SPIGGS, EERSTEKLAS STOFEERDER' geschreven. De vorige eigenaar was British Telecom geweest, dat stond op het registratiebewijs. Dat was het enige wettelijke document dat hij in zijn bezit had. Hij had geen rijbewijs, verzekerings- of wegenbelastingpapieren. Hij waagde het er liever maar op en trouwens, waar moest hij het geld vandaan halen? Ik bedoel, na wat hij voor de bestelwagen had moeten schokken? Wettelijke verplichtingen waren duur, net als de benzine.

'Goed, dan ga ik maar,' zei Spiggy. 'Ik moest maar eens aan mijn schoonheidsslaapje beginnen.'

Vrouwen hadden graag dat je ze aan het lachen maakte, had hij gehoord. Anne liep met hem naar de deur en gaf hem op de stoep een hand. Ze moest zich daarvoor enigszins bukken. Maar Spiggy voelde zich wel drie meter lang toen hij de deur van zijn kleine gele bestelwagen dichtsloeg en met een knallende uitlaat Hell Close uitreed. Anne vroeg zich af of ze Spiggy had moeten vertellen dat 'stoffeerder' met twee f's werd gespeld.

Prins Philip werd wakker van het lawaai van Spiggy's busje en begon te jammeren. De koningin sloeg haar armen om hem heen. Ze zou morgen de dokter laten komen.

25 Terneer liggen

Op zondagmorgen pakte dokter Potter, een jonge Australische, die problemen had met de opvang van haar kinderen, Philips beide handen.

'Voelt u zich beroerd, meneer Mountbatten? Een beetje neerslachtig?'

De koningin wachtte nerveus aan het voeteneind van het bed. Ze hoopte maar dat Philip niet grof zou worden. Hij had in het verleden al zoveel vervelende incidenten veroorzaakt.

'Natuurlijk voel ik me neerslachtig. Ik lig, verdomme!' blafte Philip en trok zijn handen terug.

'Maar u ligt nu al – hoe lang is het…?'

De koningin antwoordde: 'Weken.' De dokter keek eens naar de titels van de boeken op het tafeltje naast het bed. *Prins Philip spreekt, Humor van prins Philip, Meer humor van prins Philip, Wedstrijden met vierspannen.* Ze zei: 'Ik wist niet dat u boeken schreef, meneer Mountbatten?'

'Ik deed een heleboel dingen, voordat die verdomde Barker mijn leven ruïneerde,' antwoordde hij.

Dokter Potter onderzocht Philips ogen, keel, tong en vingernagels. Ze luisterde naar zijn longen en zijn hartslag. Ze liet hem op de rand van het bed zitten en testte zijn reflexen door met een glimmend hamertje op zijn knieën te tikken. Ze nam zijn bloeddruk op. De koningin hield haar man vast toen er bloed uit een ader aan de binnenzijde van zijn linkerelleboog werd afgenomen. De dokter gebruikte een druppel om zijn bloedsuikerspiegel te meten.

'Normaal,' zei ze, en gooide het teststrookje in de prullenmand.

'Mag ik u vragen of u al een diagnose kunt stellen, dokter?' vroeg de koningin.

'Het zou klinische depressie kunnen zijn,' zei de dokter. 'Tenzij hij alleen maar doet of hij ziek is. Mag ik even uw schaamstreek zien, meneer Mountbatten,' zei ze, waarbij ze probeerde het koord van zijn pyjamabroek los te maken.

Prins Philip riep: 'Donder op.'

'Mag ik u dan een paar vragen stellen?' zei ze.

'Ik kan al uw vragen beantwoorden,' zei de koningin.

'Ja, maar ik moet weten of zijn geheugen niet in de war is. Wanneer ben je geboren, Phil,' zei ze opgewekt.

'10 Juni 1921 op Mon Repos, Korfoe,' antwoordde hij automatisch, of hij voor de krijgsraad stond.

De dokter schoot in de lach: 'Mon Repos? Je houdt me voor de gek. Dat is toch het adres van Edna Everage?'

'Nee,' zei de koningin, die haar lippen op elkaar klemde. 'Hij heeft volkomen gelijk. Hij werd geboren in een huis dat Mon Repos heette.'

'De naam van je moeder, Phil?'

'Prinses Alice von Battenberg.'

'En je vader?'

'Prins Andreas van Griekenland.'

'Broers en zussen?'

'Vier zusters. Margarita, getrouwd met prins Gottfried van Hohenlohe-Langenburg, officier in het Duitse leger. Sophie, getrouwd met prins Christopher van Hessen, piloot bij de Luftwaffe...'

'Dat zijn wel genoeg zusters, schat,' onderbrak de koningin hem. Er kwamen nu te veel zwarte familiegeschiedenissen op de proppen – genoeg om er een musical van Busby Berkeley mee te vullen.

'Nou, hij is compos mentis,' zei de dokter, die in haar receptenboek begon te schrijven. 'Probeert u deze kalmerende tabletten eens. Ik kom vanavond terug, om wat urine op te halen. Ik moet nu door, ik heb een lijst die langer is dan de staart van een kangoeroe.'

Toen ze beneden aan de trap waren, zei de dokter: 'Probeert u hem te wassen en te verschonen. Hij stinkt nog erger dan het hol van een zieke dingo.'

De koningin zei ze haar best zou doen, maar de laatste keer dat ze het had geprobeerd, had hij de natte spons door de kamer gegooid. De dokter schoot in de lach: 'Grappig, hoe de dingen kunnen lopen. Ik ben opgegaan voor de Hertog van Edinburgh-prijs. Kreeg een gouden medaille. De laatste keer dat ik uw man heb gezien, was in Adelaide. Hij droeg toen een vlot kostuum en had een halve ton pancake make-up op zijn gezicht.' Dokter Potter haastte zich de straat over. Ze moest nog bij een ander huis in Hell Close zijn. Bij armoede had het menselijk lichaam het hard te verduren.

26 The show must go on

Harris rouwde. King, zijn leider, was gestorven onder de wielen van een vrachtauto die een zending noedels kwam afleveren bij de leveranciersingang aan de achterkant van Food-U-R. Harris had nog geblaft om hem te waarschuwen, maar het was te laat geweest.

Victor Berryman had een stuk jute over King heen gespreid en had hem in een lege doos van Walker chips gelegd. Daarna was hij naar het huis gegaan van degene die in naam de eigenaar van King was, Mandy Carter, en had haar het nieuws verteld. Mandy, die King maar zelden te eten had gegeven en hem dikwijls niet in zijn eigen huis had toegelaten, zat te snikken bij het lijk van haar hond. Harris sloeg haar cynisch gade. Arme King, dacht hij, hij had niet eens een halsband. Hij had niets, zelfs geen etensbak, dat hij zijn eigendom kon noemen.

Mandy had bij Victor Berryman de gemeente gebeld en ze waren met een grijs busje gekomen, hadden King in een zak gedaan, de zak achter in het busje gegooid en waren weggereden. De troep was nog een paar honderd meter achter het busje aan blijven rennen, maar had het tenslotte opgegeven en ze waren naar huis teruggegaan.

Harris was naar Hell Close terug gesukkeld en was onder de tafel in de gang gekropen. Hij had zijn eten geweigerd (een lekkere ossestaartsoep); de koningin had zich daar wat zorgen over gemaakt, maar niet lang, merkte hij. Zoals gewoonlijk had ze het te druk om haar hond de nodige aandacht te schenken.

Na een kort slaapje blafte Harris dat hij naar buiten wou en hij holde door de achtertuinen van Hell Close tot hij bij Charles' bewerkte stuk was. Harris trapte de composthoop alle kanten uit en rende daarna door de keurige zaaivoren die Charles pas de dag tevoren zo ijverig had aangelegd. Hij rustte even, sprong toen op en trok Diana's witte spijkerbroek van de waslijn, zat een roodborstje achterna en rende weg om Kylie zoeken en die sexueel te belagen, maar ze deed net of ze daar niet

van wou weten. Als King hem één ding had geleerd, dan was het wel dat je gehard moest zijn om in Hell Close te kunnen overleven. En nu King dood was, wilde Harris hond nummer één worden.
De koning is dood. Lang leve de koning, dacht Harris.

Op maandagmorgen kwam er met de tweede postbestelling een luchtpostbrief.

Artiesteningang
Koninklijke Schouwburg
Dunfermline Bay
South Island
Nieuw Zeeland

Liefste mammie,
Ik kon nauwelijks mijn oren geloven toen ik hoorde hoe de verkiezingen waren afgelopen. Is het niet te *smerig*, nu u naar een buurt met gemeentewoningen bent verhuisd?
Ik zei tegen Craig, de regisseur: 'Ik moet naar huis, mama heeft hulp nodig.' Maar Craig zei: 'Eddy, denk eens goed na, wat kun jij *doen*?'
En ik heb nagedacht en, zoals gewoonlijk, had Craig natuurlijk gelijk. Het zou buitengewoon onprofessioneel zijn om een show halverwege een tournee in de steek te laten, vindt u ook niet?
Schapen! doet het erg goed. Veel stoelen bezet. Het *is* ook echt een goede show. En het is zo'n briljante bezetting, mammie. Echte artiesten. De schapekostuums zijn verschrikkelijk warm om te dragen, laat staan om er in te zingen en te dansen, maar ik heb nooit ook maar één klacht van iemand in het gezelschap gehoord.
Nieuw-Zeeland is een beetje saai en loopt een tikkeltje achter. Ik zag gisteren een bruidspaar uit de kerk komen en de bruidegom had een broek met van die wijd uitlopende pijpen aan en zo'n brede, opzichtige stropdas. Het was om te gillen.
Craig is een beetje depressief geweest, maar als het regent is hij nooit op zijn best. Hij moet de zon op zijn lijf hebben om zich *goed* in zijn vel te voelen.

Gisteravond gebeurde er iets enorm grappigs: een van de hoofdrollen – Jenny Love – had tijdens haar grote nummer voor de finale van het eerste bedrijf, 'Praat niet zo wollig', haar schapemasker verloren. Ze versjteerde heel de boel en kon maar nauwelijks een woord blaten. Nou, Craig en ik waren op het toneel, maar het publiek scheen het niet eens te merken dat Jenny haar masker niet voor had. Om eerlijk te zijn: Jenny ziet er nogal schaapachtig uit.

Volgende week vertrekken we naar Australië. De voorverkoop is erg goed. Ik wou dat u *Schapen!* kon zien. De melodieën zijn leuk en het dansen is geweldig. We hebben wat problemen gehad met de schrijfster, Verity Lawson. Zij en Craig hadden een ernstig artistiek meningsverschil over de slachtscène. Verity wilde dat er op de achtergrond van het toneel een dood schaap aan een haak zou worden neergelaten en Craig wou dat de Ram (gespeeld door Marcus Lavender van *The Bill*) een dodendans zou doen. Uiteindelijk kreeg Craig zijn zin, maar pas nadat Verity de Vakbond van Schrijvers had ingeschakeld en de sfeer over het algemeen nogal onaangenaam was geworden. Nou, ik houd op met dit gebabbel over het toneel, ik stuur u een honkbalpetje van *Schapen!* en ook een programma. Zoals u bij 'Tournee manager' zult zien, heb ik mijn naam veranderd in Ed Windmount. Zo ziet u maar weer, altijd erop bedacht om de lieve vrede te bewaren.

Veel liefs van Ed

P.S. Ik heb een rare brief van oma gekregen, waarin ze me schreef dat ik verheugd moest zijn omdat de Mount Everest was bedwongen!

27 De koningin en ik

D e koningin zag de stomme tiener op straat toen ze het hekje
van Violet Toby open wilde doen. Hij droeg een honkbal-
pet met de letter 'E' aan de voorkant. De koningin dacht dat die
'E' Europa moest betekenen of misschien 'Elton', de populaire
zanger. Ze vroeg hem naar Leslie, zijn kleine halfzusje.

'Ze gilt de hele nacht,' zei hij en de koningin zag dat hij zwarte
kringen onder zijn ogen had. 'Ze is onuitstaanbaar,' voegde hij
eraan toe.

De koningin vond het wel een beetje hardvochtig om een
baby onuitstaanbaar te noemen. 'Is dat haar speen?' vroeg ze,
wijzend naar de grote rubberen speen die hij aan een lint om zijn
nek had hangen.

'Nee, die is van mij,' zei hij.

'Ben je niet een beetje oud voor een speen?' vroeg de koningin
verbaasd.

'Nee, dat is mijn zaak,' zei de stomme tiener en hij haalde een
neuscrème uit de wijde plooien van zijn broek, duwde het in zijn
neusgaten en smeerde het over zijn gezicht uit, terwijl de koningin verbaasd toekeek. 'Heb je misschien sinusitis?' vroeg de
koningin. 'Nee,' zei de stomme tiener. 'Daar krijg ik een kick
van.'

Toen hij op zijn speen sabbelend wegliep, waarschuwde de
koningin: 'De veters van je schoenen zijn los.'

De stomme tiener riep terug: 'Dat zijn geen schoenen, het zijn
sneakers. Alleen klojo's maken hun veters nog vast.'

De koningin ging bij Violet Toby aan en de twee vrouwen
liepen al pratend over de laatste crisis in Violets familie naar de
bushalte. Het was een triest verhaal, vol huwelijksproblemen,
overspel en gebroken botten. Toen ze op de bus stapten, mop-
perden ze allebei over de prijs van het kaartje.

'Zestig rottige pence,' zei Violet.

Een half uur later waren ze op de reusachtige overdekte
markt, waar ze groenten en fruit van de met keien geplaveide
vloer raapten en die in hun boodschappentas deden.

'Puur als regenwater, wanneer ze gewassen zijn,' zei Violet, terwijl ze een paar grote peren bekeek, die maar een beetje gerimpeld waren.

Ze waren omringd door schreeuwende marktkooplui die hun kramen aan het leegruimen waren. Dure busjes van buitenlands fabrikaat stonden met draaiende motoren bij de stoep te wachten. Parkeercontroleurs snuffelden rond als dikke katten tegen etenstijd. De armen zochten alles af voor de ploegen van de gemeentereiniging kwamen. De koningin bukte zich om bruingespikkelde moesappels op te rapen die rond het deksel van een rioolput lagen en ze dacht: wat *doe* ik eigenlijk. Ik zou wel in Calcutta kunnen zijn. Ze raapte de appels op en liet ze in haar tas vallen.

Toen Violet en de koningin in de bus stapten, hadden ze hun zestig pence voor de chauffeur in hun hand, maar hij zei: 'We hebben nu één vaste prijs van vijftien pence, ongeacht waar u naartoe wil.'

'Sinds wanneer?' vroeg Violet ongelovig.

'Sinds meneer Barker dat een uur geleden bekend heeft gemaakt,' zei de chauffeur.

'Goed werk van meneer Barker,' zei de koningin en stopte de onverwachte meevaller van vijfenveertig pence in haar portemonnee.

De chauffeur zei: 'Dus dat wordt tweemaal vijftien pence, hè?'

'Ja,' zei Violet, die dertig pence in het zwarte bakje naast de kaartjesautomaat gooide. 'Voor de koningin en ik.'

28 De deur uit

Op maandagavond zat de koningin beneden in Annes
huiskamer met Spiggy over schroot te praten. Anne
was zich boven aan het gereedmaken om naar de Arbeidersclub te gaan en haar moeder was gekomen om op te passen.
Spiggy was op zijn best gekleed, een nieuw wit overhemd,
een das met een patroon van paardehoofden en een zwarte
crimplene broek, opgehouden door een brede leren riem met
als gesp een leeuwekop. Zijn cowboylaarzen hadden nieuwe
zolen en hakken. Eerder had hij Anne een enkele rode plastic
roos in een lange cellofaan huls aangeboden De roos stond
nu, naar rechts overhangend, in een glazen vaas van Lalique
op Annes bijzettafel.

Spiggy had enorm zijn best gedaan op zijn toilet. Hij had
met zijn pennemes het vuil onder zijn nagels weggehaald. Hij
had een nieuwe batterij voor zijn scheerapparaat gekocht. Hij
was naar zijn moeder gegaan om een bad te nemen en had zijn
lange, tot op de schouders hangende haar gewassen en ge-
spoeld. Hij was naar een drogist gegaan om een fles aftershave,
'Young Turk', te kopen en hij had dat rond zijn oksels en liezen
gesprenkeld. Met zorg had hij zijn sieraden uitgezocht, hij
wou er niet te opzichtig uitzien. Hij besloot één dikke gouden
ketting om zijn hals te doen, de chromen identiteitsarmband
om zijn linkerpols en verder alleen de drie ringen aan te doen.
De zware met de doodskop en gekruiste beenderen, de zegel-
ring met de robijn en die met de gouden soeverein.

Anne had zich zorgvuldig gekleed in een A-line japon die
haar figuur verborg en ze had platte schoenen aan. Ze wilde bij
Spiggy niet de indruk wekken dat hun vriendschap een sexuele
affaire zou worden. Spiggy was haar type niet; ze gaf de voorkeur aan donkere, slanke mannen die er verfijnd uitzagen.
Spiggy's ongeremde, mannelijke gedrag maakte haar een
beetje bevreesd. Anne moest het gevoel hebben dat zij de
touwtjes in handen had.

De koningin liep met ze naar de deur en keek toe terwijl ze in het busje stapten. Ze dacht: als Philip wist van het afspraakje van zijn enige dochter, zou dat zijn *dood* betekenen. Ze zette de televisie aan en keek naar het nieuws. Volgens de BBC stond het land een opwindende verjonging te wachten. Alle mogelijke dingen zouden veranderen. Het gas en de elektriciteit zouden goedkoper worden en de rivieren schoner. De Trident zou worden geannuleerd. Er zou nog maar een maximum van twintig schoolkinderen per klas zijn. Er zou meer geld komen voor schoolboeken en er zouden meer artsen worden opgeleid. Er konden nieuwe technische scholen geopend worden. De sociale dienst zou verdubbeld worden. Dat giro's te laat of helemaal niet arriveerden, zou klaarblijkelijk tot het verleden behoren.

De koningin keek naar de filmfragmenten die werkloze bouwvakkers toonden, die in drommen voor de aanmeldingsbureaus stonden voor wat door de industrieel redacteur van de BBC werd genoemd 'Het grootste huizenbouw- en vernieuwingsprogramma dat ooit door de overheid in het land is opgezet'.

Vochtige, koude huizen zouden alleen nog in de herinnering bestaan. De medisch redacteur bevestigde dat de besparingen die het gevolg zouden zijn van het terugdringen van ziekten die met vochtigheid samenhingen (bronchitis, longontsteking, sommige vormen van astma), de Nationale Gezondheidsdienst een fortuin zouden opleveren. Toen nam de buitendienst het over en liet Jack Barker zien, die op de stoep van Downing Street nummer 10 stond te zwaaien met het document waarin al deze wonderbaarlijke veranderingen aangekondigd werden. De close-up liet zien dat het opschrift ervan luidde: 'Het Brittannië van het volk.' Rond de koningsblauwe belettering van de titel op de brochure stonden extatisch glimlachende gezichten van vele etnische geledingen afgebeeld.

Uit een andere camerahoek zag men de hekken aan het eind van Downing Street. Van onder af opgenomen leken die hekken de opdringende mensenmassa's die erachter stonden in het niet te doen verzinken. Jack kwam naar een microfoon toe die voor nummer 10 stond.

'Deze regering komt haar beloften na. We hebben beloofd dit jaar een half miljoen huizen te bouwen en we hebben al honderdduizend bouwvakkers werk bezorgd. Voor de eerste keer in jaren leven ze niet meer van een uitkering.'

De menigte joelde, floot en stampte met de voeten.

'We hebben beloofd de prijs van het openbaar vervoer te verlagen en dat hebben we gedaan.'

Opnieuw liet de menigte zich luidruchtig horen. Velen van hen hadden hun auto thuisgelaten en waren per trein, ondergrondse en bus gekomen.

Jack vervolgde: 'We hebben beloofd de monarchie af te schaffen en dat hebben we gedaan. We hebben de parasieten uit Buckingham Palace verdreven.' Een nieuw shot liet zien hoe het volk achter de afscheiding luider dan ooit juichte. Hoeden werden letterlijk in de lucht gegooid.

De koningin bewoog zich onrustig in haar stoel, ze raakte van streek door het enthousiasme waarmee haar vroegere onderdanen deze prestatie in het bijzonder begroetten.

Toen de toejuichingen waren weggestorven, ging Jack geestdriftig verder: 'We hebben u beloofd dat de regering meer openheid zou nastreven en we zullen dat ook doen. Laten we daarom nu samen de afsluiting wegnemen, die de regering gescheiden houdt van haar volk. Weg met de barrières.'

En Jack verliet de microfoon en in de toenemende duisternis liep hij Downing Street door, de menigte tegemoet. 'Jerusalem' schalde uit vooraf geïnstalleerde luidsprekers, en uit een geparkeerd busje stapten mannen en vrouwen in brandwerende overalls en met laskappen voor. De menigte trok zich terug toen de mannen en vrouwen hun lasbranders aanstaken en de spijlen van de hekken begonnen door te branden. Jack kreeg een kap en een lasapparaat overhandigd en begon zijn eigen gedeelte door te branden. De reportagedienst ging door met filmen, ook al was de duisternis gevallen en bestond de enige verlichting in Downing Street uit de blauwe vlammen van de snijbranders.

Met stijgende opwinding volgde de koningin de verlengde nieuwsuitzending. Ze kreeg ook bewondering voor Jacks gevoel voor drama en zijn duidelijk inzicht in public relations. Was er maar ooit eens iemand met de bekwaamheden van iemand als Jack op de persdienst van Buckingham Palace geweest op wie *zij* een beroep had kunnen doen...

Toen de hekken in een dramatisch gesynchroniseerde handeling op de straat vielen, werden ze door de mensenmassa onder de voet gelopen; ze stormden Downing Street in, terwijl ze Jack met zich meetrokken en bij de deur van nummer 10 gingen staan. Vuurwerk spatte boven hun hoofden uiteen en op de gezichten die zich naar de hemel keerden, verschenen uitdrukkingen van geluk en hoop.

Evenals de burgers in die menigte en degenen die thuis toekeken, hoopte de koningin vurig dat Jacks duur klinkende plannen voor Engeland in vervulling zouden gaan. Er was een vochtplek op de muur van haar slaapkamer die iedere dag groter werd; haar giro kwam nooit op tijd; en was het wel goed dat er negenendertig leerlingen in Williams klas zaten en dat er nooit voldoende boeken waren?

De discussie in de studio, die na het nieuws volgde, concentreerde zich op de jaren onder Thatcher. De koningin vond dat te deprimerend om naar te kijken en ze schakelde over en volgde John Wayne die in het Amerikaanse Midwesten de zwakken tegen de machtigen verdedigde. Ze vroeg zich af of ze langs zou gaan bij de familie Christmas, de buren, waar Zara en Peter zich met Desert Storm, het nieuwste Sega-spelletje, amuseerden, maar ze besloot ze daar te laten. Ze keek graag in haar eentje naar cowboyfilms zonder dat ze daarbij werd gestoord.

Toen Peter en Zara thuiskwamen, zagen ze dat hun grootmoeder in haar stoel zat te slapen. Ze zetten de televisie uit, deden zachtjes de deur van de huiskamer dicht en gingen eigener beweging naar bed.

29 De aarde

Inspecteur Holyland had dienst toen de Amerikaanse televisieploeg bij de afsluiting van Hell Close arriveerde. De ploeg bestond uit een camerapersoon, die Randy Fox heette, een individu van onbepaald geslacht met kortgeknipt haar, dat een blauwe spijkerbroek, Nike joggingschoenen, wit T-shirt en een zwartleren jasje aan had. Randy had geen make-up gebruikt, maar je kon wel zien dat ze borsten had. De presentator was een jong opgewonden standje in een roze jurk, dat Mary Jane Wokulski heette. Haar gouden haar waaide als een wimpel in de wind. De geluidsman, Bruno O'Flynn, hield zijn microfoon hoog boven het hoofd van de inspecteur. Hij haatte Engeland en kon niet begrijpen waarom er ook maar iemand bleef. Christene zielen, moest je die straat en die mensen eens zien, het leek wel of ze allemaal op sterven na dood waren. De regisseur kwam naar voren. Het was voorschrift bij de maatschappij dat hij, wanneer hij in Engeland werkte, een kostuum, overhemd en das zou dragen. De deuren zouden voor hem opengaan, was hem gezegd.

Hij zei tegen de inspecteur: 'Hallo, we zijn van NTV en we zouden graag de koningin van Engeland interviewen. Ik heb gehoord dat we ons hier eerst moeten melden. Mijn naam is Tom Dix.'

Holyland keek naar het identiteitsbewijs dat Dix aan zijn marineblauwe krijtstreep kostuum had hangen. 'Er woont niemand in Hellebore Close die koningin van Engeland heet.'

'Toe, kom op, man,' zei Tom glimlachend. 'We weten dat ze hier is.' Mary maakte zich op voor de camera, ze accentueerde haar lippen met een zwart potlood en borstelde enkele gouden haren van haar hardroze schouders. Randy mopperde over het licht en hees de camera op haar schouder tegen haar hals.

Inspecteur Holyland, die zich zeker voelde in de wetenschap dat hij een gloednieuwe wet van het parlement achter zich had en dat er een bus met agenten om de hoek van de straat in

Larkspur Avenue geparkeerd stond, ging verder: 'Volgens de wet, betreffende vroegere koninklijke personen, sectie negen, paragraaf vijf, is fotograferen, interviewen en filmen met de bedoeling die genoemde activiteiten via de schrijvende pers of via radio en televisie te vermenigvuldigen, verboden.'

Randy snauwde: 'Die vent praat of hij een warme worst in zijn kont heeft.'

Tom glimlachte nog breder naar Holyland. 'Goed, vandaag dan geen interview, maar hoe staat het met het filmen van de buitenkant van haar huis?'

'Mijn baan is me liever,' zei Holyland. 'Nou gaat u weg, als het u om het even is, u vormt een obstakel.'

Wilf Toby probeerde de afsluiting te passeren. Hij kwam terug van een vergeefse poging een gestolen accu te verkopen. Hij vervoerde die accu in het karkas van een kinderwagen. Wilf boog zich over de wagen – hij leek een wanstaltig kindermeisje. Hij had niet goed geslapen, hij had van de koningin gedroomd. Het waren onrustige, erotische dromen geweest. Hij was verscheidene keren wakker geworden en schaamde zich over zichzelf. Hij zou graag van Diana gedroomd hebben, maar om een of andere reden was het altijd weer de koningin die in dromenland zijn bed deelde.

Hij verwachtte half en half dat inspecteur Holyland hem wegens zijn nachtelijke gerotzooi zou arresteren en hij wou het liefst de afzetting zo gauw mogelijk passeren en naar huis gaan om de accu in de schuur te zetten.

Mary Jane ging naar Wilf: 'Mag ik weten hoe u heet, meneer?' zei ze op overdreven toon.

'Wilf Toby.'

'Hoe is het om de koninklijke familie als buren te hebben?'

'Ja, weet u, het is net, nou ja, ze zijn…'

'Net als u en ik?' opperde Mary Jane.

'Nou nee, ik zou niet bepaald zeggen als u en ik,' zei Wilf.

'Heel gewone mensen?' hielp Mary Jane hem. Maar Wilf stond daar met open mond naar het oog van de camera te staren. Er gebeurden twee verbazingwekkende dingen met hem: hij stond daar te praten met een knappe Amerikaanse, die gretig naar hem luisterde, en hij werd ondertussen gefilmd. Hij wou dat hij zich had geschoren en zijn beste broek aan had.

159

Mary Jane trok een enigszins bedenkelijk gezicht, om de kijker thuis te laten zien dat ze op het punt stond aan een aantal ernstige politieke vragen te beginnen.

'Ben je socialist, Wilf?' vroeg ze.

Socialist? Wilf schrok. Het woord had te maken gekregen met dingen die Wilf niet begreep of waar hij geen ervaring mee had. Zoals vegetarisme, verraad en rechten van vrouwen.

'Nee, nee, ik ben geen *socialist*,' zei Wilf. 'Ik stem Labour, om zo te zeggen dan.'

'Je bent dus geen revolutionair,' hield Mary Jane aan.

Wat vroeg ze nu, dacht Wilf. Het zweet brak hem uit. Revolutionairen waren toch lui die vliegtuigen opbliezen?

'Nee, ik ben geen *revolutionair*,' zei Wilf. 'Ik ben nog nooit niet op een vliegveld geweest en al helemaal niet in een vliegtuig.'

Tom Dix kreunde en verborg zijn gezicht in zijn handen.

'Maar je *bent* republikein, nietwaar, Wilf?' zei Mary Jane triomfantelijk.

'Een publi-uh, wat bedoel-u?' zei Wilf, die er niets van begreep. 'Ik zou het niet weten, ik ben werkeloos.'

Bruno begon te grinniken en zette de band af. 'Die vent heeft de hersens van een *slak*. Wil je doorgaan?' Tom Dix knikte.

Mary Jane lachte weer gedwongen. 'Wilf, hoe reageert de koningin op haar nieuwe bestaan?'

Wilf schraapte zijn keel. Er lag hem een massa clichés op zijn lippen. 'Nou, ze is niet in de wolken, maar ook niet in de put, als u begrijpt wat ik bedoel. Ze zit er zo'n beetje tussenin.'

Tom Dix riep: 'Stop.'

Hij keerde zich woedend naar Mary Jane. 'Kunnen we alsjeblieft weer naar de *aarde* terug? Jeeezus.'

Mary Jane zei: 'Kan ik het helpen als de vent een beetje aan de slome kant is. Het is hier net zo'n situatie als in *Van muizen en mensen*, Tom. Dit is Lenny, met wie ik aan het praten ben. Niet met Tolstoj.'

Wilf stond daar maar. Zou hij weggaan of blijven? Tot zijn grote opluchting zag hij Violet haastig naar de afzetting komen. Hij was blij toe dat hij zijn positie als geïnterviewde kon verlaten en duwde zijn accu naar huis. Hij had alle vertrouwen in zijn vrouw.

160

Op een teken van inspecteur Holyland kwam de bus vol agenten langzaam om de hoek heen en reed naar de afzetting. De politiemensen aan boord aten overhaast de chips op en slokten de Coca-Cola naar binnen, die ze pas enkele minuten geleden hadden gekregen. Ze keken verlangend door de ruiten naar buiten, in de hoop dat er actie zou komen. Wat ze zagen was Mary Jane die pogingen deed Violet Toby te interviewen, inspecteur Holyland die de twee vrouwen uit elkaar probeerde te duwen en een gefrustreerde televisieploeg die in de weer was om een interview op te nemen.

De hoofdinspecteur die met de leiding over de agenten was belast, beval ze hun helmen op te zetten en 'op ordelijke wijze de bus te verlaten'. Dat deden ze. Binnen de minuut waren de Amerikanen en Violet Toby omsingeld door een blauwe kring van beleefde Engelse politieagenten. Inspecteur Holyland haalde Violet eruit en beval haar naar huis te gaan. Toen werden de Amerikanen naar hun voertuig gebracht en ze kregen de waarschuwing dat als ze nog een keer de 'code voor de afgezette zone' overtraden, ze gearresteerd zouden worden.

Tom Dix protesteerde: 'Hè, in *Moskou* krijg ik een betere ontvangst dan hier. Ik en Boris Jeltsin hebben samen een fles Jim Beam achterovergeslagen.'

Inspecteur Holyland zei: 'Erg plezierig voor u, meneer, dat zal best. Nou, als u het niet erg vindt, wilt u dan in uw voertuig stappen en de wijk Flowers Estate verlaten...'

Toen hun Range Rover snel van de afzetting wegreed, riep Randy: 'Jullie *moeders*.' En na die kreet stond een hele drom politiemannen zich op het hoofd te krabben.

'*Moeder?*' Wat was dat nou weer voor een belediging?

De koningin-moeder keek uit haar bovenraam. Goed, de lawaaierige Amerikanen waren weg. Misschien kon ze nu naar de winkels.

30 Vertrouwelijkheden

Trish McPherson reed met haar opzichtige kleine Citroën langs de afsluiting Hell Close binnen. Ze moest drie cliënten bezoeken. Ze had haast, want die middag was er op de sociale dienst een bespreking voor een bijzonder geval: de Threadgolds wilden Lisa-Marie en Vernon terug. Ze hadden gehoord dat beide kinderen tijdens het verblijf bij hun pleegouders, die aardige meneer en mevrouw Duncan, verscheidene botbreuken hadden opgelopen.

Trish zag erg op tegen die gesprekken over de Threadgolds. Beverley en Tony begonnen altijd te huilen en op dramatische wijze hun onschuld te betuigen. Trish wilde best aannemen dat ze hun kinderen nooit kwaad hadden gedaan, maar je mocht ook amper verwachten dat ze dat zouden erkennen. En Tony had een strafblad wegens geweldpleging, waar of niet? Daar stond het in het dossier: een zestienjarige inbreker ernstig lichamelijk letsel toegebracht; strafbaar geweld jegens de uitsmijter van een nachtclub; beledigende taal tegen een agent van politie.

En dan had je Beverley. Tijdens de besprekingen gedroeg ze zich verschrikkelijk: schreeuwen, gillen en een keer was ze opgestaan om Trish met gebalde vuist te bedreigen. Het was duidelijk dat het echtpaar labiel was. De kinderen waren zeker beter af bij meneer en mevrouw Duncan, die een zandbak in de tuin hadden en een complete bibliotheek van Ladybirdboekjes.

Trish stopte voor het huis van de koningin. Ze gooide een geruite plaid over haar uitpuilende aktentas die op de achterbank lag. Ze wilde haar cliënten er liever niet aan herinneren dat ze nog meer cliënten had en een aktentas zag er meteen zo *officieel* uit. Het intimideerde ze; iemand die in Hell Close woonde nam geen tas mee naar zijn werk. Eigenlijk *ging* amper iemand die in Hell Close woonde naar zijn werk. Trish wekte graag bij iedere cliënt de indruk dat ze toevallig in de buurt was en binnenstapte om een praatje te maken.

De koningin zag door het voorraam hoe Trish de stereo uit

het dashboard van de Citroën haalde en in haar omvangrijke plunjezak deed (naar het uiterlijk te oordelen, gemaakt van de overtollige deken van een kameel, dacht de koningin, die Jaipur had bezocht en daar door tweehonderd kamelen was begeleid – de lucht alleen al). De koningin hoopte dat Trish op een ander adres moest zijn, maar nee, daar deed ze haar hekje open. Wat vervelend nou toch.

Vijf minuten later zaten de koningin en Trish aan weerszijden van de gashaard, die niet brandde, Earl Grey-thee te drinken. Trish had de theezakjes meegebracht; ze roken vaag naar kamelen, dacht de koningin, terwijl ze wachtte tot het water kookte.

'En hoe staat het ermee?' vroeg Trish op een toon die uitnodigde tot vertrouwelijkheden.

'Eigenlijk is het nogal afschuwelijk,' zei de koningin. 'Ik heb geen geld; de telefoondienst dreigt me af te sluiten; mijn moeder denkt dat ze in 1953 leeft; mijn man hongert zich dood; mijn dochter is een affaire begonnen met mijn stoffeerder; mijn zoon moet donderdag voor de rechter verschijnen; en mijn hond heeft vlooien en wordt een vandaal.'

Trish trok haar sokken op en haar legging omlaag. Ze was allergisch voor vlooiebeten, maar het was het risico van haar beroep. Vlooien hoorden bij het werk. Harris lag zich in de hoek te krabben en keek hoe de twee vrouwen de sierlijke theekopjes naar de lippen brachten.

Trish keek de koningin recht in de ogen (het was belangrijk om oogcontact te bewaren) en zei: 'En ik neem aan dat u last hebt van een gebrek aan zelfrespect. Ik bedoel maar, u bent helemaal aan de top geweest, hè?' Trish stak één arm in de hoogte. 'En nu bent u helemaal beneden.' Trish liet haar arm abrupt zakken alsof die het mes van een guillotine was. 'U moet weer helemaal opnieuw tot uzelf zien te komen. Een nieuwe lifestyle zien te vinden.'

'Ik denk niet dat er nog veel stijl in mijn leven zal zijn,' zei de koningin.

'Natuurlijk wel,' stelde Trish haar gerust.

'Ik ben te arm voor stijl,' zei de koningin geërgerd.

Trish toonde haar verschrikkelijke, begrijpende glimlach. Ze wachtte even en boog het hoofd, als vroeg ze zich af of ze nou wel of niet moest zeggen wat ze dacht. Toen hief ze het hoofd weer op, als had ze een besluit genomen en zei: 'Weet u, ik moest er toevallig aan denken dat – en ik meen het – al is het een afgezaagd oud cliché...'

De koningin had Trish wel met een of ander zwaar en stevig voorwerp op het hoofd willen timmeren. De staf van de ceremoniemeester van het Hogerhuis zou daar heel geschikt voor zijn geweest, dacht ze. Trish nam de ruwe handen van de koningin in de hare.

'De beste dingen in het leven zijn gratis. 's Nachts lig ik in bed naar de sterren te kijken en dan denk ik bij mijzelf: Trish, die sterren zijn stapstenen naar het onbekende. En 's morgens word ik wakker en hoor de vogels zingen en dan zeg ik tegen mijn vriend: Hé, hoor 'ns, de wekkers van de natuur lopen precies op tijd af. Natuurlijk doet hij net of hij het niet hoort.' Trish lachte, waarbij ze haar door een particuliere tandarts verzorgde gebit liet zien. De koningin kon meevoelen met Trish' slapende vriend.

Een van de wekkers van de natuur poepte tegen het raam. Een lange witte streep, net een uitroepteken, gleed langs het raam omlaag. De koningin keek hoe de streep steeds langer werd.

'Zegt u eens, hoe kan ik u helpen?' vroeg Trish abrupt; ze werd nu de praktische, verstandige Trish, de vrouw die Het Altijd Weer Klaarspeelde.

'U kunt me niet helpen,' zei de koningin. 'Het enige waaraan ik op het ogenblik behoefte heb, is geld.'

'Er moet toch iets zijn dat ik voor u kan doen,' drong Trish aan.

'U zou uw tas terug kunnen pakken,' zei de koningin. 'Er holt net een jongen mee de straat uit.' Trish rende het huis van de koningin uit, maar toen ze op de straat was, viel er niets meer van de jongen of van de tas te zien. Trish barstte in tranen uit. De koningin glimlachte. Ze had een grove leugen verteld. Het was geen jongen geweest die de aktentas had gestolen. Het was Tony Threadgold geweest.

Later op de avond kwam Tony de koningin opzoeken. Hij had een dikke map in zijn hand. Toen zij de gordijnen van de

164

huiskamer had dichtgedaan, en ze naast elkaar op de bank zaten, haalde hij een brief uit de map en zei: 'Die komt van een specialist in het ziekenhuis.'

De koningin nam de brief van Tony aan en las 'm. Naar de mening van de kinderarts leden Lisa-Marie en Vernon Thread-gold aan een ziekte waardoor ze een uiterst bros beendergestel hadden.

'De envelop was nog dichtgeplakt,' zei Tony. 'Trish had 'm nog niet eens gelezen.'

De koningin begreep meteen dat Beverley en Tony door deze diagnose werden vrijgesproken van de beschuldiging dat ze hun kinderen fysiek mishandeld zouden hebben. Van de bovenverdieping van het aangrenzende huis van de Thread-golds klonk geschuif en gebons.

'Dat is Bev,' zei Tony met een glimlach waardoor zijn gezicht oplichtte. 'Ze is de kinderkamer aan het schoonmaken.'

31 Eric neemt het initiatief

De volgende morgen ontving de koningin een envelop, geadresseerd aan:

> De bewoner van
> Hellebore Close 9
> Flowers Estate
> Middleton
> MI2 9WL

Er zat een met de hand op blauw postpapier geschreven brief in.

Aan Hare Majesteit   Erilob
Elizabeth II, bij de   Fox's Den Lane 39
Gratie Gods Koningin   Upper Hangton
van het Verenigd Koninkrijk   bij Kettering
van Groot Brittannië en   Northamptonshire
Noord-Ierland en van haar
overige Rijksgebieden en Domeinen,
Hoofd van het Gemenebest,
Verdediger des Geloofs.

Hooggeachte Majesteit,

Staat u me toe dat ik me nederig aan u voorstel. Ik ben Eric Tremaine, slechts een loyaal onderdaan, die ontsteld is door hetgeen er is gebeurd met dit land en zijn eens zo nobele bewoners. Ik weet dat de lafaard en verrader Jack Barker uw onderdanen heeft verboden zich aldus tot u te wenden, maar ik heb besloten de handschoen op te nemen en hem het hoofd te bieden. Als dat betekent dat mij op zekere dag vanwege mijn stoutmoedigheid mijn terechtstelling te wachten staat, dan zij dat zo. (Ik heb al twee vingers verloren bij een bedrijfsongeval, dus ik heb toch al minder te verliezen dan de meeste mensen.)

De koningin hield op met lezen, pakte de bakpan en gooide twee verbrande sneetjes toost uit het raam. De keuken hing vol zwarte rook. Ze gebruikte Tremaines brief om die te verdrijven. Toen het weer redelijk helder in de keuken was, ging ze verder met lezen.

Majesteit, ik heb mijn hoofd op het blok gelegd en heb een beweging opgericht, die Breng Onze Vorstin Terug heet, of afgekort B.O.V.T. Mijn vrouw kan heel goed overweg met woorden (zie boven de aardige naam van ons huis, een voorbeeld van Lobelia's kwaliteiten).

U bent niet alleen, Majesteit. Velen in Upper Hangton staan achter u.

Lobelia en ik gaan vanmiddag naar Kettering om leden te werven voor B.O.V.T. Normaliter houden we ons verre van het rumoer van de grote steden, maar we hebben onze tegenzin opzijgezet. De Zaak is belangrijker dan onze afkeer van de drukte van de grote stad, waartoe, naar ik vrees, Kettering in de jaren negentig is verworden.

Lobelia, met wie ik al tweeëndertig jaar getrouwd ben, is nooit iemand geweest om op de voorgrond te treden. In het verleden gaf zij er de voorkeur aan dat types, die zekerder van zichzelf waren zoals ikzelf, in het licht van de schijnwerpers zouden treden. (Ik ben voorzitter van verschillende verenigingen, Modeltreinen, Comité van Bewoners van Upper Hangton, Campagne Houdt de Honden in het Park, en meer, maar genoeg!)

Maar mijn vrouw, die liever op een afstand blijft, is bereid volslagen vreemden aan te klampen en met ze over B.O.V.T. te praten en dat nog wel in het centrum van Kettering. Dit is een bewijs welk een afschuw ze heeft van hetgeen er met onze geliefde koninklijke familie is gebeurd. Jack Barker speelt in op de lusten van het volk en probeert ons allemaal te verlagen tot het peil van dieren. Hij zal niet rusten voor we allemaal onze sexuele lusten botvieren op de velden en erven van ons eens zo groene en aantrekkelijke land.

Varkens zoals Barker willen niet accepteren, dat sommigen onzer geboren zijn om te regeren en dat anderen tot hun

aller welzijn bestuurd moeten worden en de wet voorge-
schreven moeten krijgen.

Nu moet ik eindigen. Ik moet naar nummer 31 om de
B.O.V.T.-folders op te halen. Meneer Bond, eigenaar van
bovengenoemd nummer 31, is zo vriendelijk geweest de
bewuste folders met behulp van zijn desk-top te vervaardi-
gen.

B.O.V.T. is nog klein maar zal groeien. Spoedig zullen er
afdelingen van B.O.V.T. in ieder gehucht te vinden zijn, in
ieder dorp, gemeente, stad en iedere stedelijke agglomeratie
van het land. Weest niet bevreesd. Ooit zult u weer op de
troon zetelen.

 Ik blijf van Uwe Majesteit,
  de meest nederige onderdaan,
   Eric P. Tremaine

De koningin legde Tremaines brief op het dienblad voor Philip. Ze meende dat die hem wel wat afleiding zou bezorgen,
maar toen ze twintig minuten later weer bovenkwam, zag ze
dat hij niets van het ontbijt had gebruikt en dat de brief nog
ongelezen leek: die lag nog net zo onder de kom met koude
pap.

'Ik heb vanmorgen een nogal amusante brief gekregen,
schat, zal ik 'm voorlezen?' zei ze opgewekt. De dokter had
gezegd dat prins Philip gestimuleerd moest worden. 'Hij is van
een man die Eric P. Tremaine heet. Ik vraag me af of die "P"
voor Philip staat. Dat zou nog eens een toeval zijn, hè?'

De koningin wist dat ze tegen haar man praatte of ze het
tegen een onnozele kerel had, maar ze kon zich niet weerhou-
den. Hij wou niet praten, wou niet in beweging komen, wou
nu niet eens *eten*. Het was absoluut om *razend* te worden. Het
werd tijd om de dokter maar weer eens op te bellen. Ze kon
niet blijven toekijken hoe hij verhongerde. Hij was nu zo mager dat hij niets meer van zichzelf weg had. Zijn haar was wit
en hij had een witte baard en zonder zijn getinte contactlenzen
hadden zijn ogen de kleur van het stone-washed spijkergoed
dat de bewoners van Hell Close zo graag droegen.

Plotseling tilde hij zijn hoofd van het kussen op en riep:
'Hélène moet komen.'

'Wie is Hélène, schat?' vroeg de koningin.

Maar Philips hoofd viel weer terug. Hij sloot zijn ogen en hij leek te gaan slapen. De koningin liep naar beneden en pakte de telefoon. Die was dood. Ze bewoog het zwarte knopje heen en weer, maar er klonk geen geruststellend gezoem in haar oor. De telefoondienst had zijn dreigement ten uitvoer gebracht en haar afgesneden, omdat ze de waarborgsom niet had betaald.

Ze schoot haar mantel aan en haastte zich het huis uit, met een muntstuk van tien pence en haar adresboek in haar hand geklemd. Toen ze in de stinkende telefooncel was, zag ze het flitsende signaal 'Uitsluitend voor 999'. Ze kreeg het gevoel dat ze het een of ander wel een beetje zou willen vernielen, netjes een telefooncel aan stukken slaan. Was Philip een geval voor 999? Was hij in levensgevaar? De koningin meende dat dat het geval was. Ze belde 999. De telefoniste reageerde meteen.

'Hallo, welke dienst wilt u?'

'Ambulance,' zei de koningin.

'Verbind u door,' zei de telefoniste.

De telefoon belde, belde en belde. Tenslotte klonk er een metaalachtige stem: 'Dit is een antwoordapparaat. Alle lijnen van de ambulancedienst zijn op dit moment in gesprek en we gaan nu de rij af. Heb even geduld. Dank u.'

De koningin wachtte. Buiten stond een man. De koningin deed de deur open en zei: 'Het spijt me vreselijk, je kunt hier alleen 999 bellen.'

Ze had verwacht dat de man blijk zou geven van een zekere ergernis, maar ze was allerminst voorbereid op de uitdrukking van paniek die ze op het magere gezicht van de man zag. 'Maar ik moet voor tienen het bureau van de Woningsubsidie bellen, anders gooien ze me uit de computer,' legde hij uit.

De koningin keek op het horloge, dat ze al sinds haar eenentwintigste droeg. Het was 9.43 in de ochtend. Nooit ging er nou eens iets vanzelf in Hell Close, dacht ze. Nooit liep het zoals het zou moeten. Iedereen scheen in een constante crisissituatie te verkeren, trouwens zijzelf ook, moest ze toegeven.

De koningin keek Hell Close eens door. Naar minstens de helft van de huizen liepen telefoondraden, maar ze wist dat die draden alleen maar communicatiesymbolen waren. Ergens had iemand, wiens taak het was de onvermogenden af te sluiten, de stekker eruit getrokken en de meeste bewoners van Hell Close van de rest van de wereld afgesloten. Telefoonrekeningen kwamen pas als laatste aan de beurt wanneer er geld nodig was voor eten, schoenen en schoolreisjes, zodat de kinderen maar niet te kort kwamen. Ze had zelf het potje waarin ze het geld voor de telefoonrekening bewaarde, leeggehaald en er waspoeder van gekocht, zeep, panties, kruidenierswaren en een verjaardagscadeautje voor Zara. Ze had zich voorgenomen het geld er weer in te stoppen, maar dat bleek niet te doen van Philips' en haar gemeenschappelijke pensioen en dan at Philip nog niet eens. Hoe zouden ze het klaar moeten spelen wanneer hij hersteld was van de kwaal waaraan hij nu leed en zijn enorme eetlust terugkreeg? De koningin wachtte eveneens op achterstallige huursubsidie. Ze kreeg te doen met de man.

'Kom maar met me mee,' zei ze. De laatste tijd was de relatie met prinses Margaret een beetje gespannen, maar dit was een noodgeval. Terwijl ze naar nummer 4 aan de overkant liepen, vertelde de man haar dat hij een geschoold arbeider was, een winkelinstallateur, maar het werk lag stil.

'Recessie,' zei hij bitter. 'Wie opent er nou nog een winkel? Ik heb nog een tijdje borden met "Te Koop" gemaakt, maar toen werd ik ontslagen. Wie koopt er nu een winkel?' De koningin knikte. Op haar weinige bezoeken aan de stad had ze zich verbaasd over de borden met 'Te Koop', die ze overal zag. De meeste winkels in Flowers Estate stelden niets meer voor, alleen Food-U-R leek het goed te doen. De koningin herinnerde zich de dag waarop ze voor Harris voor de eerste keer het eigen merk hondevoer van Food-U-R had gekocht. Ze had geen keus gehad, het was tien pence goedkoper dan Harris' gewone merk. Harris had er eerst niet van willen eten en was in hongerstaking gegaan, maar na drie dagen was hij gecapituleerd, hongerig maar bepaald niet vriendelijk.

Ze waren bij het hekje van de woning van prinses Margaret. De gordijnen zaten potdicht. Er was niets van het interieur van het huis te zien. De koningin deed het hekje open en wenkte de man haar te volgen.

'Mag ik weten hoe u heet?' zei ze.

'George Beresford,' zei hij en ze gaven elkaar de hand.

'En ik ben mevrouw Windsor,' zei de koningin.

'O, ik weet wie u bent. U hebt zelf nogal wat problemen, hè?'

De koningin zei dat dat inderdaad het geval was en klopte op de deur waarbij ze de klopper gebruikte, die het model van een leeuwekop had. Ze hoorde binnen beweging, de deur ging open en Beverley Threadgold, die nu als werkster bij prinses Margaret in dienst was, stond daar met een droogdoek in de hand. Ze leek verheugd dat ze de koningin zag.

'Is mijn zuster er?' vroeg de koningin, die de gang inliep en George meetrok.

'Ze zit in bad,' zei Beverley. 'Ik zou u wel een kopje thee willen aanbieden, maar ik durf het niet; ze telt de theezakjes.' Beverley keek naar het plafond, waarboven haar nieuwe werkgeefster zich in dure lotions baadde. Ze trok haar dienstbodenmutsje recht en trok een gezicht. 'Ik zie er zo idioot uit, vind je niet. Maar het is tenslotte werk.'

'Betaalt het goed?' vroeg George.

Beverley snoof: 'Een pond en een rottige twintig pence per uur.'

De koningin raakte verlegen. Ze besloot snel van onderwerp te veranderen.

'Meneer Beresford en ik zouden graag gebruikmaken van de telefoon,' zei ze. 'Denk je dat dat zou kunnen?'

'Ik betaal,' zei George. Hij liet de handvol warme zilveren munten zien. De koningin keek naar de grootvaderklok die in de smalle gang boven hen uitrees. Het was 9.59.

'U mag wel eerst,' zei ze tegen George. Beverley deed de deur naar de huiskamer open. Ze wilden net naar binnen gaan, toen prinses Margaret boven aan de steile trap verscheen.

'Het spijt me verschrikkelijk,' riep ze omlaag, 'maar ik moet u vragen eerst uw schoenen uit te doen voor u die kamer binnenkomt, je ziet alles op die vloerbedekking.' George Beresford kreeg een dieprode kleur. Hij keek naar zijn trainingsschoenen. Ze vielen bijna uit elkaar en hij had geen sokken aan. Hij kon onmogelijk zijn blote voeten vertonen, zeker niet in aanwezigheid van deze drie dames. Zijn voeten waren lelijk, vond hij; hij had harige tenen en kapotte nagels.

De koningin keek omhoog naar prinses Margaret, die haar

171

haar stond af te drogen en zei: 'Ik trek liever mijn schoenen niet uit. Denk je dat het snoer de gang haalt?'

Beverley bracht de telefoon naar ze toe; over de volle lengte uitgerold en uitgerekt reikte het snoer tot de drempel van de kamer. Maar George kon nu telefoneren.

Hij luisterde gespannen naar het overgaan van de bel.

De koningin keek hoe Beverley de ramen van Margaret zeemde en vroeg zich af hoeveel de werksters op Buckingham Palace betaald hadden gekregen. Dat was zeker meer dan een pond twintig per uur.

Tenslotte herkende George het geluid. 'In gesprek,' zei hij. De grootvaderklok sloeg tien uur. George raakte in paniek.

'Ik heb mijn beurt op de computer gemist.'

'Probeer het nog eens,' drong de koningin aan. 'De computer is toch telkens defect. Dat zeggen ze mij tenminste iedere keer wanneer ik over mijn huursubsidie bel.'

George probeerde het nog eens. In gesprek.

George draaide een derde keer en dit keer werd de telefoon onmiddellijk opgenomen. Daardoor raakte hij van streek; hij was de kunst van het telefoneren nooit echt machtig geworden. Hij keek de persoon waarmee hij sprak, liever in de ogen. Hij schreeuwde in de telefoon.

'Hallo, met Woningsubsidie? Goed, goed. Ik moest voor tien uur bellen, maar... ja, ik weet het, maar... u spreekt met George Beresford. Ik heb een brief gekregen dat ik voor tien uur moest bellen zodat ik op de...' George luisterde zwijgend. Het geluid van de haardroger drong via de trap omlaag.

'Ja maar,' zei George, 'de zaak is,' hij keerde zich enigszins van de koningin af en begon zachtjes te praten. 'Weet u, ik zit een beetje in de problemen. Ik moet de huur betalen van mijn afvloeiingspremie en de kwestie is... die is op.' Hij luisterde weer. De koningin kon aan de wijze waarop hij zijn gezicht vertrok zien, dat hij dingen te horen kreeg die hij of niet wilde horen of al een tiental keren eerder had gehoord of die hij niet geloofde.

'Blijf aan de lijn,' zei George in de telefoon. Hij wendde zich naar de koningin en zei: 'Ze zeggen dat ze helemaal geen papieren van me hebben. Ze kunnen er niks over vinden.'

De koningin pakte de telefoon en zei op de autoritaire ma-

172

nier van haar troonrede: 'Hallo, u spreekt met de adviseur van meneer George Beresford. Als meneer Beresford zijn huursubsidie niet met de ochtendpost van morgen ontvangt, zal ik een civiele actie tegen het hoofd van uw afdeling moeten aanspannen, vrees ik.'

Beverley giechelde, maar George vond het helemaal niet grappig. Je kon het je niet permitteren om het *die lui* lastig te maken. Hij stond echt te kijken van het gedrag van de koningin. De koningin gaf hem de hoorn terug en George hoorde de ambtenaar van Woningsubsidie zeggen dat ze Georges aanvraag met prioriteit zou behandelen. George legde de telefoon neer en vroeg de koningin wat 'prioriteit' betekende.

'Dat betekent,' zei de koningin, 'dat ze nu op mirakuleuze wijze opeens je aanvrage kunnen vinden, dat ze die vandaag nog afwerken en je cheque op de post doen.' George zat op de trap te luisteren terwijl de koningin het nummer van de dokter belde en vroeg of de Australische dokter nog eens op Hell Close nummer 9 wilde langskomen voor meneer Mountbatten, wiens toestand achteruit was gegaan.

De koningin en George Beresford zeiden goedendag, legden vijfendertig pence op het gangtafeltje en gingen weg.

32 Zieleknijper

Dr. Potter stond naar Philip te kijken en schudde haar hoofd. 'Ik heb plankton gezien met meer vlees eraan,' zei ze. 'Wanneer heeft hij voor het laatst gegeten?'

'Drie dagen geleden een biscuitje,' zei de koningin. 'Zou hij niet naar het ziekenhuis moeten?'

'Ja,' zei de dokter. 'Hij moet aan het infuus, vocht toegediend krijgen.'

Prins Philip was er zich niet van bewust dat de twee vrouwen zo bezorgd naar zijn uitgeteerde lichaam keken. Hij was ergens anders, hij reed met een koets door Windsor Great Park.

'Zal ik een tas voor hem klaarmaken?' zei de koningin.

'Nou, ik moet eerst een bed voor hem zien te vinden,' zei de dokter. En ze pakte haar draagbare telefoon en begon te toetsen. Terwijl ze wachtte tot er geantwoord werd, vertelde ze de koningin dat er een week eerder drie ziekenzalen gesloten waren, met als gevolg dat er zesendertig bedden verloren waren gegaan.

'En volgende week raken we een kinderzaal kwijt,' voegde ze eraan toe. 'God mag weten wat er gaat gebeuren als er zich een paar noodgevallen voordoen.'

De koningin zat op het bed te luisteren hoe ziekenhuis na ziekenhuis weigerde haar man op te nemen. Dokter Potter maakte ruzie, probeerde mensen te bepraten en begon tenslotte te schreeuwen, maar het haalde niets uit. In heel het district was geen bed te vinden.

'Ik ga de psychiatrische instellingen proberen,' zei dokter Potter. 'Hij is niet goed bij zijn hoofd, dus het is wel zo'n beetje legaal.' De koningin was ontzet.

'Maar hij heeft toch onmiddellijk *medische* hulp nodig?' vroeg ze. Maar dokter Potter was al aan het praten. 'Met Grimstone Towers? Met dokter Potter, van de praktijk in Flowers Estate. Ik heb hier een man die ik graag opgenomen zou zien. Chronisch depressief, weigert te eten, heeft een infuus nodig, moet vocht toegediend krijgen. Hebt u een bed? Nee? Medische afdeling vol? Goed? Ja? Morgen?' vroeg ze de koningin.

De koningin knikte dankbaar. Ze zou haar best doen dat ze vanavond wat voedsel in hem kreeg en morgen zou hij dan in de veilige handen van vakmensen zijn. Ze vroeg zich af wat Grimstone Towers was. Het klonk vreselijk, zoals de door de bliksem verlichte landhuizen die je te zien kreeg in de openingsmomenten van een in Engeland gemaakte griezelfilm.

33 Bij de zwanen af

Twee uur voor de rechtszitting zou beginnen, ontruimde de buslading agenten de onmiddellijke omgeving van de rechtbank. Alle journalisten van de schrijvende pers en de reporters van radio en televisie die waren gekomen om de rechtszaak te verslaan, werden naar een voormalig kamp van de luchtmacht net buiten Market Harborough gebracht; opgesloten in een groot lokaal brachten ze daar de dag door, aangemoedigd de inhoud van te veel flessen Britse wijn te consumeren.

Agent Ludlow zat nu in het getuigenbankje, waar hij zich vertwijfeld de leugens probeerde te herinneren die hij gedurende het vorige verhoor voor de politierechter had verteld.

De openbare aanklager, een venijnige dikke man die Alexander Roach heette, ging met Ludlow zijn getuigenverklaring na.

'En,' zei hij, met zijn dubbele kin in de richting van de beklaagdenbank wiebelend, 'ziet u de beklaagde,' en hij deed of hij zijn aantekeningen raadpleegde, 'Charles Teck, in deze rechtszaal?'

'Ja,' zei Ludlow, die zich eveneens naar de beklaagdenbank keerde. 'Het is die man daar in dat trainingspak en met dat paardestaartje.'

De koningin was woedend op Charles, ze had hem gezegd, nee hem *bevolen* zijn haar van achteren en opzij kort te houden en zijn blazer en flanellen broek aan te doen, maar hij had halsstarrig geweigerd. Hij zag eruit als een, nou ja, een *armoedig*, ongeschoold iemand.

Ludlow legde stuntelig zijn getuigenverklaring af, zonder daarbij zijn politie-aantekenboekje te gebruiken, merkte de koningin op. Ian Livingstone-Chalk, de advocaat die Charles verdedigde, kwam overeind. Hij lachte gemeen naar Ludlow in de getuigenbank.

Ian Livingstone-Chalk was enig kind geweest. In zijn jeugd was zijn spiegelbeeld zijn beste kameraad geweest. Hij was één en al stijl, maar zonder enige inhoud; hij was met zijn gedachten te veel bij de indruk die hij dacht te maken, om goed te luisteren naar de aanknopingspunten die zijn getuigen hem boden.

'Agent Ludlow, hebt u op die bewuste dag zelf meteen aantekeningen gemaakt?'

'Ja,' zei Ludlow rustig.

'Mooi zo,' zei Livingstone-Chalk. 'Hebt u het aantekenboekje waarin u die aantekeningen hebt gemaakt, in uw bezit?'

'Nee, meneer,' zei Ludlow, nog rustiger.

'Nee?' blafte Livingstone-Chalk. 'Mag ik vragen, waarom niet?'

'Omdat ik het in het kanaal heb laten vallen, meneer.'

Livingstone wendde zich naar de jury en liet nog eens zijn zorgvuldig bestudeerde gemene lachje zien. 'U-hebt-het-in-het-kanaal-laten-vallen,' zei hij, en hij spatieerde de woorden, waarmee hij de sceptici de gelegenheid bood de tussenruimtes in te vullen. 'En als ik u vragen mag, agent Ludlow, zou u de jury willen vertellen wat u daar bij, op of in het kanaal deed?'

Fluisterend zei Ludlow: 'Ik probeerde een zwaan te helpen die in nood verkeerde.'

Livingstone-Chalk keek of hij er niets van begreep.

Twee juryleden zuchtten: 'Ach' en bekeken Ludlow met nieuwe ogen.

Charles zei: 'Belachelijk.'

De rechter beval Charles te zwijgen en zei: 'Het verbaast me dat u het een belachelijk tijdverdrijf vindt, als iemand probeert een zwaan te helpen, Teck, in aanmerking genomen dat tot maar heel kort geleden heel de Engelse zwanenpopulatie eigendom van uw moeder was. Gaat u verder, meneer Livingstone-Chalk.'

De koningin keek boos naar Charles, omdat ze wilde dat hij zijn mond hield. Ze richtte haar blik op Livingstone-Chalk; ze zou willen dat hij Ludlow aan een kruisverhoor onderwierp inzake zijn vermeende activiteiten om een zwaan te hulp te komen, maar hij had geen aandacht voor dit door de hemel gezonden buitenkansje en raakte verstrikt in de details van het juridische gevecht. Het begon de juryleden te vervelen en ze luisterden niet meer.

Toen Livingstone-Chalk eindelijk ging zitten, sprong de openbare aanklager Alexander Roach, van de gelegenheid gebruik makend, overeind. 'Nog één laatste vraag,' zei hij tegen Ludlow. 'Is de in nood verkerende zwaan in leven gebleven?'

Ludlow wist dat hij behoedzaam moest zijn met zijn antwoord. Hij nam er de tijd voor. 'Ondanks al mijn inspanningen om de zwaan met mond op mond beademing en hartmassage te redden, is hij helaas in mijn armen gestorven.'

De koningin schoot hardop in de lach en heel de rechtbank keerde zich naar haar toe en staarde haar aan. Toen de koningin zich weer in bedwang had, ging de zitting verder. Charles, Beverley en Violet legden om beurten hun verklaringen af, ieders verslag bevestigde dat van de ander.

'Het was een dwaas misverstand,' zei Charles toen Roach hem ervan beschuldigde dat hij de bende van Hell Close had opgehitst agent Ludlow te vermoorden.

'Voor u mag het dan een *misverstand* zijn geweest, Teck, maar agent Ludlow hier, een man die er blijk van heeft gegeven dat het welzijn van een zwaan hem ter harte gaat, is zwaar letsel toegebracht door u, zo is het toch?'

'Nee,' zei Charles, die een rood gezicht had gekregen. 'Er is hem geen ernstig letsel toegebracht door mij of door iemand anders. Toen agent Ludlow op de straat viel, heeft hij zijn kin geschramd.'

Heel het hof keerde zich opzij om Ludlows bebaarde kin te zien.

Roach zei dramatisch: 'Een kin zo geschonden, dat agent Ludlow de rest van zijn leven een baard zal moeten dragen.'

De gladgeschoren juryleden knikten meevoelend.

Toen ze met de lunchpauze de rechtszaal verlieten, zei Margaret: 'Waar heeft Charles die Ian Livingstone-Chalk opgeduikeld – geketend aan het hek van de Law Society?'

Anne zei: 'Charles komt om zo te zeggen uit Oen-weet-ik-veel in Amerika, maar zelfs hij zou zichzelf beter verdedigen dan die Livingstone-Chalk.'

Terwijl ze in de cafetaria van het gerechtsgebouw hun sandwiches met spek aten, vroeg Diana aan de koningin: 'Hoe denkt u dat het voor Charles zal aflopen?'

De koningin nam met een precieus gebaar een stukje kraakbeen uit haar mond, legde het op de rand van haar wegwerpbordje en zei: 'Hoe is het voor Jeanne d'Arc afgelopen, toen ze eenmaal de lont bij de brandstapel hadden gehouden?'

Het was in zijn slotbetoog, gericht tot de jury, dat Ian Livingstone-Chalk alle kansen dat Charles misschien vrijgesproken zou worden, definitief om zeep hielp. Hij was over Charles' karakter en zijn achtergrond begonnen en zei: 'En tenslotte, leden van de jury, ziet hier de man voor u. Een man met een verleden waarin hij veel te kort is gekomen.' (Enkele juryleden lieten hier hun ogen rollen.) 'Ja, te kort gekomen. Zijn ouders kreeg hij maar weinig te zien. Zijn moeder werkte en was veel op reis in het buitenland. En op een gevoelige leeftijd moest hij van huis weg om eerst de ontberingen en vernederingen van een Engelse basisschool te ondergaan en vervolgens van die allerergste verschrikking, een Schotse kostschool. Het regime was wreed, het eten onvoldoende, de slaapzalen onverwarmd. Iedere nacht lag hij in zijn kussen te snikken van heimwee naar huis.'

(Het was op dit punt dat de rechtszaak verloren ging – één jurylid, een ijzerhandelaar, die later tot voorzitter van de jury zou worden gekozen, fluisterde tegen een ander: 'Geef mij eens een viool.') Maar Livingstone-Chalk ging verder, zich allerminst bewust van de vijandige stemming die er van de rechter en de jury uitging. 'Is het te verwonderen dat de jongen, die zo naar huis verlangde, aan de drank raakte? Zal iemand van ons ooit vergeten welk een schok het was, toen bekend werd dat de erfgenaam van de troon uit een café werd weggeleid, nadat hij onbekende hoeveelheden cherry brandy had geconsumeerd?' (Men hoorde Charles mompelen: 'Toe nou, het was er maar ééntje', en de rechter gaf hem te verstaan dat hij moest zwijgen.)

Livingstone-Chalk vervolgde zijn pleidooi met het tot mislukken gedoemde zwierige vertoon van een man die in een leeg zwembad een opzienbarende duiksprong laat zien. 'Deze pathetische, beklagenswaardige man verdient ons medelijden, ons begrip, onze rechtvaardigheid. Wat hij gedaan heeft was verkeerd, ja, het kan nooit goed zijn om te roepen "Sla dat varken dood" en een politieman aan te vallen. Nee, stellig niet…'

Charles mompelde: 'Maar dat heb ik niet gedaan. Aan wiens kant sta je nou eigenlijk, Livingstone-Chalk?'

De rechter gelastte hem te zwijgen, anders kon hij nog een aanklacht tegemoet zien, omdat hij weigerde de aanwijzingen van de rechtbank op te volgen.

Livingstone eindigde met de woorden: 'Toont hem genade, leden van de jury. Denkt aan die kleine jongen die daar op de slaapzaal lag te snikken om zijn mama en papa.'

Alle ogen in de rechtszaal bleven droog. Een vrouwelijk jurylid stak twee vingers in haar keel om te beduiden: Ik moet ervan overgeven. Toen Livingstone-Chalk naar zijn plaats in de rechtszaal terugkeerde, moest de koningin door Anne en Diana tegengehouden worden, anders was ze opgesprongen en had ze zijn adamsappel dichtgedrukt tot hij dood neerviel. Beverley had Charles' hand gepakt en kneep er meelevend in, en Violet had uit haar mondhoek gezegd: 'Klote advocaat, in de drankwinkel vind je betere, Charlie.'

Charles glimlachte beleefd om Violets opmerking en werd opnieuw berispt door de rechter, die zei: 'Het minste wat u kunt doen, is enig berouw tonen, maar nee, u schijnt deze zaak amusant te vinden. Ik betwijfel, of de jury het daarmee eens is.'

Deze schandelijke suggestieve, tot de jury gerichte verklaring ging onopgemerkt en onweersproken voorbij aan Ian Livingstone-Chalk, die druk doende was zijn onkosten in zijn uitpuilende kantooragenda op te tellen.

De koningin had geen blijk gegeven van emotie toen het vonnis werd uitgesproken. Diana was in tranen uitgebarsten. Prinses Anne had een obsceen gebaar naar de jury gemaakt en prinses Margaret had een Nicorette tabletje in haar mond gestopt. Toen Charles werd weggevoerd naar de cellen beneden, bewoog hij geluidloos zijn lippen om Diana iets te zeggen. Ze deed met haar lippen: Wat?, maar hij was al weg.

Later, vroeg in de avond, zat de vroegere koninklijke familie met elkaar rond het bed van de koningin-moeder, en ze keken toe hoe Philomena Toussaint de koningin-moeder met een lepel soep voerde.

'Open je mond, mens,' mopperde Philomena. 'Ik heb niet de hele dag tijd.'

De koningin-moeder opende haar lippen en dronk de soep op, tot Philomena het schaaltje had leeggelepeld en zei: 'Pico bello.'

De koningin zei: 'Ik ben je ontzettend dankbaar. Ik kon maar niet van haar gedaan krijgen dat ze iets at.'

Philomena veegde met de zijkant van haar hand de kin van de koningin-moeder af en zei: 'Het is een schok als je te horen krijgt dat je kleinkind naar de gevangenis wordt gestuurd, bij al dat schorem en tuig.'

Diana vond de warmte in de kleine overvolle slaapkamer drukkend. Ze ging de kamer uit en deed de voordeur open. William en Harry waren in de straat aan het spelen met een troep kaalgeschoren jongens, die een band naar Violet Toby's gedeelte van het trottoir rolden. Er zat een jongetje in de band.

Diana hoorde William roepen: 'Nou is het verdomme mijn beurt.' Haar zoontjes spraken de taal van de buurt nu vlot. Het was alleen nog door hun lange haar, dat ze van de andere jongens in Hell Close verschilden. En elke dag smeekten ze haar of ze ook een 'kale knar' mochten.

Diana zag dat Violet Toby haar voordeur uit kwam rennen en riep: 'Als die pokkeband tegen mijn pokkehekje komt, kom ik jullie op je lazer geven.'

Onheil werd afgewend toen het jongetje uit de band viel en zijn knieën en handpalmen aan de straat bezeerde. Violet zwaaide naar Diana, trok de krijsende jongen overeind en nam hem mee naar haar huis om jodium op de wonden te doen. Diana had het gevoel dat ze William, die nu in de band ging zitten, moest tegenhouden, maar ze had geen fut meer om te bekvechten, daarom riep ze: 'Om acht uur bedtijd, Will... Harry,' en liep het huisje van de koningin-moeder weer in.

Terwijl ze voor het spiegeltje boven het aanrecht haar make-up bijwerkte, probeerde ze opnieuw de boodschap te ontraadselen die Charles haar zwijgend duidelijk had willen maken toen hij naar de gevangenis werd gebracht. Het leek zoiets als: 'Geef het plantgoed water,' maar hij zou toch niet aan die stomme tuin van hem hebben gedacht? Vast niet op zo'n tragisch moment.

181

Voor de spiegel deed Diana met haar lippen verscheidene keren 'Geef het plantgoed water,' na en wendde zich teleurgesteld af, want wat Charles ook had willen zeggen, het was zeker niet: 'Ik houd van je, Diana,' of 'Houd moed, mijn liefste,' of iets anders wat mannen in een film tegen hun geliefden zeiden wanneer zij van de beklaagdenbank naar hun cel werden gevoerd. Afgunstig dacht ze aan de uitbundige scènes toen de jury had verklaard dat ze Beverley Threadgold en Violet Toby niet schuldig achtten aan hetgeen hun ten laste was gelegd. Tony was naar zijn vrouw toegerend en had haar uit het beklaagdenbankje getild. Wilf Toby was naar Violet gegaan en had haar vol op de mond gezoend, had zijn arm om haar dikke middel geslagen en hij bracht haar naar buiten waar ze werd toegejuicht door andere, minder belangrijke kennissen van Toby, die geen kans hadden gezien een plaatsje op de kleine publieke tribune te vinden. De familie Threadgold en de familie Toby waren met elkaar in een opgewonden groepje weggegaan om de vrijspraak in het café De Weegschaal van de Gerechtigheid aan de overkant van de straat te vieren. De koninklijke familie was eenvoudig achter in Spiggy's busje gestapt en was naar Hell Close teruggebracht.

34 Allemaal tegelijk, jongens

Lee Christmas was met het schone uiteinde van een afgebrande lucifer de tenen van zijn nagels aan het schoonmaken, toen hij hoorde zingen.

> God save our gracious King
> Long live our noble King
> God save the King.
> Da da da da
> Send hem victorious…

Lee stond op van zijn bed en tuurde door het getraliede raampje van zijn celdeur naar opzij. Zijn celgenoot, Bolle Oswald, sloeg een bladzijde om van zijn boek, Madhur Jaffrey's *De Oosterse Keuken*. Hij was op bladzijde 156: Vis gepocheerd in aromatische tamarindebouillon. Je kon dat beter hebben dan alle dagen pornografie, dacht hij, en hij begon te likkebaarden toen hij de lijst met ingrediënten zag.

Sleutels werden in het slot gestoken en de celdeur zwaaide open. Gordon Fossdyke, de gevangenisdirecteur, kwam de cel in, vergezeld door de heer Pike, de chef gevangenbewaarder die op deze verdieping de leiding had en nu brulde: 'In de houding voor de directeur'.

Lee stond al, maar het kostte Dikke Oswald een paar momenten van transpiratie om van zijn bed af te komen.

Gordon Fossdyke had ooit een hele week van bekendheid genoten toen hij, tijdens een toespraak bij een conferentie van de Vereniging van Gevangenisdirecteuren, de suggestie had gedaan dat er zoiets bestond als goed en kwaad. Misdadigers vielen in de categorie kwaad, beweerde hij. In die glorieuze week van Fossdyke had de aartsbisschop van Canterbury zeventien telefonische interviews gegeven.

De directeur ging naar Bolle Oswald toe en prikte hem in zijn buik. Als een varkensachtige waterval hingen de vetribbels trapsgewijs langs zijn voorkant omlaag.

'Deze man is buitensporig dik. Hoe komt dat, meneer Pike?'
'Weet ik niet, meneer. Hij was al dik toen hij hier kwam, meneer.'
'Waarom ben je zo dik, Oswald?' vroeg de directeur.
'Ik ben altijd aan de stevige kant geweest,' zei Oswald. 'Bij mijn geboorte woog ik tieneneenhalf pond, meneer.' Bolle Oswald glimlachte trots, maar zijn glimlach werd niet beantwoord.

Lee Christmas' hart klopte snel onder zijn blauw en wit gestreepte gevangenishemd. Waren ze van plan de cel te doorzoeken? Zouden ze de gedichten vinden die hij in zijn kussensloop had verborgen? Hij zou zich van kant maken als ze dat zouden doen. Meneer Pike zou er niet voor terugschrikken om een van Lee's gedichten in de recreatietijd voor te lezen. Lee begon te zweten toen hij aan zijn allerlaatste gedicht dacht, 'Pluisje, de poes'. Er waren wel mensen voor minder vermoord.

De directeur zei: 'Jullie krijgen twee nieuwe celgenoten. Het zal een beetje vol worden, maar jullie zullen het toch moeten zien te redden.' Hij liep heen en weer in de kleine cel. 'Zoals jullie weten, wordt niemand in deze gevangenis voorgetrokken. Een van de gedetineerden is onze vroegere toekomstige koning. De andere is Carlton Moses, die ervoor zal zorgdragen dat hij door zijn medegevangenen niet ongepast wordt bejegend. Ik heb met onze vroegere toekomstige koning gesproken en ik vond hem een innemende, beschaafde man. Leer van hem, hij heeft jullie veel te zeggen.'

De deur sloeg dicht en Lee en Bolle Oswald waren weer alleen.

'Christus,' zei Lee, 'Carlton Moses in onze cel. Hij is zo'n twee meter tien, toch? Met jou en met hem erbij is er hier verdomme geen plek meer om nog asem te halen.'

Tien minuten later werd er nog een stapelbed de cel binnengebracht. Bolle Oswald kon zich nog maar amper bewegen in de smalle ruimte tussen de twee bedden. Lee schepte tegenover Bolle Oswald op over de korte tijd dat hij met Charlie Teck te maken had gehad. Maar over Carlton Moses was hij minder enthousiast. Er werd verteld dat Carlton eigenlijk zijn grootmoeder had verkocht, of liever: had ingeruild voor een Ford

Cabriolet XRI. Bolle Oswald dacht dat dat gerucht vals moest zijn. Naar zijn mening was er nauwelijks sprake van een eerlijke ruil. Wat had iemand nou aan de grootmoeder van een ander?

Hun bespiegeling werd afgebroken door de komst van Charles en Carlton, die keurig gevouwen stapels beddegoed in hun armen droegen. Het was de ergste dag in Charles' leven. Hij had niet verwacht dat hij naar de gevangenis zou gaan. Maar hier stond hij dan. Sinds zijn aankomst had hij verscheidene grove vernederingen moeten ondergaan: hij had zijn billen uit elkaar moeten doen toen ze naar illegale drugs zochten – dat was misschien het ergste geweest. De deur sloeg dicht en de vier mannen keken elkaar aan.

Charles keek naar Bolle Oswald en dacht: mijn God, die man is gewoon *walgelijk* dik.

Lee keek naar Carlton en dacht: die heeft *echt* zijn grootmoeder voor een auto geruild.

Bolle Oswald keek naar Charles en dacht: ik krijg hem wel aan het praten over al die feestelijke diners waarbij hij heeft aangezeten.

Carlton keek naar de cel en dacht: het is hier *werkelijk* overvol. Ik zal er het Europese Parlement over schrijven.

'Hoe lang heb je gekregen, Charlie?' vroeg Lee.

'Zes maanden.' Charles kreeg al een gevoel of hij in de bekrompen cel niet kon ademhalen.

'Dus met vier maanden weer op straat,' zei Lee.

'Bij goed gedrag,' zei Carlton, terwijl hij zijn bezittingen op het lege bovenste bed stapelde.

Oswald wijdde zich weer aan Madhur Jaffrey. Hij had er geen idee van hoe hij leden van de koninklijke familie moest aanspreken. Was dat 'meneer' of 'koninklijke hoogheid'? Hij zou morgen nog een boek uit de gevangenisbibliotheek halen, een boek over etiquette.

Charles ging op zijn tenen staan en keek door het getraliede raampje. Alles wat hij kon zien, was een stukje roodachtige hemel en de bovenste takken van een boom, die vol zat met nieuwe geelgroene blaadjes. Een plataan, zei hij bij zichzelf. Hij dacht aan zijn tuin, die op hem lag te wachten. De nieuwe scheuten, ontluikende zaden en uitgezette planten zouden hem

185

missen. Hij was bang dat Diana de compost in de zaadbakken en hangende mandjes zou laten uitdrogen. Zou ze eraan denken de uitlopers van zijn tomaten weg te nemen, zoals hij haar had gevraagd? Zou ze het plantgoed anderhalve liter water per dag geven? Zou ze haar groente-afval op de composthoop blijven gooien? Hij moest haar maar meteen schrijven, met volledige instructies.

'Kan een van jullie soms wat papier missen?' vroeg hij.

'Barbier?' Lee keek verbijsterd.

'Schrijfpapier,' legde Charles. 'Postpapier.'

'Wil je een brief schrijven?' vroeg Carlton.

'Ja,' zei Charles, die zich had afgevraagd of hij eigenlijk wel Engels had gesproken of onbewust op het Frans of Welsh was overgegaan.

'Dan moeten ze je een vel briefpapier geven,' legde Carlton uit. 'Eén per week.'

'Maar *één*?' zei Charles. 'Maar dat is eenvoudig absurd. Ik moet massa's mensen schrijven. Ik heb het mijn moeder beloofd...'

Hij kreeg last van een ander urgent probleem. Hij moest naar het toilet. Hij drukte op de bel naast de deur. Zijn medegevangenen keken zwijgend toe terwijl Charles stond te wachten tot de deur open zou gaan. Twee minuten later stond Charles verwoed op de bel te duwen. Hij moest nu heel nodig. Na een minuut van verkrampt wachten werd de deur door meneer Pike geopend. Charles vergat waar hij was.

'Dat wordt tijd,' zei hij. 'Ik moet naar het toilet, waar is het?'

Pikes gezicht onder de pet kreeg een humeurige uitdrukking. 'Dat wordt tijd?' herhaalde hij, terwijl hij spottend Charles' accent imiteerde. 'Ik zal je zeggen waar het toilet is, Teck. Dat staat daar.' Hij wees op een emmer die op de vloer stond. 'Je bent nu in de gevangenis en dan pis je in een pot.'

Charles richtte zich tot zijn drie medegevangenen: 'Zouden jullie je een ogenblik willen verwijderen, terwijl ik...?' Het antwoord was een bulderend gelach. Meneer Pike greep Charles bij de schouder en bracht hem naar de pot. Met een glimmend gepoetste laars trapte hij er het plastic deksel af en zei: 'Wateren en je behoefte doen, gebeurt hier, Teck.'

'Maar dat is barbaars,' protesteerde Charles.

'Het begint er gevaarlijk veel van weg te krijgen dat je de regels van deze gevangenis overtreedt,' zei Pike.

'Welke zijn die regels?' vroeg Charles angstig.

'Dat merk je wel als je ze overtreedt,' zei Pike heel voldaan.

'Maar dat lijkt wel op Kafka.'

'Dat kan best zijn,' zei Pike, die geen idee had waar Charles het over had. 'Maar een regel is een regel en je moet geen gunsten van mij verwachten omdat je toevallig de erfgenaam van de troon was.'

'Maar dat deed ik ook niet, ik…'

Pike sloeg de deur achter zich dicht en Charles, die geen kans zag zich nog langer in bedwang te houden, haastte zich terug naar de plastic emmer en voegde zijn eigen urine toe aan die van Oswald en Lee.

Oswald zei verlegen: 'Ik heb een boek van Kafka gelezen. Het heette *Het proces*. Die man moet terechtstaan, hij weet niet waarvoor. In elk geval hij moet zitten. Stomvervelend boek.'

Om de aandacht af te leiden van het klaterend geluid van zijn wateren, zei Charles: 'Maar vind je de sfeer niet enorm suggestief?'

Bolle Oswald herhaalde: 'Nee, het was stomvervelend.'

Charles maakte zijn kleding in orde en ging opnieuw naar de bel en drukte erop terwijl hij Lee, Carlton en Oswald uitlegde dat hij vergeten was Pike om briefpapier te vragen. Maar Pike had instructies gegeven dat er op de bel van cel 17 niet gereageerd mocht worden. Tenslotte werd de hemel donker, de tak van de plataan verdween en Charles nam zijn vinger van de bel. Hij sloeg Lee's aanbod om hem een boek te lenen af met de woorden: '*Fast Car* is geen boek, Lee, het is een tijdschrift.' Carlton was zijn vrouw aan het schrijven en hield herhaaldelijk op om Charles te vragen hoe je de woorden moest spellen: 'Genoeg', 'smering', 'omdat', 'tepels','recreatie', 'dinsdag' en 'voorwaardelijke vrijlating'.

Oswald at zelf een heel pak Nice biscuitjes op, waarbij hij elk biscuitje behoedzaam uit het pakje schoof zonder dat de verpakking ritselde of zijn celgenoten gestoord werden.

Toen het plafondlicht uitging en alleen het rode nachtlampje bleef branden, maakten de mannen zich gereed om te gaan slapen. Toch was het nog niet stil in de gevangenis. Er klonken kreten en het geluid van metaal op metaal en iemand begon met een hoge tenorstem te zingen: 'God zegene de prins van Wales.' Charles deed zijn ogen dicht, dacht aan zijn tuin en viel in slaap.

35 Platina

Sayako kwam uit de kleedkamer in Sloane Street met het mantelpakje van dit seizoen, zoals dat prominent op het omslag van de Engelse *Vogue* stond afgebeeld. Het pakje van het vorige seizoen lag in een slordige hoop op de vloer van de paskamer. Ze bekeek zichzelf in de manshoge spiegel. De cheffin, slank in het zwart, stond achter haar.

'Die kleur staat u erg goed,' zei ze met een professionele glimlach.

Sayako zei: 'Ik neem 't en ik neem 't ook in donkerroze en blauw en lichtgeel.'

De cheffin juichte inwendig. Ze zou nu deze week de beoogde omzet halen. Haar baan was weer voor een maand gegarandeerd. God zegene de Japanners.

Op kousevoeten liep Sayako naar een uitstalling van lage suède schoenen. 'En deze schoenen in kleuren die bij de pakjes passen, maat 37,' zei ze. Haar model was de mannequin van glasvezel, die bijna levensecht tegen de toonbank leunde en die hetzelfde mantelpak droeg dat Sayako aan had, de schoenen die Sayako zoëven had besteld en de tas die Sayako zou gaan bestellen in blauw, donkerroze, crème en lichtgeel. De blonde nylon pruik van de mannequin glinsterde onder de spotlights. Haar blauwe ogen waren halfgesloten, als was ze verrukt van haar eigen blanke schoonheid.

Ze is zo mooi, dacht Sayako. Ze nam de pruik van het hoofd van de mannequin en zette die zelf op. Hij paste perfect. 'En ik neem deze ook,' zei ze.

Toen overhandigde ze een platina kaart met de naam van haar vader, de keizer van Japan.

Terwijl de cheffin de magische nummers van de kaart intoetste, paste Sayako een zachte groenachtige suède mantel, die ook gedragen werd door een roodharige mannequin die in spagaat op de winkelvloer zat. De suède mantel kostte op één penny na duizend pond.

'In welke kleuren hebt u deze mantel nog meer?' vroeg Sayako aan de assistenten die haar kostuums, schoenen, tassen en pruik aan het inpakken waren.

'Nog precies één andere kleur,' zei een assistente (die dacht: *Jeeezus*, vanavond na het werk gaan we een borrel drinken). Ze haastte zich naar achteren en kwam snel terug met een caramel-kleurige uitvoering van de kostbare mantel.

'Ja,' zei Sayako. 'Ik neem ze allebei en uiteraard bijpassende laarzen, maat 37.' Ze wees naar de laarzen die de roodharige mannequin aan had.

De stapel op de toonbank groeide. Haar lijfwacht, die binnen bij de winkeldeur stond, bewoog zich ongeduldig. De limousine die buiten geparkeerd stond, had al de aandacht getrokken van een parkeerwacht. Hij en de chauffeur keken elkaar woedend aan, maar beiden wisten ze dat de CD-borden op de auto verhinderden dat er een parkeerbon op de voorruit kwam.

Toen de prinses en haar aankopen waren weggereden, begonnen de cheffin en haar assistenten te krijsen en te gillen en elkaar van blijdschap te omhelzen.

Sayako zat achter in de limousine en keek naar Londen en zijn bewoners. Wat grappig zijn de Engelsen, dacht ze, met hun wiebelende gezichten, hun grote neuzen en hun *huid*. Ze lachte achter haar hand. Zo wit en roze en rood. En wat voor lichamen hadden ze. Zo lang. Het was toch helemaal niet nodig om zo lang te zijn. Haar vader was maar een kleine man en hij was keizer.

Toen de auto op weg ging naar Windsor, waar ze in het pas geopende Royal Castle Hotel logeerde, sloten Sayako's ogen zich. Winkelen was wel erg vermoeiend. Ze was om 10.30 op de lingerie-afdeling van Harrods' begonnen en nu was het 6.15 en ze had slechts een uur vrij genomen om te lunchen. En wanneer ze weer in het hotel was, moest ze dat onbegrijpelijke boek lezen, *Drie man in een boot*. Ze had haar vader beloofd dat ze iedere dag minstens vijf bladzijden zou lezen. Haar Engels zou er beter van worden, zei hij, en het zou haar helpen de Engelse psyche te begrijpen.

Ze had zich al door *De wind in de wilgen* geworsteld, door *Alice in Wonderland* en het grootste deel van *Jemima Puddleduck*, maar ze vond die boeken wel erg moeilijk, vol sprekende dieren die als menselijke wezens gekleed gingen. Het vreemdste van alles was *The House at Pooh Corner*, over een achterlijke beer, die bevriend was met een jongen, die Christopher Robin heette. Sayako had van de leraar, die haar het gesproken Engels bijbracht, gehoord dat de Engelsen vele woorden voor schijt hadden, 'pooh' was er daar een van.

Bij Hyde Park Corner stopte de auto plotseling, de chauffeur vloekte en Sayako opende haar ogen. De lijfwacht draaide zich om en keek haar aan.

'Een demonstratie,' zei hij. 'Niets te vrezen.' Ze keek uit het raampje en zag een lange rij mensen van middelbare leeftijd die voor de auto de weg overstaken. Velen van hen droegen beige anoraks, die Sayako, verzot op winkelen als ze was, herkende als afkomstig van Marks and Spencer. Enkelen droegen borden op stokken waarop de letters B.O.V.T. in rood, wit en blauw stonden.

Afgezien van enkele ongeduldige automobilisten, scheen niemand op ze te letten.

36 Een gegeven paard

Spiggy kwam Hell Close binnenrijden op de ongezadelde rug van een paard, een vos, Gilbert geheten. Toen het paard bij het huis van Anne kwam, riep Spiggy: 'Hu!' en Gilbert hield stil en begon van het kweekgras te eten dat langs de stoeprand groeide. Spiggy steeg af en leidde Gilbert over het pad naar de voordeur van Anne.

'Wacht maar tot ze *jou* ziet,' zei hij tegen het paard. 'Ze zal gewoon met haar oren staan te klapperen.'

Toen Anne de deur opendeed en Gilberts lieve bruine ogen zag, die haar in haar ogen keken, dacht ze dat ze daar op de stoep zou smelten. Ze strekte haar armen uit en sloeg ze om de hals van het paard.

'Hoe kom je eraan?' vroeg ze bits.

'Gekocht,' zei Spiggy. 'Van een kerel in de club. Hij heeft 'r geen plaats voor.'

'En heb jij dan wel ergens plaats voor hem?' vroeg Anne.

'Nee,' gaf Spiggy toe. 'Maar ik had er een paar op en ik vond 'm aardig. Hij stond vastgebonden op het parkeerterrein en ik, nou ja, ik kreeg zo'n beetje met 'm te doen. Hij kostte maar vijftig pond en een rol traploper. Hij heet Gilbert. Hij heeft nieuwe hoeven,' zei hij bezorgd, omdat hij graag wilde dat Anne het met hem eens was dat Gilbert een koopje was.

Annes geoefende oog zei haar dat Gilbert een mooi paard was.

'Waar werd hij voor gebruikt?' zei ze.

'Trektochten maken, zei die kerel, in Derbyshire. Maar hij heeft de laatste tijd vakantie gehad, want dat gedoe met trektochten ligt op zijn kont. Het is een lief beest.'

Anne kon dat zelf zien. Gilbert vond het goed dat ze met haar handen door al zijn vetlokken ging en de binnenkant van zijn oren inspecteerde. Toen Anne in zijn bek keek, liet hij zelfs zijn tanden zien alsof hij in de stoel van de tandarts zat en de tandarts alle medewerking verleende. Anne aaide zijn roodbruine neus, nam zijn teugel en leidde hem langs het pad aan de zijkant van het huis naar de verwilderde achtertuin. Er was geen zadel, maar ze klom op Gilberts rug en ze stapten naar de achterkant van de tuin en terug. Spiggy stak een sigaret op en ging op de gietijzeren bank zitten, die Anne uit Gatcombe Park had meegenomen. Hij mocht Anne graag, ze zei precies waar het op stond. En ze zag er niet eens zo onaardig uit – als ze haar haar liet hangen, zoals nu.

Hij was maar wat trots geweest op de opschudding die zij teweeg hadden gebracht, toen ze bij hun eerste afspraak de arbeidersclub van Flowers Estate waren binnengekomen. Hij was nog trotser geweest toen Anne met biljarten van al zijn maten had gewonnen. Gilbert was Spiggy's blijk van liefde.

Hij had erop vertrouwd dat haar tuin groot genoeg zou zijn voor Gilbert, als ze ervoor zou zorgen dat hij één keer per dag behoorlijk op het recreatieterrein kon galopperen. Anne liet zich ongaarne van het paard glijden.

'Ik kan hem onmogelijk houden, Spiggy,' zei ze. 'Ik heb niet eens behoorlijk te eten voor de kinderen.'

'Ik zorg wel voor voer,' zei Spiggy. 'Zeg me maar wat-ie moet hebben en ik breng het wel.' Toen Anne aarzelde zei hij: 'Van m'n eigen heb ik nou eenmaal niet zo'n grote tuin als jij. We kunnen hem om zo te zeggen delen. Mijn vader was stukwerker, dus ik ben paarden gewend. Ik reed al voor ik mijn schoenveters vast kon knopen. Kom op, Anne, help me nou. Jij hebt ruimte voor een stal.'

Gilbert duwde zijn neus tegen Annes nek. Hoe kon ze weigeren?

In de middag kwam George Beresford langs om Gilberts maat voor zijn stal te nemen. Later kwam hij terug met Fitzroy Toussaint. Ze droegen roze kunststofplaten die George ooit had meegenomen van een kapsalon, die hij had helpen opnieuw in te richten.

'Het is niet direct gestolen,' zei hij tegen Anne, toen ze bezwaren opperde over de dubieuze afkomst van de platen. 'Het is een van de mazzels van mijn werk.'

Fitzroy stemde daarmee in en zei dat hij voor niks computerpapier voor haar en de kinderen kon krijgen. 'Geen probleem,' zei hij, 'altijd.'

Anne tekende een ruwe schets van een stal, gaf aan hoe hoog de voeder- en de waterbak moesten komen, legde uit dat Gilbert ruimte moest hebben om zich te kunnen keren en dat de vloer een afvoer moest krijgen en bestand moest zijn tegen grote hoeveelheden paardepis. Fitzroy hielp George nog een vracht platen te sjouwen en excuseerde zich daarna – het was zijn tijd om naar kantoor terug te gaan.

Meneer Christmas keek over het hek toe. Hij was op borgtocht vrijgelaten, nadat hij bij zijn poging om in een doe-het-zelfwinkel een vlotterkraan te stelen was betrapt door de tv-camera, die in de winkel hing. Hij haalde een wortel uit zijn broekzak en voerde die aan Gilbert.

'Wat doet u met de paardestront?' vroeg hij aan Anne. Anne bekende dat ze daar nog niet zo erg over had nagedacht, al moest ze toegeven dat het mettertijd een probleem kon worden.

'Ik wil u dat wel uit handen nemen,' zei meneer Christmas, die al visioenen voor zich zag hoe hij het tegen een pond per zak zou verkopen.

'Ik ben echt niet van plan om het *in* mijn handen te nemen, meneer Christmas,' zei Anne.

Ze stonden te lachen toen de koningin de achtertuin binnenkwam; ze had een zadel bij zich, dat ze aan haar dochter gaf.

De koningin kon zich geen leven zonder paarden voorstellen. Ondanks de waarschuwing van Jack Barker, was het haar tweede natuur geweest die haar ertoe had gebracht een zadel in de verhuiswagen te stoppen.

'Ik heb dit vanmorgen uit de berging gehaald. Je zult hier en daar wat bij moeten stellen, maar ik geloof dat het hem wel past,' zei ze. Ze glimlachte naar Gilbert en gaf hem een pepermuntje.

'Hoe gaat het met uw jongen daarginds?' vroeg meneer Christmas aan de koningin.

'Ik weet het niet. Ik heb nog geen brief gekregen,' zei de koningin, terwijl ze met het zadeldek en het zadel aan het frommelen was. 'Ik heb hem natuurlijk geschreven en een boek gestuurd.'

'Een boek,' spotte meneer Christmas. '*Dat* mag-t-ie geeneens hebben.'

'Waarom niet?' vroeg de koningin.

'Voorschriften,' legde meneer Christmas uit. 'Je kan van die kleine LSD-pilletjes tussen de bladzijden stoppen of cocaïne in dat harde gedeelte waarmee de bladzijden aan elkaar zitten...'

'De rug,' vertelde de koningin.

'Een van mijn jongens is aan drugs verslaafd geraakt toen hij in de gevangenis zat,' zei meneer Christmas praatziek. 'Toen hij eruitkwam moest hij die ontwikkelingskuur hebben.'

'Ontwenningskuur,' verbeterde de koningin.

'Ja, ontwenningskuur. Heeft van geen kanten geholpen. Hij zegt dat het hem niks kan schelen als-t-ie jong doodgaat. Hij heeft de pest aan de wereld, zegt-ie, en d'r is niks voor hem om voor te leven.'

'Wat erg,' zei de koningin.

'Het was al bij zijn geboorte een zielige donder. Hij begon pas te lachen toen hij al een jaar was,' zei meneer Christmas minachtend. 'Hoe ik 'm ook op z'n lazer gaf, hij verdomde 't om te lachen.'

37 Lieve mams

De volgende morgen was de koningin de afvoer in de voortuin aan het schoonmaken, toen de postbode met een brief het pad opkwam. De koningin trok haar rubberhandschoenen uit. Ze hoopte dat het een brief van Charles was. En dat was het.

Castle Gevangenis
Vrijdag 22 mei

Lieve mams,

Zoals u ziet heb ik een bezoekpasje ingesloten. Ik zou er heel erg mee ingenomen zijn, als u op bezoek zou komen. Het is hier ontzettend, het eten is niet om te beschrijven zo verschrikkelijk. Je denkt dat het al bedorven is wanneer het de keuken uitkomt, maar tegen de tijd dat het bij ons in de cel arriveert, is het nog meer bedorven, koud en gestold. Als u komt, wilt u dan alstublieft fruit en een paar mueslirepen meenemen, iets voedzaams.

Wilt u ook enkele boeken meenemen? Ik mag nog geen gebruik maken van de gevangenisbibliotheek. En ik ben afhankelijk van wat mijn celgenoten, Lee Christmas, Bolle Oswald en Carlton Moses te lezen hebben. Zij hebben niet mijn liefde voor literatuur, ik heb ze gisteravond zelfs moeten uitleggen wat literatuur was, of liever is. Lee Christmas dacht dat literatuur een soort kunstmest was. Op het ogenblik zitten we drieëntwintig uur per dag opgesloten. Er is niet genoeg personeel om toezicht te houden bij educatieve of werkprogramma's. Om beurten doen we onze lichaamsoefeningen in de smalle ruimte tussen de bedden. Allemaal, dat wil zeggen: afgezien van Bolle Oswald, die iedere dag heel de dag op zijn bed kookboeken ligt te lezen en schadelijke lichaamsgassen verspreidt. Ik heb hem verweten dat hij voor een deel verantwoordelijk is voor het dunner worden van de ozonlaag, maar hij zei alleen: 'Wat stelt dat thuis voor?'

De hel *bestaat* werkelijk uit de anderen, mams. Ik verlang

ernaar in mijn eentje een lange wandeling te maken of een dag alleen te vissen: alleen ik, de rivier en de dieren.

Is Diana in de weer voor mijn hoger beroep? Vraag het haar eens, mams. Het is monsterlijk onrechtvaardig dat ik hier ben. Ik heb die dag in Hell Close *niet* opgehitst tot een relletje. Ik heb niet geroepen: 'Sla het varken dood.' Carlton vertelde dat mijn advocaat, Ian Livingstone-Chalk, erom bekend staat dat hij lui is en onbekwaam. In criminele kringen noemen ze hem 'Chalk klabak', omdat hij zo aan de kant staat van de politie. Je vraagt je af waarom hij strafpleiter is. Vraag Diana bij de raad van advocaten een klacht tegen hem in te dienen, en wilt u haar er alstublieft aan herinneren dat ze de tuin sproeit – de tomaatplanten bij de keukendeur hebben ieder minstens anderhalve liter per dag nodig – meer als het erg warm is.

De directeur, de heer Fossdyke, bracht me gisteren uw portret, het officiële staatsieportret van de kroning. Het hangt boven me nu ik zit te schrijven. Het heeft wat ongenoegen veroorzaakt bij mijn celgenoten. Ze vragen of de heer Fossdyke *hun* olieverfschilderijen van *hun* moeder wil bezorgen.

Ik zou wel willen dat de heer Fossdyke me met net zo'n minachting behandelde als waarmee hij de andere gevangenen behandelt. Toe, kunt u hem schrijven of hij mij de volgende keer dat hij me ziet, minachtend aan wil kijken en op scherpe toon tegen me spreken enz. Hij zou zeker rekening houden met u; hij is duidelijk een vurig royalist.

Wilt u de groeten doen aan Wills en Harry en zeg ze dat papa geniet van zijn vakantie in het buitenland. Doet u de hartelijke groeten aan oma en ook aan vader.

Zoals u kunt zien, heb ik me vergist bij het invullen van het bijgevoegde bezoekpasje. Ik had natuurlijk Diana's naam na de uwe willen zetten, maar om de een of andere merkwaardige reden heb ik die van Beverley Threadgold ingevuld. Ik kan me niet indenken waarom. Ik hoop maar dat Diana het niet erg vindt dat ze nog een week moet wachten, of misschien twee.

Veel liefs,
uw zoon Charles

P.S. De tomaten moeten eens per week vloeibare mest hebben.
PPS. Wist u dat Harris een teef Kylie heeft gedekt? De eigenaar van Kylie, Allan Gower, zit hier. Hij is een 'plastic cowboy' (zo noemen ze een zwendelaar met creditkaarten). Hij vraagt mij een deel van het honorarium van de dierenarts te betalen.

De koningin ging direct zitten om de directeur te schrijven.

De heer Gordon Fossdyke
Directeur Castle Gevangenis

Hell Close 9
Flowers Estate
Maandag 25 mei 1992

Zeer geachte Heer Fossdyke,
Zoals u weet is mijn zoon aan uw zorgen toevertrouwd. Hij schrijft me dat u zo vriendelijk voor hem bent. Ik ben u daar zeer erkentelijk voor, maar ik zou het nog meer op prijs stellen, indien u nu en dan *onvriendelijk* tegen hem was. Ik vraag me af of u het zou kunnen regelen dat hij streng wordt gestraft voor een of andere kleine overtreding. Ik begrijp dat dat zou kunnen bijdragen tot een betere verhouding met zijn celgenoten.

Iets anders, waarom moet het eten dat de gevangenen opgediend krijgen, zo koud zijn. Bent u misschien bevreesd dat ze hun mond branden? Ik weet zeker dat er een reden moet zijn (die mij overigens onbekend is), want het ligt ongetwijfeld binnen uw organisatorische vermogens, ervoor te zorgen dat de gevangenen hun eten ontvangen op een temperatuur die u en ik als de vereiste zouden beoordelen.

Een kleinigheid. Vorige week heb ik mijn zoon een boek gestuurd, *Organic Gardening* door Alan Thelwell. Waarom heeft hij het nog niet gekregen? Misschien een vergissing?
Met de meeste hoogachting,
Elizabeth Windsor

Diezelfde ochtend had Charles een brief gekregen.

Hellebore Close 8
23 mei 1992

Charles, liefje,

Het spijt me dat ik je niet eerder heb geschreven, maar ik heb het zo druk gehad! Ik hoop dat je het goed maakt!

Ik heb mijn haar kastanjebruin laten verven, iedereen zegt dat het me goed staat. Ik heb een vreselijk leuk broekpak gevonden bij Help de Bejaarden. Het is Max Mara, zo'n beetje rood roze/beige kleur. Met een vrij lang jasje en nauw toelopende broekspijpen. En maar £ 2,45! Ik heb het aan gehad toen ik naar de ouderavond van William ging, met mijn witte overhemd (dat met het geborduurde kraagje).

Gisteravond ben ik naar een droogbloemenavondje bij Mandy Carter geweest. Het is de bedoeling dat je rondkijkt en wat droogbloemen koopt en Mandy krijgt dan commissie over wat er is verkocht. Je oma was er met haar vriendin, Philomena. Ik heb een lief mandje gekocht, vol met van dat blauwe spul dat zo lekker ruikt; op Sandringham zie je het volop, maar het is geen hei. O, jij weet vast hoe het heet, het begint met een 'l', denk ik. Het ligt op het puntje van mijn tong. Nee, nou is het weer weg.

Er waren niet genoeg mensen die wat kochten, dus die arme Mandy heeft helemaal niets verdiend! De mevrouw die de droogbloemen liet zien, bood me vriendelijk aan dat ik volgende week zo'n avond mag houden, dus heb ik ja gezegd! We zitten erg krap. Victor Berryman (Food-U-R) zegt dat de kosten van een gevangene wel £ 400 per week zijn – bof jij even.

Ik moet weg. Ik zag net dat Harris boven op het plantgoed sprong!!

Veel liefs,
Diana

P.S. Lavendel!
PPS. Sonny Christmas is vannacht in zijn slaap gestorven. Verdrietig, hè? William had een twee voor zijn schoolonder-

zoek rekenen. Ik heb zijn klasseleraar gezegd dat niemand van onze familie goed in rekenen is, maar hij zei: 'U schijnt toch kans gezien te hebben om onder uw inkomstenbelasting uit te komen'. Wat zou hij daarmee bedoelen?

Charles las de brief van zijn vrouw nog eens. Hij rilde iedere keer wanneer hij een uitroepteken tegenkwam. Elk ervan was een zichtbare herinnering aan de verschillen die er tussen hen bestonden.

38 Dansend naar het licht

Het zieke lichaam van de koningin-moeder lag in haar bed in haar huisje in Hell Close, maar haar geest zweefde tien kilometer boven de wolken in een BOAC De Havilland Comet straalvliegtuig. Kolonel-vlieger John Cunningham was de gezagvoerder. Zijn geruststellende stem vertelde haar van de landen waar ze tijdens deze non-stop-vlucht overheen vlogen: Frankrijk, Zwitserland, Italië en de noordelijke punt van Corsica. Het was 1952. Ze vlogen met de opwindende snelheid van achthonderd kilometer per uur. Het beeld veranderde. Met een geweer voor de grote jacht schoot ze op neushoorns; daarna roffelde ze een uitzinnig ritme op de bongotrommels, voor ze verder wandelde om met generaal Charles de Gaulle te praten en samen met hem te treuren over de val van Frankrijk; dan stond ze toe te kijken terwijl de doodkist van de hertogin van Windsor de trappen van St. George's Chapel werd afgedragen; een moment later zat ze, in een van haar grandioze japonnen, samen met Noël Coward in een loge. De voorstelling was *Cavalcade*. Na de show soupeerden ze in de Ivy.

Philomena Toussaint doopte een punt van een zakdoek in een glas ijswater en maakte er de lippen van de koningin-moeder mee vochtig. Het was 3.15 in de ochtend. De koningin-moeder voelde de verrukkelijke koelte rond haar mond en glimlachte dankbaar, maar ze bezat geen kracht meer om iets te zeggen of haar ogen open te doen. De koningin had Philomena gevraagd om een dokter te waarschuwen wanneer er zich gedurende de nacht een zichtbare achteruitgang in de toestand van haar moeder zou voordoen, maar Philomena zei: 'Ik ga geen dokter roepen. Ze is over de negentig. Ze is moe; zij heeft het recht om voorgoed in de armen van de Heer te rusten.'

Philomena borstelde de haren van de koningin-moeder, bracht roze lippenstift op haar mond aan en rouge op haar wangen. Ze bond de blauwe linten van de peignoir van de koningin-moeder samen en maakte een mooie strik onder haar kin. Daarna maakte ze het bed opnieuw op en legde de handen van de koningin-moeder op de lakens. Philomena bleef wachten, terwijl de ademhaling van de koningin-moeder steeds zwakker werd. Het licht in de kamer werd helderder. Er zong een vogel op de dakrand van het huisje.

Toen ze oordeelde dat het tijd was, ging ze naar de woonkamer van het huis ernaast, waar de koningin volledig gekleed op de bank lag te slapen. De koningin ontwaakte meteen toen Philomena haar op de schouder tikte. Ze haastte zich naar het bed van haar moeder en Philomena trok haar mantel aan, om aan de overige familieleden het droeve nieuws mee te delen dat de koningin-moeder op sterven lag. De koningin hield de hand van haar moeder vast; ze zou willen dat ze bleef leven. Wat moest ze zonder haar beginnen? Anne, Peter en Zara kwamen de kamer binnen. 'Geef haar maar een kus om afscheid te nemen,' zei de koningin. Daarna arriveerde Diana, die Harry droeg en William bij de hand hield. De jongens waren in hun pyjama. Diana bukte zich om de zachte wang van de koningin-moeder te kussen en spoorde de jongens aan hetzelfde te doen.

Buiten op straat was het geklikklak te horen van de hoge hakken van Margaret, die zich achter Philomena aan haastte. Susan, de corgi van de koningin-moeder, klom op het bed en ging op de sprei liggen, aan de voeten van de koningin-moeder. Margaret omhelsde haar moeder hartstochtelijk en vroeg toen aan haar zuster: 'Heb je een dokter laten roepen?' De koningin moest erkennen dat dat niet was gebeurd en zei: 'Mamma is tweeënnegentig. Ze heeft een prachtig leven gehad.'

Philomena zei: 'Ik heb d'r gevraagd of ze aan slangen wou en spul in haar lijf wou hebben en zo'n machine die 'r lucht moet geven en ze zei: "De hemel beware me".'

Margaret barstte uit: 'Maar we kunnen hier toch niet gewoon blijven zitten kijken hoe ze *doodgaat*, in dit afschuwelijke kamertje, in dit afschuwelijke straatje, in deze afschuwelijke buurt.'

William zei: 'Ze heeft het hier best naar haar zin, ik ook trouwens.'

Het nieuws was in Hell Close bekend geworden en er begonnen zich buren voor de voordeur te verzamelen. Ze praatten zachtjes over hun herinneringen aan de koningin-moeder.

202

Darren Christmas moest van zijn lawaaierige brommer afstappen en 'm voortduwen tot hij veilig buiten het gehoor van Hell Close was. En als teken van respect kreeg niemand die morgen de kans van de melkkar stelen.

De eerwaarde heer Smallbone, de republikeinse predikant, belde om acht uur bij het huisje aan; hij was gewaarschuwd door de krantenverkoper, van wie hij het enige exemplaar van de *Independent* kocht, dat er binnen een straal van vijf kilometer voorhanden was. Hij stond naast het bed van de koningin-moeder onverstaanbare woorden over hemel en hel, zonde en liefde te prevelen.

De koningin-moeder deed haar ogen open en zei: 'Ik wilde eigenlijk niet met hem trouwen, weet je. Hij heeft me drie keer moeten vragen. Ik was verliefd op een ander.' En ze sloot haar ogen weer.

Margaret zei: 'Ze weet niet meer wat ze zegt; ze aanbad papa.'

De koningin-moeder was nog één keer Elizabeth Bowes-Lyon, zeventien jaar oud, een fameuze schoonheid, die in de balzaal van Glamis Castle rondzwierde in de armen van haar eerste liefde, wiens naam ze zich niet goed meer kon herinneren. Het denken werd moeilijk. Het leek donker te worden. Ze kon stemmen in de verte horen, maar ze klonken vager en vager. Toen werd het duister, maar in de verre verte was er een speldeknop van helder licht. Plotseling bewoog ze zich naar het licht en het licht nam haar op en omgaf haar en ze was niet meer dan een herinnering.

39 Interpunctie

Het was Charles' beurt om het station te kiezen, dus iedereen in de cel luisterde naar BBC 4. Brian Redhead sprak met de vroegere president-directeur van de Bank van Engeland, die de dag tevoren zijn ontslag had ingediend. Er was nog niemand gevonden om zijn plaats in te nemen. De heer Redhead vroeg: 'U vertelt me dus, meneer, dat u in uw hoedanigheid van president-directeur van de Bank van Engeland, zelfs u, op die verheven post, niet op de hoogte was van de voorwaarden van de Japanse lening? Ik kan dat maar moeilijk geloven.'

'Ik ook niet,' zei de ex-president-directeur bitter. 'Waarom denkt u dat ik anders mijn ontslag heb ingediend?'

'En hoe wordt de lening terugbetaald?' vroeg meneer Redhead.

'Dat gebeurt niet,' zei de president-directeur, 'de kelders zijn leeg. Om zijn waanzinnige plannen te financieren is meneer Barker erin geslaagd de Bank van Engeland leeg te roven.'

De celdeur ging open en meneer Pike hield brieven in de hoogte en zei: 'Bolle Oswald, van je moeder. Moses, een van je vrouw en een van je vriendin.'

Tegen Lee zei hij: 'Niks, zoals gewoonlijk. Tegen Charles zei hij: 'Teck, eentje van een debiel, aan het handschrift op de envelop te zien.'

Charles maakte de envelop open. Er zaten twee brieven in.

Liefe pap,
　Ik maak het goet maak u het goet
　Ik weet dat u niet op vacanti bent. Ik heb Darrun Christmas gezien en hij zegt dat u in de bak zit.
　Harris heeft alle plante in de tiun deruit getrokken
　De groete Harry. 7 jaar.

Lieve papa,
　Mama heeft ons een leugentje verteld dat u op vacantie in

Schotland was. Onze video is gestolen en ook de kandelaars die van konig George waren die jaren geleden geregeert heeft. Meneer Christmas kent de knul die ze gepikt heeft. Hij zegt dat hij die knul een pak rammel zal geven en de kandelaars terug zal halen.

Onze school krijgt nu gouw een niew dak. Jack Barker heeft mevrou Strikland een brief gestuurd en ze heeft ons dat gistere in de vergadering verteld.Tante Anne heeft een paard gekrege, het heet Gilbert. Het staat in de achtertuin, in een stal. Het is roze. De stal, niet het paard. Wilt u ons wat geld uit de gevangenis sturen we hebben niks.
Veel liefs van William.

P.S. Schrijf alsublicf gau terug.

Charles las de brieven vol ontzetting. Het was niet alleen het afgrijselijk gebruik van de Engelse taal door zijn zoons, de spelfouten, de minachting voor de regels van de interpunctie, het ontstellende handschrift. Het was de inhoud van de brieven. Wanneer hij uit de gevangenis was, zou hij Harris van kant maken. En waarom had Diana niets van de inbraak gezegd?

Toen hij de brieven opvouwde, zwaaide de celdeur open en meneer Pike zei: 'Teck, je grootmoeder is overleden. Ik moet je de condoleances van de directeur overbrengen en hij zegt dat je de begrafenis mag bijwonen.'

De deur ging weer dicht en Charles vocht met zijn gevoelens. Zijn celgenoten Lee, Carlton en Bolle Oswald keken hem aan en zwegen. Een paar minuten later zei Lee: 'Als ze mij naar buiten lieten gaan, ging ik ervandoor.'

Charles staarde door het celraampje naar de bovenste takken van de plataan en hunkerde naar vrijheid.

Toen Bolle Oswald later op de morgen terugkwam van zijn les creatief schrijven, gaf hij Charles een velletje papier met de woorden: 'Voor jou, om je op te kikkeren.'

Charles kwam overeind van zijn bed, nam het papier uit Oswalds pafferige hand en las:

205

Buiten
Buiten is er taart en nog meer smakelijks,
En je kan een winkel binnenlopen,
Om heerlijke chocola te kopen,
of trainingsschoenen, de beste zijn Nikes.

Charles besefte dat hij een gedicht aan het lezen was.

Buiten heb je bloemen en volop bomen,
Als we uit de gevangenis konden komen.
Er zijn meisjes met mooie kleren aan,
we zouden met ze naar leuke plekjes gaan.

Buiten is wat we willen, weg uit de lik,
Charlie, Carlton, Lee en ik.

'Warempel, dat is vreselijk goed, Oswald,' zei Charles, die het stellig helemaal eens was met de gevoelens die in het gedicht tot uiting werden gebracht, al gruwde hij van de banaliteit van de constructie.

Glimmend van trots hees Bolle Oswald zich op zijn bovenste bed. 'Lees het hardop voor, Charlie,' zei Lee, die zich tot nog toe niet had gerealiseerd dat hij de cel deelde met een collega dichter.

Toen Charles het gedicht hardop aan zijn celgenoten had voorgelezen, zei Carlton: 'Dat is een *hartstikke* goed gedicht, man.'

Lee zweeg. Hij gloeide van creatieve jaloezie. Naar zijn mening was 'Pluisje, de poes' een veel en veel beter gedicht.

Charles lag op zijn bed; de laatste regel van het gedicht kwam steeds in zijn hoofd terug:

Buiten is wat we willen, weg uit de lik,
Charlie, Carlton, Lee en ik.

40 Vrouwenwerk

Philomena en Violet wisten hoe je een dode moest afleggen. Het was iets dat ze in het verleden, in moeilijke tijden, hadden geleerd. Ze hadden niet verwacht dat in 1992 hun diensten nog nodig zouden zijn, maar er werd weer om gevraagd. Weinig mensen in Hell Close konden het zich permitteren de diensten van een begrafenisondernemer te betalen. Of ze moesten loodzware schulden aangaan of de doodsoorzaak moest een bedrijfsongeval zijn (in zo'n geval wilde de werkgever zich jegens de familie maar al te graag van de goede kant laten zien). Verzekeringen beschouwden ze als een enorme luxe, net zoiets exotisch als een vakantie in het buitenland of het eten van rosbief op zondag.

De vrouwen die wisten hoe belangrijk het was dat je op zulke momenten iets om handen had, hadden de koningin erop uitgestuurd om enkele boodschappen te doen. De koningin was bereidwillig gegaan. Ze vond de bejaardenwoning, zonder dat haar moeder er levend aanwezig was, verschrikkelijk benauwend.

Toen de twee vrouwen klaar waren met hun werk, gingen ze naar het voeteneind van het bed om nog eens naar de koningin-moeder te kijken. Er speelde een glimlachje om haar lippen, alsof ze van iets heel plezierigs lag te dromen. Ze hadden haar haar blauwe lievelingsavondjurk aangedaan en bijpassende saffieren juwelen flonkerden aan haar oren en om haar hals.

'Ze ziet er sereen uit, hè,' zei Philomena trots.

Violet veegde haar ogen af en zei: 'Ik heb nooit geweten wat we met een koninklijke familie aan moesten, maar zij was best een aardig mens, ze was verwend maar aardig.'

Ze gingen na of alles in orde was, verlieten de slaapkamer en begonnen de rest van de woning schoon te maken. Ze gingen ervan uit dat er de komende paar dagen veel bezoekers over de vloer zouden komen en ze hadden Wilf erop uitgestuurd om extra theezakjes, melk en suiker te kopen. Diana voegde zich in de keuken bij hen. Ze had een bos paarse bloemen met lange stelen meegebracht. Achter de glazen van haar Ray-Ban waren haar ogen dik van het huilen.

'Ik heb deze in de tuin geplukt,' zei ze. 'Ze zijn voor de koningin-moeder die nu opgebaard ligt of hoe ze dat noemen.'

Er verspreidde zich een scherpe lucht door de keuken.

'Dat is *bieslook*,' zei Violet, die aan het boeket snoof. 'Kruiden,' legde ze uit.

'O ja?' zei Diana, die een kleur kreeg en in de war was. 'Wat zal Charles *boos* op me zijn.'

'Maakt niks uit,' zei Violet, 'ze stinken alleen zo.'

'Lelies moeten we hebben,' zei Philomena, 'maar die dingen kosten één pond vijfentwintig per stuk.'

'Wat kost een pond vijfentwintig per stuk,' vroeg Fitzroy Toussaint, die de keuken binnenkwam.

'Lelies, maar dan die zo lekker ruiken,' zei zijn moeder. 'Waar de koningin-moeder zo van hield.'

Fitzroy had Diana nog nooit in werkelijkheid ontmoet. Met een ervaren blik nam hij haar figuur, benen, gezicht, haren, tanden en teint op. Hij zag dat het zwarte pakje van Caroline Charles was en de suède schoenen met de puntneuzen van Emma Hope. Wat zou hij er niet voor over hebben om die bloedmooie dame mee uit te nemen naar de Starlight Club en er een paar Margueritas te drinken en een tijdje op de dansvloer te zijn? Diana keek over de bieslook naar Fitzroy. Hij was zo *lang* en knap – die hoge jukbeenderen. En zijn kleren waren van Paul Smith, zijn schoenen van Gieves and Hawkes. Hij rook zo verrukkelijk. Zijn stem was zoetvloeiend als siroop. Zijn nagels waren schoon. Zijn tanden waren perfect. Ze had gehoord dat hij erg lief was voor zijn moeder.

Fitzroy zei tegen Diana: 'Ik ga een stuk of wat lelies kopen, zin in een ritje?'

Diana zei: 'Ja,' en ze lieten de oudjes in de keuken achter en gingen op weg naar de bloemist.

Diana liep om de auto heen naar de passagiersplaats, maar Fitzroy zei: 'Hé, vangen,' en wierp de autosleutels naar haar toe. Diana ving ze op, liep naar de andere kant van de auto, opende het portier aan de kant van de bestuurder en ging achter het stuur zitten.

Bij de afsluiting stond inspecteur Holyland Diana en Fitzroy aan te kijken en zei: 'Gaat u vandaag op bezoek in de gevangenis, mevrouw Teck?' Diana sloeg haar ogen neer en schudde van nee. Sinds Charles gevangen zat, had ze alle dagen op een bezoekpasje gewacht, maar het was nog niet gekomen. De slagboom ging omhoog en Diana reed Hell Close uit op weg naar een wereld waarmee ze meer vertrouwd was: chique auto's, knappe begeleiders en dure bloemen. Ze reed langs Marigold Road en passeerde de kleuterschool waar Harry op de speelplaats rondrende. Hij had zijn jas over zijn hoofd en speelde rovertje – zijn geliefkoosde spelletje. Ze reed langs het recreatieterrein en zag Harris aan het hoofd van een troep ongezeglijke honden door een tunnel op het speelgedeelte voor de kinderen hollen.

Fitzroy schoof een cassette in de stereo-installatie. De stem van Pavarotti klonk door de auto – 'Nessun Dorma'.

'Ik hoop dat je daar geen bezwaar tegen hebt?' zei hij.

'O nee, hij is mijn absolute favoriet. Ik heb hem live in Hyde Park gezien. Charles luistert liever naar Wagner.'

Fitzroy zei meelevend: 'Wagner brengt alleen maar treurigheid.'

Hij boog zich naar voren en drukte op een ander knopje en het schuifdak ging open. Pavarotti's stem waaide naar buiten en trok de aandacht van de koningin, die voor Food-U-R stond en de condoleances van Victor Berryman in ontvangst nam. De koningin keek op en zag Diana aan het stuur met naast zich Fitzroy, die zijn armen op de maat van de muziek bewoog.

Wat is *dat* nu? dacht de koningin en ze nam haar draagtassen op en sukkelde naar Hell Close.

Terwijl Diana over de vierbaansweg naar de stad reed, zongen zij en Fitzroy met de laatste maten van 'Nessun Dorma' mee; ze voegden hun eigen betrekkelijk zwakke stemmen bij het lieflijk gebrul dat Pavarotti ten gehore bracht. Aan de andere kant van de weg, in de richting van Flowers Estate, zagen ze een paard en een wagen. Het verkeer moest erachter blijven; woedende autorijders tuurden naar voren, wachtend op een kans om in te halen.

'Het is mijn schoonzuster met haar vent,' zei Diana in het voorbijrijden.

209

'Het lijkt wel een stel zigeuners,' zei Fitzroy minachtend. 'En wat had dat paard op zijn *hoofd*?'

Diana keek in de achteruitkijkspiegel. 'Dat is de hoed die Anne vorig jaar op Ascot heeft gedragen,' zei ze en ze voegde er droog aan toe: 'Die staat het paard toch beter.'

Ze was in haar schik toen Fitzroy lachte. Het was al lang geleden, dat ze Charles aan het lachen had gemaakt.

Toen ze de gevangenis passeerden, zei Diana: 'Arme Charles.'

Fitzroy zei: 'Ja, je hebt het zeker wel eenzaam zonder hem, denk ik zo?'

Hun blikken kruisten elkaar een tel. Maar dat was voor hen beiden lang genoeg om te weten dat ze het niet al *te* eenzaam zou hebben. Er zouden compensaties zijn. Diana leefde helemaal op.

Intussen blakerde de zon Charles' tuin. En het water van het plantgoed verdampte net als het water in de hangende mandjes en de zaadbakken en de compost werd zo droog als de Nevada Woestijn.

41 Het nieuws lezen

De volgende middag klopte Violet Toby op de achterdeur van de koningin en liep meteen de keuken in. Ze had de *Middleton Mercury* van die dag in haar hand. Harris kwam met zijn kop van onder de keukentafel te voorschijn en gromde naar Violet, maar met de scherpe punt van een schoen met hoge hak schopte ze naar hem en hij trok zich terug. Violet trof de koningin in de huiskamer waar ze een zijden bloes aan het strijken was. De koningin had problemen met het kraagje.

'Dat ellendige ding blijft maar rimpelen,' zei ze.

Violet pakte het strijkijzer van de koningin en controleerde de regelknop. 'Hij staat op linnen,' zei ze. 'Daar komt het van.'

De koningin deed het strijkijzer uit en nodigde Violet uit te gaan zitten.

Violet zei: 'Ik vroeg me af of je dit al hebt gezien. Het gaat over je mama.'

Ze gaf de koningin de opengevouwen krant. Op pagina zeven, onder een verslag dat er in de vroege uren van zondagmorgen in Pigston Magna een wit T-shirt was gestolen, stond een ander kort berichtje:

VROEGERE KONINGIN-MOEDER OVERLEDEN
De vroegere koningin-moeder, die in 1967 de afdeling eerstehulp van het Middleton Royal Hospital heeft geopend, is overleden in haar woning, Hellebore Close, Flowers Estate. Ze was 92.

De koningin gaf de krant aan Violet terug, die vroeg: 'Moet je het niet uitknippen?'

'Nee,' zei de koningin. 'Het is nauwelijks de moeite waard om te bewaren, vind je niet?' Toen zag ze de schreeuwende kop op de voorpagina: 'CRISIS ROND LENING; JAPAN STELT ULTIMATUM.' Ze pakte de krant van Violet weer terug en las dat Jack Barker de vorige dag acht uur lang in het geheim had beraadslaagd met ambtenaren van het ministerie van Financiën en de Japanse minister van Financiën. Er was geen verklaring voor de wachtende media uitgegeven. De financieel redacteur van de *Middleton Mercury* schreef dat Engeland zich naar zijn mening voor de ernstigste crisis sinds de donkere dagen van de oorlog gesteld zag. Verontwaardigd ging hij verder:

'Er zijn geen bijzonderheden bekend gemaakt welke onderpanden Japan exact voor de lening van vele miljarden yen heeft gevraagd. De toezegging van meneer Barker dat hij een open regering zou nastreven, moet nu als een loze belofte worden gezien. Waarom, o waarom worden we onkundig gelaten? Welke verplichtingen jegens Japan heeft Engeland op zich genomen. De *Middleton Mercury* eist: "WIJ MOETEN HET WETEN".'

'Interessant, die Japanse lening,' zei de koningin toen ze de krant voor de tweede keer aan Violet teruggaf.
'O ja?' zei Violet. 'Ik interesseer me helemaal niks voor de politiek. Wat word ik er nou wijzer van?'
'Maar ik dacht dat je een aanhanger was van Jack Barker, Violet?' zei de koningin.
'Ja, dat is zo,' zei Violet. 'Maar hij zal wel gauw op zijn kont liggen en eruit gegooid worden.'
De koningin liet haar gedachten over de verslechterende financiële crisis gaan en vond ook wel dat Violet gelijk kon hebben. Toen ze de strijkplank in elkaar klapte en in de kast onder de trap zette, vroeg ze zich af hoe ze zich zou voelen als ze naar Buckingham Palace terug zou gaan. Het zou natuurlijk verschrikkelijk prettig zijn als andere, onzichtbare handen voor haar zouden strijken, maar het vooruitzicht dat ze haar officiële verplichtingen weer op zich moest nemen, bezorgde haar rillingen. Ze hoopte dat Jack een uitweg uit zijn moeilijkheden zou vinden.

42 Houtbewerking

De volgende dag stond de koningin in Hell Close toe te kijken toen George Beresford de laatste spijker in de doodkist sloeg.

'Zo,' zei hij. 'Een kist voor een koningin, hè?'

'Knap werk,' zei de koningin. 'Hoeveel ben ik je schuldig?'

George was beledigd. 'Niks,' zei hij. 'Het waren alleen maar wat resten en de spijkers had ik al.' Hij ging met zijn hand over de kist. Toen pakte hij de bovenkant, die tegen het tuinhek geleund stond, en probeerde of die paste.

'Mooi pas, al moest ik dat van m'n eigen eigenlijk niet zeggen.'

'Ik moet je voor je *tijd* betalen,' drong de koningin aan, die maar hoopte dat Georges uurloon laag zou zijn. Wat de sociale dienst voor een begrafenis gaf, was bepaald niet buitensporig.

George zei: 'Ik ben nu baas over mijn eigen tijd. Als ik nog geen buur kan helpen, is het ook maar behelpen.'

De koningin ging met haar handen over het deksel van de doodkist. 'Je bent een vakman, George,' zei ze.

'Ik heb het vak bij een meubelmaker geleerd. Ik heb vijftien jaar bij Barlows gewerkt,' zei George.

Die naam zei de koningin niets, maar ze kon aan de trotse toon waarop George het zei, horen dat Barlows een zeer gerespecteerde firma was.

'Waarom ben je bij Barlows weggegaan?' vroeg ze.

'Ik moest voor mijn vrouw zorgen,' zei hij, waarbij zijn gezicht betrok.

'Was ze ziek?' vroeg de koningin.

'Ze had een beroerte gehad,' zei George. 'Ze was pas drieëndertig, hield geen ogenblik haar mond. Nou ja, de ene minuut stond ze me nog uit te zwaaien toen ik naar mijn werk ging, en als ik haar weer zie, ligt ze in het ziekenhuis. Kan niet meer praten, zich niet verroeren, kan niet meer lachen. Maar ze kon wel huilen,' zei George verdrietig. 'Nou ja,' vervolgde hij, terwijl hij nog met zijn rug naar de koningin stond. 'D'r was niemand anders die voor haar kon zorgen. Wassen, eten geven en dat soort dingen meer en dan waren er de kleintjes, onze Tony en John. Daarom heb ik mijn baan d'r aan gegeven. Toen ze overleden was, was Barlows over de kop en alles wat ik nog aan werk kon krijgen, was het inrichten van winkels. Dat kon ik met mijn ogen dicht. Maar het was in ieder geval werk. Ik voel me rottig als ik niet kan werken. Het gaat niet alleen om het geld,' zei hij. Hij draaide zich om en keek de koningin aan, erop gebrand haar duidelijk te maken wat hij bedoelde. 'Het is het gevoel dat... dat ze je nodig hebben. Ik bedoel maar: wat stel je nog voor als je niet werkt? Ik had een paar goede maten bij die winkelfirma,' zei hij. 'Ik heb drie jaar op m'n eigen gewoond en dan had ik naar een goed tv-programma zitten kijken en ik zat daar in mijn eentje te koekeloeren en dan dacht ik, morgen praat ik er met mijn maten over.' George lachte. 'Eigenlijk zielig, vind je niet?'

'Zie je je collega's nog weleens?' vroeg de koningin.

'Nee, zo werkt dat niet,' zei George. 'Ik kan er niet op uitgaan om ze te zien; ze zouden denken dat ik halfzacht was.' Hij begon zijn gereedschap op te bergen in vakjes die in een tas van canvas waren aangebracht. Voor ieder stuk gereedschap was er een vakje. De koningin zag dat er aan de binnenkant van de tas in zwarte inkt 'Barlows' stond gestempeld. Ze pakte een veger en begon de houtkrullen op een hoop te vegen.

George nam de veger van haar af en zei: 'Dat is geen werk voor je.'

De koningin pakte de veger terug en zei: 'Ik ben best in staat om een paar krullen op te vegen...'

'Nee,' zei George, die de veger weer te pakken had. 'Jij bent niet grootgebracht om het vuile werk te doen.'

'Dat had dan misschien wel moeten gebeuren,' zei de koningin en trok de veger weer uit Georges handen.

Ze zwegen, allebei met al hun aandacht bij hun werk. George wreef de kist op en de koningin deed de krullen in een zwarte plastic zak. Toen zei George: 'Ik vind het heel erg van je moeder.'

'Dank je,' zei de koningin en voor de eerste keer sinds de dood van haar moeder, begon ze te huilen. George legde zijn doek neer en nam de koningin in zijn armen, en zei: 'Toe maar,

214

huil maar eens goed uit. Laat je maar gaan, je moet je verdriet niet opkroppen.'

De koningin huilde goed uit. George bracht haar naar zijn keurige huisje, wees haar de bank, zei haar dat ze moest gaan liggen, gaf haar een rol toiletpapier om haar tranen af te vegen en liet haar met haar eigen verdriet alleen. Hij wist dat ze hem er liever niet bij had wanneer ze zich overgaf aan haar verdriet. Na een kwartier, toen haar snikken wat minder was geworden, bracht hij een blad met thee naar de huiskamer. De koningin ging zitten en nam de kop en schotel aan die hij haar gaf.

'Het spijt me zo,' zei ze.

'Mij niet,' zei George.

Terwijl ze thee zaten te drinken, probeerde de koningin uit te rekenen hoeveel kopjes thee ze precies had gedronken sinds ze naar Hell Close was verhuisd. Het moesten er honderden zijn.

'Dat doet een mens goed, een kop thee,' zei ze hardop tegen George.

'Het is warm en goedkoop,' zei George. 'En wat extra's als je niks hebt. En het breekt de dag, hè?'

De koningin dronk haar kopje leeg en hield het op om weer vol te laten schenken. Ze wilde even wat rust nemen voor ze aan de verdere regelingen voor de begrafenis begon.

Spiggy en Anne klopten op de achterdeur en kwamen binnen.

'Je mams heeft eens goed kunnen uithuilen,' zei George tegen Anne.

'Dat is goed,' zei Anne en ze ging op de armleuning van de bank zitten en klopte haar op de schouder. Spiggy kwam achter de koningin staan en kneep in haar rechterarm als een onhandig gebaar om haar te condoleren.

Anne zei: 'Spiggy en ik hebben eens bekeken hoe we de kist van grootmoeder naar de kerk kunnen brengen.'

'Heb je iemand met een stationcar kunnen vinden?' vroeg de koningin, die al had uitgerekend dat een lijkwagen met twee auto's voor de familie financieel onmogelijk was.

'Nee,' zei Anne. 'Gilbert kan de kist trekken.'

'Waarop?''

'Op de wagen van Spiggy's vader.'

'Die heeft alleen maar een lik verf nodig,' zei Spiggy.

'Ik heb achter nog wat bussenverf,' zei George, die het plan wel zag zitten.

De koningin zei: 'Maar Anne, liefje, we *kunnen* mama toch niet achter op een zigeunerwagen begraven.'

Anne, die zich in haar vroegere bestaan had ingelaten met de belangen van zigeuners, werd een beetje nijdig bij deze opmerking. Maar Spiggy, die zigeunerbloed in de aderen had, nam er geen aanstoot aan. Hij zei: 'Ik kan me het gezichtspunt van je moeder wel indenken, Anne. Ik bedoel, het is nou niet bepaald een staatsbegrafenis.'

George zei tegen de koningin: 'Je moeder zou het vast niet erg vinden. Als ik haar in een koets zag, leek ze me best gelukkig.'

De koningin was te moe en verdrietig om nog meer bezwaren te maken, daarom gingen die middag de voorbereidingen voor een staatsbegrafenis in de stijl van Hell Close verder. Zwart en paars zag men als de passende kleuren voor de nieuwe verf die de wagen zou krijgen en George, Spiggy en Anne begonnen de oude kermiskleuren af te schuren en de wagen klaar te maken voor een meer ingetogen tocht over twee dagen.

43 Binnenactiviteiten

Het was de avond van het jaarlijkse diner van de Vereniging van Buitenactiviteiten van Groot-Brittannië bij het Nationale (vroeger Koninklijke) Aardrijkskundig Genootschap. De eetzaal was vol mannen en vrouwen met verweerde gezichten en een stevige eetlust. Kanovaarders waren in gesprek met bergbeklimmers. Oriëntatielopers wisselden anekdotes uit met eigenaars van sportwinkels. De meeste gasten leken zich weinig op hun gemak te voelen in hun formele avondkleding, ze wekten de indruk of ze het liefst zo gauw mogelijk hun ruige buitenkleding wilden aantrekken.

Jack Barker was de eregast. Hij zat aan de hoofdtafel, met naast zich een official van de Britse Kano Unie en de voorzitter van de Vereniging voor Speleologie van Groot-Brittannië. Jack verveelde zich als een stekker. Hij had een hekel aan openluchtrecreatie, maar op dit eigen moment had hij liever de Ben Nevis achterstevoren en naakt beklommen dan dat hij nog een eindeloos verhaal zou moeten aanhoren over een vent die vast had gezeten in een overstroomde grot. Hij schoof zijn soepkom opzij – de soep smaakte naar vis.

'Wat is dat voor soep?' vroeg hij de ceremoniemeester, die achter hem stond.

'Vissoep, minister,' antwoordde de flikflooier.

Toen Jack halverwege zijn Kroningskip was, begon hij te zweten en alle kleur trok weg uit zijn gezicht.

De official van de Britse Kano Unie boog zich naar Jack toe en vroeg bezorgd: 'Voelt u zich wel goed, meneer?'

'Ik weet het niet,' antwoordde Jack.

Eric Tremaine, die het diner als lid van de Caravan en Kampeerclub van Groot-Brittannië bijwoonde, keek van een tafel op een minder belangrijke plaats triomfantelijk toe toen Jack door de ceremoniemeester werd weggebracht.

'Hoogst ongepast,' merkte Eric op tegen zijn buurman, een vrije-val parachutist, toen Jack krampachtig begon over te geven in de waterkan die hij met beide handen omklemde.

Toen de inhoud van Jacks soepkom in het laboratorium van het St. Thomas Hospital was geanalyseerd, ontdekte men dat het vocht elementen van een gewone onkruidverdelger bevatte en een heel klein partikeltje van een fijngemaakt luchtbukskogeltje.

Omdat niemand van degenen die aan het diner hadden deelgenomen, Jacks lot had ondergaan, was de conclusie die door de dokters van het ziekenhuis en de forensische deskundigen van de politie werd getrokken, dat er een amateuristische poging was gedaan om de eerste minister te vergiftigen.

Eric Tremaine zat de volgende morgen in zijn caravan op een parkeerplaats bij East Croydon. Hij herlas de kop voor de derde keer: 'MINISTER-PRESIDENT OVERLEEFT AANSLAG MET KOGEL UIT LUCHTBUKS' en gooide zijn krant vol walging op de grond.

44 De gang naar Cowslip Hill

Op de dag van de begrafenis was de koningin vroeg wakker. Ze lag aan haar moeder te denken, stond toen op en keek uit het raam. Hell Close lag volop in de zon. Ze zag dat de auto van Fitzroy Toussaint voor het huis van Diana stond. De koningin zocht in een verwarde hoop huidkleurige panties en vond eindelijk een paar dat niet te erg geladderd was. Ze trok een marineblauwe wollen japon aan en zocht onder in haar garderobekast naar haar marineblauwe pumps. Ze liep naar de berging en keek de dozen door tot ze een geschikte hoed vond: marineblauw met een witzijden lint. Ze paste de hoed voor de spiegel van de badkamer. Wat lijk ik nu weer op mijn oude ik, dacht ze. Sinds ze naar Hell Close was verhuisd, had ze het bij gemakkelijke rokken en truien gehouden. In haar rouwkleding voelde ze zich nu stijf en al te formeel.

Ze ging naar beneden en gaf Harris, die achter de keukendeur stond te wachten, zijn eten en maakte een sterke beker thee voor zichzelf, die ze mee de tuin in nam om daar op te drinken. Ze zag dat de drooglijn van Beverley Threadgold vol hing met kinderkleren die in de lichte bries wapperden. Ze kon het geloei horen, toen Beverley's wasmachine de snelheid opvoerde om te gaan centrifugeren. Toen ze naar Annes tuin keek, zag ze Gilbert van een baal hooi eten. Overal om zich heen hoorde ze nu water stromen, deuren slaan en stemmen die naar elkaar riepen, nu de bewoners van Hell Close uit hun bed kwamen en zich klaarmaakten voor de begrafenis in de vroege morgen.

De koningin liep haar huis weer binnen, borstelde haar haar, bracht wat make-up aan, pakte haar handtas, handschoenen en tas en liep via de voordeur het huis uit. Ze stak de straat over en ging het huisje van haar moeder binnen. De gordijnen waren dicht, zoals men dat in Hell Close gewend was wanneer men wilde laten zien dat er zich een sterfgeval had voorgedaan. Philomena was in de keuken, waar ze een stapel sneden wittebrood stond te smeren. Beleg voor de sandwiches: oranje geraspte kaas, plakken roze ingeblikte ham en een stuk beige vleespastei lagen op vetvrij papier te wachten tot het brood ermee belegd zou worden en er sandwiches werden klaargemaakt voor de samenkomst na de begrafenis. Violet kwam binnen met een blad vol kleine cakejes, die in allerlei opzichtige kleuren waren geglaceerd.

'Wat aardig van u,' zei de koningin.

Beverley Threadgold was de volgende, met een grote vruchtentaart die alleen aan de zijkanten wat verbrand was. Algauw stond het formica tafeltje midden in de keuken vol etenswaren.

Prinses Margaret, die schuilging achter een zwarte sluier, kwam binnen en zei: 'De mensen leggen afschuwelijke bossen goedkope bloemen op mama's grasveld.'

De koningin liep naar buiten, net toen mevrouw Christmas een bos korenbloemen op het gras legde. Op het briefje dat eraan hing stond: ' Met innege condolans van de heer en mevrouw Christmas en de jongens.'

Andere bewoners van Hell Close liepen rond om te lezen wat er op de grafboeketten stond. Er was ook een krans van inspecteur Holyland, een traditionele met rode, witte en blauwe anjers. Op het kaartje van de bloemist had hij geschreven: 'God zegene u, mevrouw, van inspecteur Holyland en de manschappen bij de afzetting.'

Maar Fitzroy Toussaint kwam met de grootste en mooiste bloemenhulde door de straat aanlopen. Vierentwintig welriekende lelies, omgeven door een wolk gipskruid. Er reed een bestelauto van een bloemist voor en door enthousiaste vrijwilligers van Hell Close werden er nog meer bloemen en kransen op het gras neergelegd. Tony Threadgold had seringen geplukt van de schurftige boom in zijn achtertuin.

Om half negen precies reed Gilbert bij het huisje van de koningin-moeder voor met de kar, die tot iets waarlijk moois was herschapen. Het paarse en zwarte schilderwerk glom, de wielen waren aan de binnenkant van de velgen met goud bespikkeld en overal op de randen van de wagen zelf waren de initialen 'Q.M.' in haar lievelingskleur, maagdenpalmblauw, aangebracht.

Gilberts leidsels waren schoongemaakt en gepoetst en zijn huid glansde. Voor deze bijzondere gelegenheid waren er nieuwe hoeven voor hem aangeschaft en hij stapte trots voort, waarbij hij iedere hoef optilde of hij het gewend was een centrale rol bij vorstelijke plechtigheden te vervullen. De toeloop van bewoners van Hell Close werd stil, toen Anne en Spiggy van de wagen omlaag klommen en de woning binnengingen. Gilbert boog het hoofd en begon aan de krans van inspecteur Holyland te knabbelen, tot Wilf Toby de teugels pakte en Gilberts hoofd omhoog trok.

Een politieauto met een agent aan het stuur kwam met de heer Pike, de gevangenbewaarder, en Charles Hell Close inrijden. Charles droeg een donker kostuum met een zwarte das en een roze overhemd. Zijn paardestaart had hij aan de achterkant opgebonden met de nu gewone band van rode badstof. Aan zijn rechterpols had hij een handboei. Meneer Pike was in uniform en had een handboei aan zijn linkerhand. Charles had gedacht: waarom kon Diana nou niet eens aan de meest eenvoudige aanwijzingen gehoor geven? In mijn brief heb ik om een *wit* overhemd gevraagd. De auto stopte en met de polsen aan elkaar vast stapten Charles en meneer Pike uit en gingen het huis binnen.

De koningin was teleurgesteld toen ze Charles zag. Ze had gehoopt dat hij nu wel volgens de voorschriften van de gevangenis gekapt zou zijn. En waarom had hij nu in hemelsnaam een *roze* overhemd aan; was dat een symbool van zijn toenemende anarchie?

De dragers kwamen samen in de slaapkamer van de koningin-moeder. Tony Threadgold, Spiggy, George Beresford, meneer Christmas, Wolf Toby en prins Charles, tijdelijk verlost van meneer Pike. Spiggy was zenuwachtig. Hij was zo'n vijfentwintig centimeter korter dan de andere mannen; zou hij met zijn armen bij de kist kunnen of zou hij een belachelijke indruk maken doordat zijn handen alleen maar in de lucht zouden tasten? George controleerde de schroeven aan de bovenkant van de kist en terwijl de familieleden toekeken, tilden de mannen de kist op hun schouders. Spiggy moest zich wel rekken, maar tot zijn grote opluchting maakten zijn vingertoppen contact met het hout. De kist werd voorzichtig door de kleine kamertjes naar buiten gemanoeuvreerd.

De menigte keek zwijgend toe toen de mannen naar de achterkant van de wagen liepen en de kist langzaam voortschoven, tot die zich perfect en stevig door het eigen gewicht op zijn plaats bevond. De koningin vroeg een tuiltje lavendel op de kist te leggen en toen werden de overige bloemen en kransen doorgegeven tot de wagen wel een kraam op een bloemenmarkt leek. Anne sprong voor op de wagen en nam de leidsels en Gilbert kwam in beweging met een tempo dat bij een begrafenisstoet paste. Philomena stond achter de gesloten voordeur van het huisje te wachten. Toen ze de menigte weg hoorde gaan en het klikklak van de paardehoeven in de verte verdween, schoof ze de gordijnen wijd open om het zonlicht binnen te laten. Daarna zette ze de voordeur open om de geest van de koningin-moeder uit te laten.

Het paard, de wagen en de volgers passeerden de afzetting. Inspecteur Holyland sloeg model aan en vermeed ieder oogcontact met Charles. De stoet werd op enige afstand gevolgd door een bus met agenten, die klaar zaten om vertegenwoordigers van de media op een afstand te houden als een ervan het zou wagen om het verbod te trotseren hier aanwezig te zijn. Het was maar zo'n achthonderd meter naar de kerk en het aangrenzende kerkhof, maar Diana kreeg er spijt van dat ze haar hoogste pumps had aangetrokken, hoewel ze nu weer eens in het openbaar verscheen, al was het dan alleen maar voor de mensen die zwijgend voor hun huizen stonden toe te kijken, terwijl de stoet langsreed.

Victor Berryman kwam uit de Food-U-R, samen met zijn caissières en een puber, een vakkenvuller, die een honkbalpetje achterstevoren op had. Victor trok de pet van het hoofd van de jongen en gaf hem een mini-lesje hoe hij respect voor de doden moest tonen. Mevrouw Berryman, geïsoleerd door haar pleinvrees, keek voor een bovenraam treurig toe.

Het laatste deel van de tocht lag voor hen. Cowslip Hill, waar het kerkje stond. Gilbert zette tussen de lamoenstokken aan en regelde zijn gang naar de oplopende weg. Een groep mannen en vrouwen was in de weer om bomen langs de weg te planten en zij legden hun spaden neer toen de stoet langskwam.

'Bomen,' riep de koningin uit.

'Prachtig, vindt u niet?' zei Charles. 'Ik heb het op radio 4 gehoord. Jack Barker heeft opdracht gegeven voor een enorme boomplant-operatie. Ik hoop dat ze de plantgaten op de goede manier hebben klaargemaakt,' zei hij, en keek bezorgd achterom.

Diana strompelde nu en Fitzroy, imponerend in zijn donkere kostuum, gaf haar attent een arm. Dit was een vrouw die steun nodig had, dacht hij, en hij was de man om haar die te geven, voegde hij er bij zichzelf aan toe. Al wist hij in zijn hart dat deze vrouw sterk genoeg was om het op zekere dag, wanneer zij eenmaal haar zelfrespect terughad, weer alleen te redden.

Anne zei: 'Hu paard,' zoals haar geleerd was door Spiggy, en Gilbert hield bij het kerkhof stil. De rouwstoet ging de kerk binnen en werd nu kerkvolk, en toen ze allemaal op hun plaats zaten, werd de kist naar binnen gebracht en voor het altaar geplaatst. De koningin had 'All things bright and beautiful' als eerste hymne uitgekozen en 'Amazing grace' als tweede. De mensen van Hell Close zongen uit volle borst mee. Ze kenden de woorden en ze zongen graag. In de pubs begonnen ze algauw met elkaar te zingen en gewoonlijk hielden ze pas op als de kastelein er een eind aan maakte. De koninklijke familie zong meer ingetogen, behalve de koningin, die zich op een vreemde manier geïnspireerd voelde, bijna bevrijd. Ze hoorde Crawfie zeggen: 'Harder zingen, meisje, doe je mond maar open,' en dat deed ze, zodat Margaret en Charles, die aan weerskanten van haar stonden, ervan schrokken.

Aan het slot van de rouwdienst zei de dominee: 'Voor we ons naar het kerkhof begeven zou ik graag willen dat u samen met mij bidt om God dank te zeggen.'

'De dominee heeft vast de voetbalpool gewonnen,' zei meneer Christmas tegen zijn vrouw.

'Kop dicht!' siste mevrouw Christmas. 'Wees verdomme een beetje eerbiedig. Je zit hier in de kerk.'

De dominee wachtte even en ging verder: 'Gisteren is er een aanslag op onze geliefde minister-president gepleegd. Dank zij de tussenkomst van God is alles gelukkig goed afgelopen.'

Prinses Margaret zei *sotto voce*: 'Voor wie gelukkig?'

Maar de koningin vuurde een blik als een dodende straal op haar af die haar het zwijgen oplegde.

223

De dominee ging verder, al raakte zijn geduld op: 'Almachtige God, wij danken u dat u het leven hebt gespaard van uw dienaar Jack Barker. Onze kleine gemeente heeft reeds de weldaden ondervonden van zijn wijze leiding. Onze school krijgt een nieuw dak, er zijn plannen in de maak voor de renovatie van onze verwaarloosde huizen...'

'Ik heb m'n giro op tijd gehad,' onderbrak een man die Giro Johnson heette, van achter in de kerk.

'En ik heb een baan,' riep George Beresford, die met een brief zwaaide van het nieuwe ministerie dat in snel tempo nieuwe woningen moest bouwen.

Anderen riepen eveneens wat zij van Jacks gulheid hadden ervaren. Philomena begon in tongen te spreken en de heer Pike, die zich door de emotionele sfeer liet meesleuren, deelde mee dat hij ervan droomde dat alle cellen in Castle Prison toiletten met stromend water zouden krijgen. 'We shall overcome,' riep hij.

De dominee dacht: dit loopt waarachtig nog uit op een opwekkingsbijeenkomst. Hij had nooit meer iets van de charismatische kerk willen weten, nadat zijn vrouw hem eens tijdens een ruzie had gezegd dat hij ieder charisma miste. Nadat Charles zingend had verklaard dat hij dacht dat het boom-plantprogramma 'een bewijs was van meneer Barkers zorg voor het milieu' vond de dominee dat het nu welletjes werd en hij gaf de gemeente opdracht te knielen en de handen in stil gebed te vouwen.

Het moment waarop de kist in het open graf werd neergelaten, viel de koningin erg zwaar en ze pakte de handen van haar twee oudste kinderen voor ze een handvol aarde op de kist liet vallen. Margarets gezicht, dat schuilging achter haar sluier, gaf blijk van afkeuring; de koningin toonde haar emoties – dat was ongepast, net als wanneer je een kleefpleister wegtrok om een wond te laten zien. Charles was verdrietig, Anne hield zich aan hem vast en de koningin wendde zich naar het tweetal en probeerde ze te troosten. Margaret keek met toenemende ontsteltenis toe toen er op het koninklijk protocol inbreuk werd gemaakt door de bewoners van Hell Close, die één voor één naar de koningin toekwamen en haar omhelsden. En wat deed

Diana in de armen van Fitzroy Toussaint? Waarom stond Anne op de schouder van dat dikke ventje te huilen? Margaret rilde, draaide zich om en liep de heuvel af.

Het rouwbeklag ging tot laat in de middag door. De koningin sprak opgewekt over haar herinneringen aan haar moeder en bewoog zich met ongedwongen informaliteit tussen haar gasten. Intussen zat Philomena in de keuken van het huis ernaast naar de opgewekte geluiden in de buurwoning te luisteren. Ze kon eenvoudig niet aanwezig zijn in een huis waar alcohol werd geschonken. Ze pakte een stoel, klom erop en begon alle blikjes, dozen en pakken in haar hoge kast opnieuw te rangschikken. Al die lege blikjes, lege dozen en lege pakken die de trots van een oude vrouw en het ouderdomspensioen van een armlastige vertegenwoordigden.

Rond dezelfde tijd dat de rouwreceptie op een einde liep, zat prins Philip, aangesterkt door het vloeibare voedsel, rechtop in bed en gaf een uitzendverpleegster die nieuw op de zaal was, de verzekering dat hij inderdaad de hertog van Edinburgh was. Hij was getrouwd met de koningin, vader van de prins van Wales en maakte gebruik van het koninklijke jacht *Britannia*, dat dertigduizend pond per dag kostte om het in de vaart te houden.
    'Maar natuurlijk bent u dat,' zei de verpleegster met haar zangerig accent, terwijl ze die gestoorde man met zijn wijd opengesperde ogen eens van dichtbij bekeek. 'Natuurlijk.'
    Ze ging van Pilips bed naar de patiënt naast hem, die riep: 'Ik ben de nieuwe Messias.'
    'Natuurlijk,' zei ze. 'Natuurlijk.'

Prins Charles verzocht meneer Pike of hij even naar zijn tuin mocht gaan kijken en Pike, die wat toeschietelijker was geworden door twee blikjes extra sterk lager, liet zich vermurwen en zei: 'Eén minuut, dan ga ik ondertussen een plas doen.'
    Pike ging naar het toilet boven en Charles fluisterde Diana toe: 'Gauw, zoek mijn trainingspak en sportschoenen.'
    Diana deed wat haar werd gezegd, terwijl Charles vol ontzetting de uitgedroogde woestenij die ooit zijn tuin was ge-

225

weest, in ogenschouw nam. De wc liep door en ze hoorden Pike de badkamer binnengaan om zijn handen te wassen. Diana keek toe hoe haar man haastig zijn begrafeniskleren uitdeed en zijn trainingspak en sportschoenen aantrok. Toen zij begreep wat hij van plan was, ging ze snel haar portemonnee halen. Ze pakte een biljet van twintig pond en zei: 'Veel geluk, schat. Het spijt me dat het niet goed is gegaan.'

Charles holde al toen meneer Pike boven zijn handen stond af te drogen, en hij was over het hekje van de achtertuin gesprongen toen Pike het kastje in de badkamer opendeed om erin te snuffelen. Hij was op weg naar de vrijheid en naar het noorden toen Pike, wiens nieuwsgierigheid bevredigd was, het kastje dichtdeed en naar beneden ging om de gevangene onder geleide naar de gevangenis terug te brengen.

Juni

45 Bijna raak

Jack Barker ontving een delegatie van de Unie van Moeders, die een petitie indiende om een wettelijke regeling te treffen voor bordelen met vergunning. Ze bevonden zich in de ontvangkamer van Nummer 10, waar ze warme hapjes aten en het over flagellatie en darmspoelingen hadden. Jack deed erg zijn best om maar te laten zien dat hij helemaal niet geschokt was door de gesprekken van deze respectabel uitziende dames van middelbare leeftijd.

'Maar,' zei Jack tegen mevrouw Butterworth, de leidster van de delegatie, 'u zou toch geen bordeel naast uw deur willen, hè?'

Mevrouw Butterworth pakte een stukje knapperig zeewier van een schaal, waarmee een serveerster rondging, en zei: 'Maar ik *heb* een bordeel naast mijn deur. De eigenaresse is een alleraardigste vrouw en de meisjes hebben een hart van goud. Hun tuin is prachtig onderhouden.'

Jack zag in zijn fantasie schaarsgeklede hoertjes die met hun zwepen de borders in model brachten.

'Het is zo onbillijk,' zei mevrouw Butterworth, 'dat hun altijd maar de bedreiging van gerechtelijke vervolging boven het hoofd hangt.'

Jack knikte instemmend, maar zijn geest was bij andere zaken. Over een half uur moest hij in het parlement een verklaring afleggen. Hij zag erg op tegen de confrontatie met die verborgen berekuil en de verklaring die hij moest geven, hoe hij zich voorstelde de Japanse lening terug te betalen. Rosetta Higgins, Jacks persoonlijke privé-secretaresse, kwam het vertrek binnen en beduidde dat het tijd werd om weg te gaan. Jack schudde mevrouw Butterworth de hand, beloofde 'deze hoogst belangrijke kwestie aan de orde te stellen', wuifde de andere dames goedendag en ging weg. Net voor de deur dichtging, hoorde hij mevrouw Butterworth tot een groepje dames zeggen: '*Aanbiddelijke* ogen, aardig kontje, maar jammer dat hij roos heeft.'

Toen hij uit Nummer 10 kwam, klopte Jack de schouders van zijn donkere jasje af en dacht, jij dik oud wijf, ik kom er wel achter waar je woont en ik zal die hoerenkast laten sluiten. Hij kreeg onmiddellijk spijt van die wraakzuchtige gedachte. Wat was er met hem aan de hand? Hij wendde zich tot Rosetta, die naast hem zat in de dienstauto en zei: 'Wil je straks een flacon Head and Shoulders voor me halen?'

'Doe dat zelf maar,' zei ze. 'Ik werk nou al zestien uur per dag. Wanneer heb *ik* tijd om naar een winkel te gaan?'

'Nou, ik kan toch moeilijk een winkel binnengaan?' jammerde Jack.

De chauffeur zei: 'Ik haal die verdomde shampoo wel. D'r is een winkel op de hoek van Trafalgar Square. Wat voor haar heb je, Jack? Vet, droog, normaal?'

Jack keerde zich naar Rosetta en vroeg: 'Wat voor haar heb ik?'

'Dun,' zei ze.

De afvoer van de douche raakte 's morgens verstopt met haren van Jack. Wanneer hij zich van vergaderzaal naar officiële verplichting en vandaar naar het Lagerhuis haastte, liet hij tastbare herinneringen aan zichzelf achter. Zijn hoofdharen maakten zich los en zweefden weg en zochten een plekje waar ze zich neer konden laten. Ze voelden zich niet langer veilig op of gehecht aan Jacks hoofd.

Toen de auto Downing Street uitreed en naar Whitehall draaide, gaf Rosetta Jack een map waarop stond: 'LAATSTE GEGEVENS B.O.V.T. – VERTROUWELIJK'.

Ze zei: 'Je kunt dit het beste maar even doorkijken.'

Jack glimlachte. Goddank, een beetje opluchting. 'Wat voert die ouwe klootzak nou weer in zijn schild?' vroeg hij.

Rosetta zei: 'Hij heeft onder meer de officiële steun gekregen van het Britse Legioen, de Caravanclub van Groot-Brittannië en de Federatie van Volkstuinders. Lees zelf maar.'

Jack opende de map en begon te lezen. Eric Tremaine begon verdomd lastig te worden. Zijn rare beweging had zich vanuit Kettering uitgebreid en bestreek nu het grootste deel van het land. Marks and Spencer zat compleet zonder beige autocoats met elastiek in de rug.

'Stomme ouwe kerel,' zei Jack toen hij de map weer aan

Rosetta gaf. Toen: 'Heeft de koningin hem ooit teruggeschreven?'

Rosetta zei snibbig: 'Laatste bladzij.' Ze gooide het dossier op Jacks schoot.

Jack opende de map weer, ging naar de laatste bladzij en las een fotokopie van de brief van de koningin die door de post op weg naar 'Erilob' was onderschept.

Hell Close 9
Flowers Estate
Middleton
MI2 9WL

Geachte heer Tremaine,

Vriendelijk dank voor uw brief. Ik ben u zeer erkentelijk voor de bezorgdheid waarvan u en uw vrouw blijk geven wat betreft mijn welzijn en dat van mijn familie. Ik adviseer u evenwel ten sterkste u te concentreren op uw vele interesses en hobby's en B.O.V.T. te vergeten. Ik zou niet graag verantwoordelijk willen zijn voor enige moeilijkheid die u met de autoriteiten zou kunnen ondervinden.

Ik moet me verontschuldigen voor het grove briefpapier. De keus bij mijn plaatselijke winkel is nogal beperkt.

Hoogachtend,
Elizabeth Windsor

P.S. De inhoud van onze correspondentie zal vrijwel zeker onder de aandacht van de autoriteiten komen. Daarom moet ik u vragen mij niet meer te schrijven. Ik weet zeker dat u dat zult begrijpen.

De correspondentie werd voortgezet.

De chauffeur stopte de auto en haastte zich de supermarkt binnen. Jack las de fotokopie van een volgend briefje van Tremaine, dat hij in zijn achteroverhellend handschrift op de achterkant van een toegangskaart voor de Tentoonstelling van Ideale Interieurs had geschreven.

Majesteit,
Ik heb uw gecodeerde boodschap begrepen: '*Ik weet zeker dat*

u het zult begrijpen.' Dat is dan ook de reden waarom uw melkboer, Barry Laker, u dit bericht persoonlijk zal overhandigen, tegelijk met uw halve liter halfvolle melk. Ik blijf met u in contact.
Geheel de uwe,
    Eric (B.O.V.T.)

De briefwisseling ging zelfs nog verder.

Majesteit,
Vergeeft u mij mijn stilzwijgen. Lobelia en ik moesten een paar dagen naar onze caravan. Vandalen hadden er ingebroken en één stapelbed en onze douche-installatie volledig vernield. Lobelia moest kalmerende middelen innemen toen ze de schade had opgenomen, maar ze is nu weer in het zadel. Het ledental van B.O.V.T. neemt met grote sprongen toe. We hebben al leden tot in Dumfries en Totnes. Onze postbode (Alan) schertst dat we al gauw een eigen vakje op het hoofdkantoor van de posterijen zullen moeten hebben.
    Van Lobelia moet ik de hartelijke groeten aan Diana overbrengen (ze is altijd al haar favoriete geweest). De mijne zijn voor u en Anne (vanwege het goede werk dat ze voor de gekleurde kinderen in het buitenland doet).
Uw toegenegen,
    Eric

Het is volkomen veilig als u uw antwoord via uw melkboer, Barry Laker, stuurt. Hij is EEN VAN ONS.

De chauffeur stapte weer in en legde een flacon Head and Shoulders in het handschoenenkastje.
    Er bevond zich nog meer in het dossier Tremaine. Jack zuchtte toen hij de briefjes van de koningin voor de melkboer zat te lezen.

DONDERDAG
Een halve liter extra.
ZATERDAG
Een pot yoghurt a.u.b.

232

MAANDAG
Mag ik u woensdag betalen?
WOENDAG
Sorry Barry, de giro was er nog niet.

Jack zei: 'Werkt Barry Laker voor ons?'
Rosetta zei: 'Nee, hij werkt bij de melkinrichting, het is een bona fide melkboer die toevallig lid is van B.O.V.T. Dat zijn al miljoenen mensen, Jack. Ik zou ze maar serieus nemen.'
Maar Jack kon B.O.V.T. niet serieus nemen. Toen de auto richting Parliament Square reed, haalde hij de laatste foto van Eric en Lobelia Tremaine uit de map en schoot hardop in de lach. De foto van het paar was gemaakt toen het zich in hun voortuin bevond. Eric was een wingerd aan het snoeien die het gootwerk van de bovenverdieping had overwoekerd. Zijn onnozele gezicht was naar Lobelia gekeerd, die gefotografeerd was op het moment dat ze Eric een tarwebiscuitje en een dampende beker gaf. Beneden aan de foto stond de tijd: '11 v.m.'.
'Hij krijgt zijn elfuurtje om elf uur,' lachte Jack. 'Ook al staat die stomme zak op een ladder. En dan vraag jij me om hem serieus te nemen? Heb je gezien wat die vrouw *aan* heeft?' Jack wees naar Lobelia's fotografische afbeelding.
Rosetta zei: 'Ze heeft dus geen smaak wat haar kleren betreft.'
Jack keek bedenkelijk naar de Cenotaaf toen de auto erlangs kroop. Hij zei: 'Het is niet een kwestie van smaak, Rosetta. Haar kleren zijn *stapelgek*. Ze moeten *krankzinnig verklaard* worden, opgesloten in een inrichting.'
Geërgerd keek Rosetta uit het autoraampje naar Whitehall. Ze moest niets van Jack hebben als hij in een dergelijke stemming verkeerde. Ze wilde een *serieuze* leider, die het ontging wat de mensen droegen.
Toen de auto de parlementsgebouwen naderde, kwamen twee motoragenten naast hen rijden. Eén agent riep: 'Rechtdoor rijden, volg ons.'
De chauffeur, die zag dat het politieagenten van het Lagerhuis waren, deed wat hem was gezegd. Rosetta zei: 'Veiligheidscontrole'.
Jack zei: 'Goddank.' Zijn verklaring, waarin hij Engelands

hachelijke financiële betrekkingen met Japan uiteenzette, zou nu moeten worden uitgesteld. Terwijl de auto langs Millbank reed, keek Jack naar de Theems; wat zou het niet prettig zijn, dacht hij, om nu een boottocht naar Southend te maken en vandaar naar de zee verderop.

Vroeg in de avond ging de koningin naar de krantenkiosk van Patel om een reep chocolade voor zichzelf te kopen. Toen ze nog fabelachtig rijk was, had ze niets om zulke dingen gegeven, maar nu ze arm was, hunkerde ze naar zoetigheid. Terwijl ze naar de rijen kleurig verpakt snoepgoed stond te kijken, zag ze de laatste editie van de *Middleton Mercury* op de toonbank liggen. Een kop meldde: 'MAN UIT UPPER HANGTON BETROKKEN BIJ SENSATIONEEL KOMPLOT LAGERHUIS.' Met toestemming van meneer Patel las ze verder.

Een streekgenoot, Eric Tremaine, is eerder op de dag in Londen gearresteerd op beschuldiging van het in bezit hebben van explosieven. Tremaine (57) uit Upper Hangton bij Kettering werd in de kelder van de Parlementsgebouwen door een politiehond en zijn begeleider aangehouden. De boodschappentas die de man in bezit had, bleek een kleine hoeveelheid Semtex te bevatten. Tremaine, een gepensioneerd vishandelaar, werd voor ondervraging overgebracht naar het politiebureau van Bow Street.

Mooist onderhouden tuin

Upper Hangton was nog niet bekomen van de schok, toen reporter Dick Wilson er arriveerde om met de inwoners te spreken. 'Eric had zaterdag deel moeten uitmaken van de jury voor de mooist onderhouden tuin,' zei Edna Lupton (85). 'Ik weet niet wat er nu moet gebeuren.'

Excentriek

Een buur die niet nader genoemd wilde worden zei: 'Eric was een beetje excentriek, hij is er nooit overheen gekomen dat hij niet meer in de viswinkel stond.' Vriendinnen hebben de zorg op zich genomen voor mevrouw Lobelia Tremaine (59). Eric Tremaine is de oprichter en leider van de beweging Breng Onze Vorstin Terug (zie pagina 3 voor het redactioneel commentaar).

De koningin sloeg pagina 3 op.

Vandaag brengen we het bericht dat een man uit de regio, Eric Tremaine, door een kranige politiehond en zijn begeleider gearresteerd is, terwijl hij in het bezit was van het explosief Semtex. Uw redacteur zou de tot nog toe ongenoemd gebleven hond willen gelukwensen. Wie weet wat voor rampzalig onheil het dier heeft weten te voorkomen. Zoals de lezers weten, heeft deze krant de heer Tremaine gesteund bij zijn campagne om ons vorstenhuis terug te brengen en de heer Jack Barker te doen ophouden met het roekeloos uitgeven van geld dat hij noch ons land bezit. Maar het heeft er nu de schijn van dat Tremaines enthousiasme hem ertoe heeft gebracht gewelddadige middelen te gebruiken om zijn doel te bereiken. Deze krant wil en kan dergelijke methodes niet goedkeuren.

De koningin vouwde de krant weer netjes op en legde hem terug op de toonbank. Ze bekeek de onduidelijke foto van Tremaine op de voorpagina en zei: 'Hij ziet er precies zo uit als ik me voorstelde.'

'Kent u deze man?' vroeg meneer Patel.

'Ik was op de hoogte van zijn bestaan,' antwoordde de koningin, weifelend of ze een Fry reep met pepermuntcrème zou kiezen of een kokertje Smarties.

46 Arme man bij de poort

De koningin zat in het dagverblijf van Grimstone Towers. Philip zat naast haar. Hij had een witte ochtendjas van het ziekenhuis aan. In grote groene letters stond er op de rug gestempeld: EIGENDOM VAN DE NATIONALE GEZONDHEIDSDIENST. Hun gespreksstof was uitgeput. De koningin zat *The Oldie* te lezen en Philip keek naar de slecht afgestelde televisie, die zich op een standaard hoog tegen de muur bevond. Andere patiënten en hun familieleden zaten heel amicaal met elkaar te praten. De koningin hield op met het lezen van een artikel van Germaine Greer over de moeilijkheden bij het tuinieren op een winderige hoek en keek de zaal eens rond. De patiënten waren maar moeilijk te onderscheiden van de bezoekers, dacht ze. Als Philip nu alleen maar weer eens gewone kleren wilde dragen in plaats van nachtkleding. Wat zat hij te mompelen? Ze boog zich dichter naar haar man toe om hem beter te kunnen horen.

'Spleetogen,' zei hij, terwijl hij naar de televisie keek.

De koningin volgde zijn blik en zag Zijne Majesteit keizer Akihito van Japan, die op de hoogste treden van een vliegtuigtrap stond te wuiven. De camera-instelling veranderde en men zag prinses Sayako aan de voet van de trap staan wachten om haar vader te verwelkomen. Jack Barker stond naast haar, de zon glinsterde op zijn kale plek. Philip raakte steeds meer geagiteerd.

'Spleetogen,' schreeuwde hij.

De koningin zei: 'Sst, schat,' maar Philip kwam overeind en vloekend en met zijn vuisten zwaaiend liep hij naar de televisie. Nu begreep de koningin waarom het toestel zo hoog stond. Een verpleger bracht Philip naar zijn bed op de zaal en de koningin volgde. Uit het dagverblijf kwam het geluid van vreemde muziek, die door de koningin onmiddellijk werd herkend als het Japanse volkslied, dat gespeeld werd door wat de band van de Coldstream Guards leek.

Toen de koningin op de oprijlaan van Grimstone Towers

liep om naar de bushalte te gaan, kwam ze een haveloze groep ongelukkige stumperds tegen die een tijdelijk kamp op het terrein hadden ingericht. Een van hen kwam naar haar toe, een jonge man in een overjas die tot op de grond hing, en hij vroeg: 'Mogen we er weer in, dame?'

De koningin legde uit dat zij een bezoekster was, niet een functionaris van de inrichting.

'We willen weer naar binnen,' zei een vrouw van middelbare leeftijd met een kinderstemmetje.

Een man met een gehavend gezicht dat de koningin bekend voorkwam, riep: 'We zijn d'r uit gegooid en motte weer tussen die klotebevolking wonen. Maar we motten niks van ze hebben en die klotebevolking mot niks van ons hebben. Die Jack Barker mot ons d'r in laten. Hij zei dat-ie het zou doen, dat zei-d-ie. Hij zei dat-ie 't zou doen, en daarom mot-ie het ook doen, hij mot het.'

De koningin gaf hem gelijk en haastte zich om de bus te halen.

47 Toneeluitgang links

Barry de melkboer stond op de deur van Hellebore Close 9 te kloppen tot zijn knokkels er pijn van deden. Het was pas half zes 's morgens, maar hij moest zekerheid hebben dat de koningin *persoonlijk* de envelop kreeg. Lobelia Tremaine had daarop gestaan. Barry hoorde Harris boven keffen en algauw deed de koningin de deur open, met slaperige ogen en ongekamde haren. Barry hield de halve liter halfvolle melk voor de koningin als een rijksappel voor zich uit. Hij keek snel achter zich naar de afzetting en fluisterde: 'Bericht voor u, majesteit.'

De koningin nam de melk van Barry aan en meteen gaf hij haar de envelop.

'Van mevrouw Tremaine,' zei hij rustig, keerde zich om en ging het pad af.

De koningin zuchtte eens en deed de deur dicht. Ze had gehoopt dat het met al dat malle gedoe van Tremaine gedaan was. Ze ging naar de keuken en zette water op. Terwijl ze stond te wachten tot het kookte, maakte ze de envelop open en las de ingesloten paperassen. Het eerste was een met de hand geschreven briefje met een afbeelding van een das op de voorkant. Binnenin stond:

Majesteit,
Zoals u misschien gehoord hebt, is Eric, mijn man, gisteren gearresteerd. Dat is een zware slag voor onze Zaak. Ik ben evenwel van plan de mantel van Erics verantwoordelijkheid over te nemen, ook al ben ik maar een zwakke vrouw. Iemand in Australië die het goed met ons voorheeft, heeft ons bijgaand knipsel uit de *Sydney Trumpet* gestuurd...

De koningin las Lobelia's briefje niet verder. In plaats daarvan richtte ze haar aandacht op de glibberige fax.

ENGELSE PRINS SPOORLOOS

Mysterieuze verdwijning van ex-koninklijke tournee-manager

Ed Windmount, tournee-manager van *Sheep!*, dat momenteel volle zalen trekt in het Queen's Theatre in Sydney, is gisteravond een half uur voor het begin van de voorstelling verdwenen. 'Hij is vanmiddag laat vertrokken om naar de schouwburg te gaan,' bevestigde Clive Trelford, manager van het Bridge View Hotel, 'en zijn bed is onbeslapen.' De heer Craig Blane, de regisseur van *Sheep!*, zei vandaag: 'We zijn ten einde raad. Je kunt altijd van Ed op aan. We vrezen het ergste.'

Een elektricien van de schouwburg was de laatste die de vroegere Engelse prins heeft gezien. De chef-monteur, Bob Gunthorpe, zei: 'Ik was boven het toneel aan het werk en ik keek omlaag en zag een kerel met het postuur van een grizzly-beer met Ed naar de coulissen lopen. Ik hoorde Ed nog "Help" roepen, maar ik zocht er geen kwaad achter. Ed was een onhandig sufferdje, zelfs voor een Engelsman, en ik dacht dat hij over een van de gewichten van het toneel was gestruikeld.'

De politie van Sydney heeft het volgende signalement van de man uitgegeven: 'Een meter achtennegentig, forsgebouwd, door de zon gebruinde teint, gebroken neus, diagonaal litteken van linkeroor naar mond, droeg een groene baret, camouflagejasje, groene broek en zware laarzen.'

De koningin keek naar de bovenkant van de fax, maar er stond geen datum. Hoe lang werd Edward al vermist? Ze had gedacht dat althans hem, de meest gevoelige van haar kinderen, narigheid bespaard was gebleven, maar nu had ze er, dank zij die ellendige Lobelia Tremaine, een nieuwe zorg bij. Ze bukte zich en wist Lobelia's brief uit Harris' bek te redden en las de brief uit. Onderaan, na nog meer geleuter over B.O.V.T., las ze het P.S.

P.S. Ik heb uit gezaghebbende bron gehoord dat prins Andrew dienst doet op een duikboot ergens onder het ijs van de poolkap.

'Dus daarom heeft Andrew geen contact gezocht,' zei ze tegen Harris. 'Wat een bofkont is Andrew.'

48 Uit lunchen

Anne en Spiggy waren rond de middag bij de koningin langsgekomen en waren geschrokken toen ze zagen dat ze nog in haar ochtendjas en op sloffen was. Zonder iets te zeggen had ze Anne het kranteknipsel gegeven. Anne las het hardop voor, omdat ze er heel attent aan dacht dat Spiggy niet kon lezen. De koningin streek haar verwarde haar uit haar ogen en zuchtte diep.

Anne zei: 'Ik weet dat het een nieuwe slag voor u is, maar u mag zich niet verwaarlozen.' Ze bracht haar moeder naar de trap en gaf haar opdracht een bad te nemen en zich aan te kleden.

'Spiggy heeft ons uitgenodigd voor de lunch,' riep Anne later, toen de koningin lusteloos uit de badkamer kwam sloffen. De koningin dacht: lunch? Waar? Een patatkraam? Een picknick langs de snelweg? Ergens uit de muur?

Ze was aangenaam verrast toen Spiggy hen inschreef (door een kruisje te zetten) bij de Arbeidersclub van Flowers Estate. De lounge was comfortabel gemeubileerd en de koningin, die rammelde van de honger, zag tot haar genoegen dat er op een hoek van de bar een hoge stapel stond met broodjes vlees, kaas en sla, hardgekookte eieren in gehakt en plakken varkensvlees-pastei. In de hoek stond zelfs een mompelend televisietoestel dat de ruimte een aardig huiselijk accent gaf. Door een opening in de deur die naar de muziekzaal leidde, kon de koningin gepensioneerden zoals zijzelf ouderwetse danspassen zien uit-voeren op grammofoonmuziek van de band van Joe Loss.

Violet en Wilf Toby zwierden samen over de dansvloer. Violet had met lovertjes versierde open schoentjes met hoge hakken aan en een bijpassende roodscharlaken japon, ze maakte een gelukkige indruk.

De koningin liet zich naast Anne op de imitatieleren bank neer. Ze nam zich voor zich te ontspannen.

Spiggy slenterde naar de bar, haalde een bundeltje geld te voorschijn en gaf op wat zij wensten te eten en te drinken.

Terwijl Norman, de sombere barman, hun bestelling met zijn groezelige handen bijeenzocht, herinnerde de koningin zich wat Crawfie zei: 'Je moet alles eten wat ze je voorzetten. Het is heel erg ongemanierd wanneer je dat niet doet.'

Toen ze het eten en drinken voor zich hadden staan, hief Anne haar glas bitter op en zei tegen de koningin: 'We praten niet over de familie, hè?' Het bleef stil totdat Spiggy, nadat hij een half hardgekookt ei in gehakt had verorberd, iets over Gilbert zei. Toen begonnen ze alle drie een geanimeerd gesprek over de paarden die ze hadden gekend en waarvan ze hadden gehouden; het werd slechts onderbroken toen Jack Barkers sombere gezicht op het televisiescherm verscheen.

'D'r moet wat aan de hand zijn,' zei Spiggy nadat hij op zijn horloge had gekeken. 'Om deze tijd zijn er meestal kinderprogramma's.'

Hij riep: 'Hé Norman, zet de tv eens wat harder.' Tegen de tijd dat Norman de goede knop had gevonden en het geluid had bijgesteld, zei Jack Barker: 'Met het oog op de financiële wereldcrisis, waardoor de stabiliteit van ons land wordt bedreigd en zelfs de continuering van onze levenswijze, heeft uw regering dan ook besloten dat het vereist is verstrekkende grondwettelijke veranderingen aan te brengen.'

De koningin dronk haar glas witte wijn leeg en zei sceptisch: 'We hebben geen geschreven grondwet. Barker gaat zeker zijn eigen grondwet schrijven.' Ze boog zich naar voren, omdat ze graag meer over die voorstellen wilde horen. Maar ze zou teleurgesteld worden.

Jack Barker ging verder: 'Sinds ik mijn ambt als minister-president heb aanvaard, is het mijn voorrecht geweest een radicaal hervormingsprogramma in te voeren, ondanks de tegenstand die er van vele kanten kwam. Wat voor ambt ik ook in de toekomst zal bekleden, ik zal er altijd naar streven mijn volk en mijn land te dienen.'

'Betekent dat dat hij gaat aftreden?' vroeg de koningin.

'Ik hoop van niet,' zei Spiggy. 'Gisteren heeft-ie net die verdomde poll tax afgeschaft.'

'Sst, Spiggs,' zei Anne.

Jack eindigde abrupt: 'Morgenochtend om elf uur zal ik een volledige verklaring voor het volk afleggen. Goedendag.'

242

Een presentator in een donker kostuum zei met sonore stem: 'Alle programma's van morgen komen te vervallen om ruimte te maken voor een speciale uitzending van buiten de studio. Deze wijzigingen hebben betrekking op alle kanalen.'

'Christus,' zei Norman, die, wanneer hij niet aan het werk was, een verslaafd televisiekijker was. 'Dat moet dan wel het eind van die pokkewereld zijn.'

49 Thee voor drie

Jack haastte zich de televisiestudio van Westminster uit en werd naar zijn auto gebracht voor de korte rit terug naar Downing Street. Hoewel de autobanden van rubber waren en de straat eronder was geasfalteerd, dacht hij dat hij onder zich de ijzeren wielen van de gevangenkar voelde, die over de keien hotsten en botsten.

In de slaapkamer van haar *pied-à-terre* – een suite in het Savoy – stond Sayako voor een spiegel. Ze nam haar spiegelbeeld in zich op. Dat was perfect, perfect, zoals het betaamde voor iemand wier beeltenis al spoedig over heel de wereld zou gaan. Haar kamermeisjes hadden haar geholpen de laatste en meest verfijnde van de vele creaties die speciaal voor haar waren ontworpen, uit te doen en hadden die, in vloeipapier gewikkeld, in een kast gehangen. Toen pakte Sayako, die nu elegant maar niet meer zo adembenemend in een van haar nieuwe mantelpakjes uit Sloane Street gekleed was, haar tas en een exemplaar van *Debrett's Peerage*, en begaf zich naar beneden, waar een auto stond te wachten om haar naar de thee te brengen.

Toen Jacks auto voor Nummer 10 stopte, kwam hij niet meteen naar buiten, ook al had de chauffeur het portier geopend zodat hij uit kon stappen.

'Rottigheid, Jack?' vroeg de chauffeur. Het woord 'rottigheid' klonk in Jacks hoofd door en riep herinneringen op aan zijn kinderjaren en de principes die hij zich toen eigen had gemaakt. Zijn lichaam verstarde. Hij leek op een pop die aanstonds dienst zou moeten doen bij een gesimuleerde botsing tijdens proefnemingen om de verkeersveiligheid te bevorderen.

'Kramp,' loog Jack. 'Een minuutje.'

Op Nummer 10 werd alles voor de thee op een lage tafel in gereedheid gebracht door een in zijde geklede vrouw met een bleek gezicht. Jacks hooggeëerde gasten wachtten in een anti-

chambre. Toen Jack zich tenslotte bij hen voegde, schreed hij
op kousevoeten en met de hand uitgestoken over het tapijt naar
hen toe; pas op het allerlaatste moment dacht hij eraan dat hij
zijn hand moest laten zakken en in plaats daarvan moest buigen.

50 Vogel in de vlucht

Toen de koningin die middag aan de kassa van Food-U-R haar boodschappen stond af te rekenen, liet Victor Berryman iets in haar boodschappentas vallen. Hij fluisterde: 'Nu niet kijken.'

Toen de koningin thuiskwam en haar inkopen uitpakte, zag ze dat het mysterieuze voorwerp een brief was, aan haar geadresseerd in het handschrift van Charles.

De Wildernis
Het hoge Noorden

Mama lief,

Een haastig briefje (ik ben constant onderweg) om u te laten weten dat ik 'over zee naar Skye' ben – niet helemaal *letterlijk* naar *Skye*. Maar ik ben wel ergens in de *buurt*.

Ik slaap overdag en 's nachts trek ik verder en zoek ik naar voedsel. Ik probeer één te zijn met de hei en ik geloof dat het me lukt. Het helpt wel dat mijn trainingspak (wat een zalig kledingstuk, zo comfortabel) paars en groen is.

Voor de winter begint, hoop ik een verlaten boerderijtje te vinden waar ik mijn thuis van kan maken. Ik heb maar weinig nodig: een turfvuur, een bed van hei, simpel voedsel en misschien nu en dan een blik in de *Daily Telegraph*.

Nog één ding, mams, voor ik deze brief beëindig. Wilt u de groeten doen aan Beverley Threadgold, zeg haar dat ik geen tijd meer had om afscheid van haar te nemen. En natuurlijk, de groeten aan Diana en de jongens.

Een nieuw leven roept me. Ik moet de wind in mijn gezicht voelen en de kreet horen van kleine dieren wanneer ze door gevleugelde roofdieren worden overvallen.

Liefste mams, met al mijn liefde,

C.

De koningin trommelde met haar vingers op de keukentafel en zei hardop: 'Als ik zou roken, zou ik nu zeker behoefte hebben aan een sigaret.' Ze vond het verschrikkelijk aan Charles te moeten denken, die daar in zijn eentje op de vlucht was. Hoe zou die malle jongen het redden tijdens de barre Schotse winter, wanneer daar zelfs de lucht bevroor? Ze maakte een buisje Smarties open, leegde het op de keukentafel en zocht er alle rode uit.

51 Tanden

Ze had haar wekker op kwart over zeven gezet. Harris was de avond tevoren niet naar huis gekomen. 'De naarling,' zei de koningin. 'Hij weet dat ik over hem in zit.' Ze ging naar buiten om in Hell Close te zoeken.

Een uur later zette de koningin de televisie in de huiskamer aan. Het scherm liet de voorzijde van Buckingham Palace zien. De vlaggestok was leeg. Er klonk marsmuziek – de koningin dacht dat het de band van de Royal Marines kon zijn. Ze trok de slang van de stofzuiger los die aan de strijkplank in de kast onder de trap vastzat. Hoewel het beeld niet was veranderd sinds ze ingeschakeld had, bleef ze met één oog naar het scherm kijken terwijl ze intussen het tapijt zoog. Ze uitte nu en dan een verwensing, wanneer de stofzuiger bij de hoeken losse draden opzoog die Spiggy over het hoofd had gezien.

De koningin wilde graag dat het huis er op zijn best uitzag. Ze had haar familie en sommige buren uitgenodigd om samen met haar naar de televisie te kijken. Terwijl ze aan het stoffen en poetsen was, merkte ze dat haar handen wat trilden en ze realiseerde zich dat ze een verschrikkelijk voorgevoel had van hetgeen Jack bekend zou maken.

Om vijf voor elf zat de kleine huiskamer propvol mensen. De koningin moest over en langs benen heen stappen, terwijl ze koffie en biscuitjes serveerde. De televisie liet nu de voordeur van Downing Street nummer 10 zien en het volk daarachter, dat tijdelijk in bedwang werd gehouden door een rij agenten die met de armen in elkaar gehaakt stonden.

Om precies elf uur ging de glimmende zwarte deur van Nummer 10 open en Jack Barker kwam alleen naar buiten. Hij zag er bleek en vermoeid uit, vond de koningin, alsof hij heel de nacht op was geweest. Hij liep naar de rij microfoons en stak zijn hand op om de juichende menigte te doen zwijgen. Hij keek naar zijn voeten, hief dan het hoofd op en zei: 'Landgenoten, afgelopen nacht heb ik een document ondertekend dat ons aller leven een wending ten goede zal geven. De andere ondertekenaar was zijne majesteit, keizer Akihito van Japan.' Jack ging met zijn hand naar de zak van zijn jasje en haalde een stuk papier te voorschijn dat hij in de hoogte hield ten behoeve van de televisiecamera's en de hordes persfotografen.

De koningin zei: 'Schiet op, man.'

Jack stak het papier tenslotte weer in de zak van zijn jasje en begon opnieuw te spreken. 'Vanaf heden zijn Engeland, Schotland, Wales en Noord-Ierland een vriendschapsverdrag met Japan aangegaan, dat de bijzondere betrekkingen en de steeds sterker wordende banden die al tussen onze twee grote landen bestaan, zal bestendigen en ons nieuwe veiligheid en welvaart zal brengen.'

De koningin zei: 'Hou op met die gemeenplaatsen, Barker. Kom terzake.'

Jack dwong zich in de lens van de camera voor hem te kijken, alsof hij de miljoenen kijkers, door met ze in oogcontact te blijven, van zijn oprechtheid kon overtuigen. 'Ik ben trots en gelukkig dat ik u kan zeggen dat dit verdrag Brittannië weer een vooraanstaande plaats zal bezorgen. Opnieuw zullen we deel uitmaken van een wereldwijd rijk, waar de zon nooit ondergaat.'

De meeste toeschouwers juichten.

De koningin mompelde: 'Wat heeft hij in de zin?'

Jack vervolgde: 'Sinds tien april heb ik u als uw eerste minister gediend. Vanaf vandaag zal ik op Downing Street nummer 10 blijven zetelen om u in mijn nieuwe rol van gouverneur-generaal van Groot-Brittannië te dienen.'

De koningin riep: '*Gouverneur-generaal!*' maar de anderen in de kamer zeiden dat ze haar mond moest houden.

Jack ging voort: 'De soevereiniteit over dit land delen we nu met het keizerrijk Japan.'

De koningin kon zich niet langer inhouden: 'Hij heeft ons verkocht,' riep ze, 'of we handelswaar zijn.'

Jack vervolgde: 'Als resultaat van deze constitutionele wijzigingen is de tijdelijke lening van twaalfduizend miljard yen, die mijn regering op dertien april is aangegaan en die op één juni terugbetaald zou moeten worden, met onbepaalde tijd verlengd. Onze nieuwe federatie met het groeiende Japanse keizerrijk – die door een sterk element van subsidiariteit met

249

zorg in balans zal worden gehouden – biedt ons de zekerheid dat we ten langen leste over de hulpbronnen beschikken om ons grote land opnieuw op te bouwen zoals wij dat wensen en zoals ons dat toekomt. Deze politieke en financiële verbintenis dient alleen nog door een personele verbintenis bekrachtigd te worden. Het is me een waar genoegen u mede te delen dat dit nu gebeurt, op dit eigen moment.' De zwarte deur ging open en Jack spoedde zich naar binnen.

'Waar heeft-ie het allemaal over?' zei Spiggy, die door al die lange woorden de kluts kwijt was geraakt.

'Jack Barker heeft bij de Bank van Japan een hypotheek op ons land afgesloten,' riep de koningin.

'Christus!' zei Violet. 'Moeten we nu allemaal Japans gaan praten?'

'Nou, ik niet,' zei Wilf. 'Ik ben te oud om nog een nieuwe pokketaal te leren en ik kan trouwens maar amper Engels praten.'

Beverley Threadgold zei: 'Ik ken een kerel die ooit eens naar een Japans restaurant is geweest. Hij zei dat het vreselijk was. Alles wat-ie te eten kreeg was rauwe vis.'

Violet zei verontwaardigd: 'Nou, als ze maar niet denken dat ze hier kunnen komen om ons te zeggen dat we onze vis niet meer mogen bakken. Ik ben daar niet van gediend.'

Philomena Toussaint zei: 'Aan wie moeten we voortaan de huur betalen? Nog aan de gemeente of aan de Bank van Japan?'

Margaret zei op haar lijzige toon: 'Als we een geschreven grondwet hadden, had dit niet kunnen gebeuren.'

De koningin moest de kamer uit. Ze dacht dat haar hoofd zou barsten. Was zij de enige die besefte wat de volle betekenis van Barkers bekendmaking was? Er had al een coup plaatsgevonden. Brittannië was geannexeerd en was nu een van de buitengewesten van Japan. Ze liep haar achtertuin in. Er was nog niets van Harris te zien. Zijn eten van gisteren was nog in zijn bak. De koningin gooide het in de pedaalemmer onder het aanrecht.

Ze dacht, het is maar goed dat Philip krankzinnig is geworden. Als hij wist dat zijn geliefde aangenomen land als een vis op de markt verkocht was, zou hij, nou ja, om zo te zeggen, krankzinnig worden.

De koningin pakte haar draagbare Sony-radio en gooide die tegen de keukenmuur. Anne verscheen in de deuropening en zei: 'Mam, kom eens kijken.'

De televisie liet nu de Mall zien, waar massa's mensen stonden. Sommigen zwaaiden met Engelse vlaggetjes, maar anderen zwaaiden met vlaggen waarop de rijzende zon was afgebeeld. Het was voor de koningin, die zeer deskundig in dergelijke zaken was, duidelijk dat de mensen er geen idee van hadden waarom ze daar stonden. Ze waren samengedromd, omdat er hekken geplaatst waren om de omgeving af te zetten.

Fitzroy zat Diana uit te leggen dat zijn baan weleens op het spel kon staan. Hij was een accountant die het van de recessie moest hebben, hielp hij haar herinneren, en als er geen recessie meer was, waar bleef hij dan?

De camera draaide weg van de gezichten in de menigte om een gouden koets te laten zien, die getrokken werd door vier witte, met pluimen getooide paarden en nu onder Admiralty Arch door reed en verder trok naar de Mall. De mensenmassa's juichten automatisch, ook al waren de gordijntjes in de koets gesloten en viel er onmogelijk te zien wie de inzittenden waren.

De koningin schreeuwde: 'Ze zouden nog voor chimpansees staan te juichen, die dwazen.'

Anne zei: '*Wij* waren dat, mam. We leefden in een verdomde dierentuin waar de mensen naar ons stonden te gapen. Ben ik even blij dat ik daar weg ben.'

De koningin zag dat Spiggy iets dichter naar Anne op de bank was opgeschoven. De kamer was ondraaglijk warm geworden. Ze voelde dat ze gauw frisse lucht moest zien te krijgen. Haar slapen klopten.

Toen de koets de hekken van Buckingham Palace binnen draaide, zei Tony Threadgold: 'Wie zitten d'r in?'

'Hoe moet ik dat in hemelsnaam weten?' snauwde de koningin.

Het televisiebeeld veranderde en liet nu een Japans fregat zien dat onder de Tower Bridge door voer. Matrozen, Britse zowel als Japanse, stonden op het dek opgesteld en salueerden. De koningin snoof verachtelijk. Plotseling veranderde het beeld opnieuw en liet het balkon van Buckingham Palace zien, waar twee kleine figuurtjes zichtbaar werden. De camera zoomde in om te laten zien dat het ene figuurtje Jack Barker was, die gekleed was als een tinnen soldaatje in een oorlogsspel. Hij droeg een driekantige steek met een witte pluim en een scharlakenrode jas, behangen met onderscheidingen die de koningin niet thuis kon brengen. De persoon die naast hem stond was keizer Akihito in een zijden kimono.

Ze zwaaiden naar de mensenmassa's beneden en de menigte zwaaide automatisch terug. Toen deed Jack een stap naar links en de keizer een naar rechts en er verschenen nog twee figuren, een in een glimmend gewaad van witte zijde en chiffon en met een hoofdtooi, afgezet met oranjebloesem. De ander was in een grijs jacquet, compleet met hoge hoed.

'Wie is dat, verdomme?' riep de koningin. De camera kwam attent dichterbij om het haar te laten zien. Het was haar zoon Edward, die daar met glazige ogen en een strak gezicht stond en de hand vasthield van zijn nieuwe bruid, Sayako, de dochter van de keizer.

De koningin keek ongelovig toe toen de keizer zijn nieuwe schoonzoon glimlachend aankeek en Edward zich als een automaat boog en zijn nieuwe vrouw kuste. Het volk beneden juichte zo hard dat het televisietoestel van de koningin ervan begon te trillen.

'Ze hebben Edward ontvoerd,' raasde de koningin. 'Hij zal gedwongen worden als *haar* prins-gemaal in Tokio te gaan wonen.' De koningin priemde met haar vinger naar het beeld van Sayako op het scherm. Ze had nu al een hekel aan haar nieuwe schoondochter.

Haar hoofd raakte vervuld van een bulderend geluid, als van de donder. De camera draaide, om de hemel boven Buckingham Palace te laten zien met de lege vlaggestok op de voorgrond. In de hoogte kwamen de vroegere Red Devils, nu geel gespoten, gierend in het zicht en voerden boven het paleis gewaagde zwenkingen en rolbewegingen uit, waarmee ze de massa's beneden in verrukking brachten. Edward bleef met een mistroostig gezicht staan kijken, terwijl de toestellen boven het zuiden van Londen verdwenen.

En toen gebeurde het. Langzaam kroop een vlag langs de mast naar boven en wapperde arrogant in de wind. Het was de

Japanse vlag. De koningin riep: 'Is de wereld verdomme helemaal *gek* geworden?'

Geholpen door Edward, bukte Sayako zich en ze leek iets op te tillen waarmee ze zich bij de miljoenen toekijkende dierenvrienden geliefd hoopte te maken. Toen ze zich oprichtte, kwam de camera dichterbij om te laten zien wat Sayako onder haar arm had. Het was Harris, die een halsband met oranjebloesem om had.

'Harris. Jij verdomde kleine verrader!' gilde de koningin.

Harris keek flemend naar Sayako op. De keizer wilde het Engelse hondje aaien. Harris liet zijn tanden zien en begon te grommen. De keizer volhardde, dom genoeg, in zijn poging om de hond over zijn kop te aaien, maar voor hij dat kon doen, had Harris al geërriteerd naar de keizerlijke duim gebeten. De keizer haalde met een handschoen naar Harris uit en verspeelde meteen de sympathie van heel het kijkende Britse publiek.

Harris liet zijn tanden in een boosaardige grijns zien en begon toen verwoed te blaffen. De camera kwam steeds dichter bij Harris, tot zijn kop het hele scherm vulde. De koningin en haar bezoekers weken angstig terug. Alles wat er nog te zien was, waren Harris' scherpe tanden en zijn rode, leverkleurige tong.